LA PR1MERA ESPOSA

Erica Spindler

LA PR1MERA ESPOSA

Traducción de Camila Batlles Vinn

Umbriel Editores

Argentina • Chile • Colombia • España
Estados Unidos • México • Perú • Uruguay • Venezuela

Título original: *The First Wife*
Editor original: St. Martin's Press, New York
Traducción: Camila Batlles Vinn

1.ª edición Junio 2015

Copyright © 2015 by Erica Spindler
    All Rights Reserved
© de la traducción 2015 *by* Camila Batlles Vinn
© 2015 *by* Ediciones Urano, S.A.U.
    Aribau, 142, pral. – 08036 Barcelona
    www.umbrieleditores.com

ISBN: 978-84-92915-63-7
E-ISBN: 978-84-9944-856-5
Depósito legal: B-10.119-2015

Fotocomposición: Jorge Campos Nieto
Impreso por Romanyà-Valls, S.A. – Verdaguer, 1 – 08786 Capellades (Barcelona)

Impreso en España – *Printed in Spain*

Para mi familia: la familia en la que nací
y la que he adquirido. Os quiero

Agradecimientos

Caballos. Tierra de caballos. Espectáculos ecuestres, equitación, entrenamiento. Cuadras, arreos, el lenguaje de los caballos. Un mundo desconocido para mí. Quiero dar las gracias a las muchas personas que me abrieron sus fincas y sus cuadras, compartiendo no sólo sus conocimientos, sino su amor por estos magníficos animales y la fascinante vida de los hombres y las mujeres que forman parte del mundo de la hípica. Me habéis abierto los ojos y el corazón.

Francie Stirling, propietaria, entrenadora y jefa de cuadras de Stirling Farm. Gracias por tu tiempo, tus anécdotas y por introducirme a la doma clásica. Tu magnífica finca e instalaciones de entrenamiento inspiraron buena parte de la Abbott Farm ficticia que aparece en *La primera esposa*.

Richard Freeman, propietario y jefe de cuadras de Oak Hill Ranch. Gracias a ti y a Sara por permitirme acceder a vuestras instalaciones de cría de ganado equino y a vuestros campeones internacionales de sangre caliente. Ha sido una experiencia que jamás olvidaré.

Regina Milliken, asistente de jefe de cuadras y entrenadora de Oak Hill Ranch. Eres increíble, e increíblemente paciente. Gracias por el tiempo que me dedicaste, por tus anécdotas y por permitir que me asomara a la vida de una auténtica caballista.

Brooke Posey, joven y extraordinaria amazona, gracias por permitirme vivir un espectáculo ecuestre durante una jornada a través de tus ojos. Gracias también a Marie Rudd por organizarlo, y a Kathleen Posey, propietaria de Serenity Farm, por dejarme pasar el día en las cuadras, absorbiendo la energía previa al acontecimiento.

Sunny Francois, de la Luisiana Horse Rescue Association, gracias por introducirme en el sector ecuestre de Luisiana; ha sido un privilegio hacerlo de la mano de una persona tan estrechamente vinculada a él. Gracias a Jean Lotz, de AAUW, por hacer que ello fuera posible.

Quiero dar las gracias a Lynda Byrne por invitarme a tu casa y ofrecerme la oportunidad de documentarme de primera mano, y tambén a la profesora de equitación Catherine Insley, de Over The Moon Farm, y a *Tesoro*, su dulce poni de polo retirado.

Pasemos a la mente criminal...

Mi más profundo agradecimiento a Thomas Krefft, neurólogo conductual —y escritor— del Instituto Neurológico de Northlake, por facilitarme información sobre la pérdida traumática de memoria.

A Bill Moran, expolicía y entusiasta cazador, por facilitarme información sobre escopetas, rifles y accidentes de caza.

Al departamento de policía de Folsom, Luisiana, por permitirme echar un vistazo y responder a mis preguntas. Me presenté sin previo aviso, interrumpí vuestro almuerzo y no me pegasteis un tiro. ¡Gracias, chicos!

Al capitán George Bonnett, de la Oficina del *Sheriff* de la parroquia de Saint Tammany, por la visita y la valiosa información.

Mi agradecimiento personal:

A las Sirenas Nicole Grace, Trista Hook y Amanda LaPier por permitir que las «matara». Y a todas mis Sirenas por su cariño.

A la editora Jennifer Weis y el increíble personal de SMP; a mi agente Scott Miller, de Trident Media Group; a mi asistente (y amiga) Peg Campos; y a mis colegas J. T. Ellison y Alex Kava.

Y por último, mi más profundo agradecimiento a mi familia por quererme –incluso cuando debo cumplir con una fecha de entrega—, y a Dios, por sus generosas dádivas.

Prólogo

Viernes, 18 de abril de 2014

03:31

Bailey Abbott abrió los ojos. Una luz, tan intensa que le hería la retina. Dolor. En la cabeza y el cuello. Un dolor sordo, persistente. Se dijo que debería gritar, pero no podía articular ningún sonido.

¿Dónde estaba?

Oyó un leve zumbido y un *ping* cerca de ella. Miró a su alrededor. Yacía en una cama. Unas barandillas de acero inoxidable. Unos tubos de plástico transparentes que colgaban de una bolsa que contenía un líquido. El zumbido que había detectado provenía de un monitor junto a la cama.

Un hospital. La constatación penetró suavemente en su pensamiento al tiempo que cerraba de nuevo los ojos.

07:26

Unas voces despertaron a Bailey. Unas voces masculinas. Trató de abrir los ojos, pero los párpados le pesaban.

—¿Por qué no ha recobrado el conocimiento, doctor Bauer?

La voz denotaba inquietud.

—Entiendo lo consternado que está ante esta situación, pero debe tener paciencia. La señora Abbott ha padecido una lesión cerebral traumática y en estos momentos está haciendo lo que debe hacer. Curarse.

¿Una lesión cerebral? ¿A quién se referían? No podía ser a ella.

Bailey ansiaba decírselo, captar la atención de esos hombres, pero su cuerpo se negaba a responder a sus pensamientos.

—Deme algo, doctor Bauer. Se lo ruego. Me conformo con una hipótesis razonada. Algo a que aferrarme.

—Lo que veo tiene buen aspecto. A juzgar por el nivel de conciencia de su esposa, por la forma en que responde a los estímulos, la lesión traumática que ha padecido es leve. Podría haber sido mucho peor.

La señora Abbott… Su esposa…

Logan…

Las voces se atenuaron. Bailey trató de agarrarse a algo sólido, pero la oscuridad cayó de nuevo sobre ella.

10:20

Bailey percibió unas voces. Discordantes. Airadas.

—¿Qué quieres que te diga, Billy Ray? Iba a caballo y algo la derribó de la silla. Es lo único que sé.

—Rodríguez ha muerto.

—Eso no tiene nada que ver con ella. Los detectives del *sheriff* dijeron…

—Estaba cubierta de sangre, Abbott.

—¿Me lo dices o me lo cuentas? Yo la encontré.

—En efecto, tú la encontraste.

—¿Qué quieres decir con eso?

Una furia apenas contenida. Bailey se asustó.

—Como he dicho, había mucha sangre.

—Se partió la cabeza. Sangró.

—Puede que no toda la sangre fuera suya.

—¿Qué insinúas? ¿Que ella disparó contra Rodríguez y lo mató? ¿O que el accidente de Bailey está misteriosamente relacionado con…?

—La desaparición de True.

—¡Por el amor de Dios! ¡Qué disparate!

—De acuerdo, deja que echemos un vistazo a tu finca.

—Estás loco.

—¿Qué tratas de ocultar?

—¡Hijo de perra! ¡Estás chiflado! Si tanto te interesa, consigue una orden de registro.

—¿Qué ocurre aquí?

La voz de una mujer. Queda, pero furiosa.

—Debe marcharse, agente. Sólo puede estar la familia.

Agente... Algo que ella... quería decirle...

—De acuerdo. Pero te aseguro, Abbott, que, en cuanto tu mujer se despierte, es mía.

—Esto es lo que te obsesiona, ¿no, Billy Ray? ¿Arrebatarme lo que me pertenece?

Importante... Ahora, antes de que fuera demasiado...

Pero el lugar silencioso la engulló de nuevo.

22:36

Un murmullo grave, rítmico. Se introducía serpenteante a través de la bruma, envolviéndola y arrancándola de su confortable nido. Bailey abrió los ojos. La habitación, tenuemente iluminada, adquirió nitidez. Aséptica e inhóspita.

Bailey dirigió la vista hacia el lugar del que procedía el murmullo. Un hombre moreno sentado en una butaca. Dormido.

Bien parecido. La mandíbula pronunciada, una barba de varios días. Demasiado alto y corpulento para dormir cómodamente en esa butaca.

Logan.

Ella gimió. El sonido reverberó en su cabeza, como el clamoroso tañido de una campana. Los suaves ronquidos cesaron y el hombre se incorporó en la butaca.

—¿Bailey? —Se levantó rápidamente y se acercó a la cama—. ¿Estás despierta, cariño?

Ella reculó, hundiéndose en la cama y, más profundamente, en el confortable nido que le ofrecía seguridad.

Sábado, 19 de abril

05:24

La luz penetró en su retina. Intensa e hiriente. Parecía decir: «¡Por aquí! ¡Aquí estarás a salvo!»

Bailey se resistía. Este era el lugar seguro. Mullido y cerrado. Protegido. Pero la luz la atraía, insistente. Acompañada por un sonido. Y una sensación de hormigueo, como si todo su cuerpo hubiera cobrado de nue-vo vida.

Era inútil resistirse. Se volvió hacia el sonido y la luz, con las manos extendidas.

Bailey abrió los ojos y pronunció su nombre.

PRIMERA PARTE

1

Tres meses antes
Islas Gran Caimán

—¿Crees en el destino, Bailey Browne? —preguntó él—. ¿Que dos personas pueden estar destinadas a encontrarse?

Estaban sentados en la playa, ella y este atractivo extraño con el que había pasado las ocho últimas horas. Las horas más insospechadas, emocionantes y románticas de toda su vida.

Se volvió para escrutar los ojos penetrantes e intensos del extraño. Debería decirle que esas ideas le parecían ridículas. Hacerse la mujer fría y sofisticada. Pero no era su estilo.

—Sí, creo en el destino —respondió con voz ronca—. ¿Y tú, Logan Abbott?

Él dudó unos instantes; su expresión traslucía vulnerabilidad.

—No creía en él. Hasta que…

Hasta esta noche. Hasta que apareciste tú.

Las palabras permanecieron suspendidas en el aire entre ellos, silenciosas. Embriagadoras. Excitantes.

Estaban destinados a encontrarse.

Él tomó la mano de ella, enlazando los dedos con los suyos.

—¿Has visto amanecer alguna vez en el Caribe?

—Nunca. —Ella apoyó la cabeza en el hombro de él—. ¿Es muy hermoso?

—Lo más hermoso que cabe imaginar. ¿Puedes quedarte a contemplarlo conmigo?

—De acuerdo. —Bailey volvió la cabeza para observar su marcado perfil—. ¿Has visto muchos amaneceres?

—En todo el mundo.

—¿Has visto amanecer sobre un trigal en Nebraska?

Él se rió.

—La verdad es que no.

A Bailey le gustaba el sonido de su risa, grave y áspera, como un gruñido. Se acurrucó contra él.

—Deberías anotarlo a la cabeza de tu lista —dijo con tono guasón—. Es espectacular.

Él se llevó la mano de ella a los labios y le besó la palma.

—Sólo si prometes contemplarlo conmigo.

Bailey comprendió que en este momento podía perderse. En el sonido de la voz de este hombre, en la sensación de sus labios sobre su piel.

Escabullirse. Desaparecer para siempre.

—Lo prometo —murmuró, y él la abrazó y se tendieron en la arena.

Bailey lo observó mientras dormía. No habían hecho el amor. Después de contemplar el amanecer habían regresado a la habitación de ella y habían dormido abrazados.

Era tan guapo que quitaba el aliento. El pelo negro y los ojos de un verde claro, unas facciones clásicas, una boca bien perfilada. Misterioso, pensó ella. El atormentado protagonista de una novela. Herido profundamente por alguien muy especial para él. Que confiaba encontrar a la mujer adecuada que le devolviera la alegría de vivir.

¿Eran todas las mujeres tan irremediablemente románticas como ella?, se preguntó Bailey, resistiendo el deseo de deslizar un dedo sobre esos labios maravillosamente delineados. ¿Al igual que ella, se sentían atraídas por lo que podía acabar destruyéndolas?

Él abrió los ojos. En su boca se dibujó una breve y perezosa sonrisa que a ella le encantaba.

—Buenos días.

—Dormías tan apaciblemente que no quise despertarte.

—No dormía.

Ella se ruborizó.

—¡Estabas dormido!

—No. —Él se rió—. Fingía estarlo.

Ella no insistió y deslizó un dedo sobre su boca perfecta.

—¿Para burlarte de mí?

La sonrisa de borró de su rostro.

—Porque no quería que este momento terminara.

Inexplicablemente, ella notó que las lágrimas afloraban a sus ojos. Pestañeó para reprimirlas, sintiéndose como una estúpida.

—No lo hagas —dijo él.

—¿Qué?

—Tratar de ocultarme quién eres. Quiero saberlo todo sobre ti, Bailey Browne.

—Ya te lo he contado todo.

—No lo creo. —Él tomó su rostro entre sus manos—. ¿A qué vienen estas lágrimas?

—¿Esto es real? —Ella lo miró a los ojos, escrutándolos—. Es como si mis sueños hubieran hecho que aparecieras, que nos encontráramos. Todo lo sucedido entre nosotros.

—Te prometo que soy real. —Él tomó la mano de ella y la apoyó sobre su corazón—. ¿Sientes cómo late?

Ella asintió y se acurrucó contra él. De pronto pensó en su madre. En sus esperanzas y sufrimientos, sus sueños y desengaños. Buena parte de ellos se centraban en su hija. Bailey había hablado a Logan sobre la enfermedad de su madre y sobre su muerte. Lo mucho que aún le dolía.

Alzó la vista y lo miró a los ojos.

—Hice este viaje para celebrar la vida de mi madre. Para honrarla… viviendo intensamente. ¿Crees que tiene sentido?

Él le acarició el pelo.

—Por supuesto.

En los labios de ella se dibujó una sonrisa.

—Y aquí estás.

—Y tú también.

—Es duro perder a las personas a las que amas.

—Nunca desaparecen por completo si las amabas realmente. Dejan un pedacito de sí mismas. Aquí.

Apoyó la mano en el pecho de ella. Bailey se preguntó si sentía la furia con que latía su corazón.

—¿Y tú? —preguntó con voz ronca—. ¿A quién has amado y perdido?

—A todo el mundo —respondió él.

En ese momento, al oír esas palabras tan reveladoras, ella comprendió que estaba perdida e irrevocablemente enamorada de él.

Antes de que pudiera responder, él la besó. Ella le devolvió el beso y allí, mientras el sol penetraba a través de las persianas, hicieron el amor por primera vez.

Estaban sentados uno frente al otro en una mesa en la cabaña con techado de paja que constituía el bar. Sonaba una canción de Bob Marley. Zumos tropicales adornados con diminutas sombrillas de papel. Mujeres en bikini cubiertas con camisas transparentes. Mujeres muy bellas, exóticas.

Todas se habían fijado en él. Varias habían flirteado abiertamente con él, como si ella no estuviera presente. Como si supieran, al igual que Bailey, que él se hallaba a un nivel muy superior al suyo.

De repente ella se sintió acomplejada.

—¿Por qué estás conmigo? —preguntó, inclinándose hacia él.

Él la miró disgustado.

—¿Por qué me preguntas eso?

—¿Por qué crees? Podrías tener a cualquier mujer de las que están aquí. En esta playa. ¿Por qué yo?

—Eres la única mujer que quiero.

Sus palabras, la forma en que fijó la vista en sus labios, la excitaron. Mientras sentía que se le ponía la piel de gallina en los brazos, en su mente se disparó una señal de alarma.

Pero se apresuró a silenciarla.

—Te pareces al protagonista de la serie televisiva *Mad Men*.

Él arqueó una ceja con gesto divertido.

—¿Don Draper?

—Sí. Supongo que te lo habrán dicho en otras ocasiones.

Él se encogió de hombros.

—La gente ve lo que quiere ver.

—¿Y qué ves tú cuando me miras?

—A Don Draper no, te lo aseguro

Ella se rió, complacida de su sentido del humor.

—Menos mal.

La sonrisa se desvaneció de los labios de él.

—Te veo a ti, Bailey.

Ella hizo un mohín y él la miró irritado.

—No hagas eso. No tienes que hacerlo y no te favorece. No eres como esas otras mujeres. No eres una muñeca Barbie. Eres auténtica, sin trucos ni artificios.

Se inclinó hacia ella.

—Sigues creyendo que todo es posible. Crees en el amor verdadero, que el bien triunfa sobre el mal y en los finales felices.

Era verdad, pensó ella. En el fondo creía en todas esas cosas, por más que la vida le había demostrado repetidas veces lo contrario.

¿Cómo había averiguado él tantas cosas sobre ella en tan poco tiempo?

De la misma forma que ella había averiguado tantas cosas sobre él.

—¿Y tú? —preguntó Bailey—. ¿Crees en los finales felices?

Los ojos de él se ensombrecieron. Tomó las manos de ella y se inclinó hacia delante.

—¿Puedes creer tú lo bastante por los dos?

Ella sintió que tenía la boca seca. Se le formó un nudo en la garganta. ¿Cuántas veces le había dicho eso a su hastiada y derrotada madre? «Yo creeré por las dos, mamá. Todo cambiará para nosotras, ya lo verás.»

Era demasiado tarde para su madre. Pero no para ella.

—Sí —respondió bajito—. Te quiero.

Él sonrió lentamente, satisfecho. Como un gato. Una sonrisa de oreja a oreja. Seductora y peligrosa.

—Eres perfecta, Bailey Browne. Absolutamente perfecta.

La maleta de Bailey estaba abierta sobre la banqueta del equipaje. Mañana regresaría a casa. Tenía el corazón destrozado.

Logan estaba sentado en la esquina de la cama, observándola mientras ella hacía la maleta, en silencio. Durante las últimas horas apenas había despegado los labios y ella había llenado el silencio hablando sin parar.

—Todo lo bueno termina. Era lo que solía decir mi madre.

Tomó un montón de camisetas y de *shorts* doblados y los metió en la maleta.

—«Bailey —continuó, imitando a su madre—, si todos los días fuera Navidad, no sería un día especial. O si comieras helado de chocolate todos los días, no te parecería tan delicioso. Así es la…»

—No te vayas.

Ella trató de ocultar lo desolada que se sentía en estos momentos.

—Mi vuelo sale mañana. Debo irme.

—No tienes que irte. Quédate. Alarga tus vacaciones.

Ella lo miró a los ojos.

—¿Así, sin más?

El corazón le retumbaba en el pecho.

—¿Lo dices en serio?

—Completamente en serio. Cambia tu vuelo.

—No me reembolsarán el dinero del billete.

—Yo te pagaré otro.

Los pensamientos se agolpaban en la mente de Bailey. ¿Por qué tenía que regresar? Había dejado su trabajo para ocuparse de su madre y el nuevo semestre escolar acababa de comenzar. No tenía familia y sólo unos pocos buenos amigos.

—Te costará una fortuna —dijo, meneando la cabeza.

—No importa. Puedo permitírmelo.

—Pero mi habitación…

—Yo lo arreglaré con el hotel. O puedes trasladarte a mi habitación.

A su habitación y a su vida, haciendo que la suya desapareciera para siempre.

—En este tipo de lugares desaparecen muchas jóvenes. —Las palabras brotaron de sus labios antes de que pudiera darse cuenta.

Él la miró con inopinada frialdad y se levantó.

—Lo siento. No sabía que pensaras así.

—No es que piense así… Soy una mujer soltera, debo andarme con cuidado.

—Lo entiendo. —Él se encaminó hacia la puerta, pero se detuvo y se volvió hacia ella—. Supuse que esto era tan importante para ti como para mí.

Ella le había herido. Por imposible que le pareciese, lo detectó en el tono de su voz y lo vio en sus ojos.

—¡Espera! —Bailey extendió la mano—. Es que…

—No te fías de mí.

—No, claro que me fío. Pero…

—¿Hace sólo cinco días que nos conocemos? ¿Tienes que ser precavida y no arriesgarte? —La voz de él adquirió un tono más grave—. No puedes tener esto, lo que hay entre nosotros, y no arriesgarte.

Tenía razón, pensó Bailey. El tiempo físico no importaba, en su corazón lo conocía desde siempre. Era el hombre con el que había soñado que se encontraría algún día. Esto que había estallado entre ellos, el amor que ella siempre había anhelado.

—Lo haré —dijo, asintiendo para recalcar sus palabras—. Pero yo pagaré mi billete.

En los labios de él se insinuó una sonrisa.

—Entiendo que quieras ser independiente, pero…

—No. Me parece bien gastar el dinero del seguro de vida de mi madre en esto. Ella siempre quiso que yo encontrara lo que ella nunca…

Bailey sintió un nudo en la garganta y no pudo terminar la frase. Él la atrajo hacia sí y la abrazó. Ella le rodeó el cuello con los brazos y apoyó la cabeza en su hombro. Permanecieron abrazados largo rato; el corazón de él latía con fuerza y de forma acompasada contra el de ella.

¿Cómo podía algo que le proporcionaba una sensación tan maravillosa no estar bien?, se dijo Bailey.

Se apartó un poco, alzó el rostro y lo miró a los ojos.

—Mi padre nos abandonó cuando yo era una niña de corta edad. A mi madre le destrozó el corazón y no volvió a rehacer su vida con otro hombre. Pero quería que yo tuviera lo que ella nunca tuvo. Quería que tú te cruzaras en mi camino.

—Y así ha sido, Bailey. Jamás te abandonaré.

La misma maleta estaba abierta sobre la misma cama. Les rodeaba el mismo silencio opresivo. La sensación de pérdida, pensó Bailey, de que su corazón iba a partirse en mil pedazos.

No, la pérdida era ahora más profunda y dolorosa. Si él se había propuesto seducirla para que cayera en la trampa, lo había conseguido. La mera idea de vivir sin él le resultaba insoportable.

—Pero no dejaremos de vernos —dijo, asumiendo un tono de falso optimismo—. Nos hemos trazado un plan. Funcionará.

Él no respondió y ella continuó:

—Vendrás a Nebraska para contemplar el amanecer, y yo iré a Luisiana para degustar el excelente marisco. —Sacó un montón de camisetas del cajón de la cómoda—. No es como si viviéramos en planetas distintos. No…

—Para —dijo él—. Por favor. Quiero decirte algo.

Bailey notó que se le secaba la boca.

—¿Qué? —balbució.

—Estuve casado —respondió él—. Mi mujer me dejó.

—Ah. —Bailey no sabía qué decir. La idea de que él hubiera estado casado con otra mujer la dejó sin aliento. No debería ser así, los dos eran lo bastante mayores como para haber estado casados, y él era mayor que ella. No obstante, esa revelación la hirió profundamente.

—Un día regresé a casa y comprobé que se había marchado. Se fue con lo puesto y el dinero que había aportado al matrimonio.

Bailey se aclaró la garganta; se sentía como una cierva atrapada ante los faros de un vehículo que se precipitaba hacia ella.

—¿Por qué... no me lo dijiste antes?

Él fijó la vista en sus manos y luego la miró a ella.

—No me gusta hablar de ello.

Estaba claro que el tema le hería profundamente. Debido al abandono por parte de su padre. Bailey comprendía lo que significaba sentirse traicionado por la persona a la que más querías. La persona en la que confiabas y en la que te apoyabas.

«¿A quién has amado y perdido?»

«A todo el mundo.»

Ella apenas podía articular palabra.

—De modo que... ¿Por qué ahora, Logan?

—Hay más. Unos rumores repugnantes sobre mí. Sobre True y yo, sobre mi familia. Los he soportado durante gran parte de mi vida, pero quería que lo supieras antes de que... Cásate conmigo, Bailey.

Ella lo miró atónita, convencida de que no había oído bien.

Pero al mirarlo comprendió que sus oídos no la engañaban.

—Cásate conmigo —repitió él—. Quiero vivir el resto de mi vida contigo.

Ella experimentó una sensación muy extraña. Como el hormigueo de electricidad estática. De la cabeza a los pies. La sensación iba acompañada de un sentimiento de euforia. Y de absoluto terror.

—Estás loco. Nos hemos conocido hace tan sólo...

—Todas nuestras vidas.

Ella emitió una risita nerviosa.

—Iba a decir doce días.

Él se le acercó, tomó sus manos y la miró a los ojos.

—Puede que sea una locura, pero tengo la impresión de conocerte de toda la vida.

Por más que le aterrorizara confesarlo, ella sentía lo mismo.

—¿Hablas en serio?

—Desde luego. Escucha, Bailey, podríamos despedirnos con la intención de volver a vernos. Pero seamos sinceros, nos alejaríamos el uno del otro y esto sería el fin de la historia.

Le apretó las manos con fuerza.

—Esto no puede ser el fin de la historia, Bailey. De *nuestra* historia.

Él le soltó las manos y apoyó una rodilla en el suelo. Sacó un estuche de cuero blanco del bolsillo.

—Te amo, Bailey Ann Browne. ¿Quieres casarte conmigo?

Abrió el estuche. Contenía un anillo con el diamante más soberbio que ella había visto jamás.

Bailey levantó la vista del anillo y lo miró a los ojos. *Él la amaba.* Ella se lo había dicho una docena de veces, pero él había esperado el momento oportuno. Para que esto fuera perfecto.

Vivieron felices para siempre, pensó Bailey. Así sería la historia de Logan y de ella.

Creía en los cuentos de hadas. Y este era su cuento de hadas.

—Sí, Logan —dijo bajito—. Te amo y me casaré contigo.

2

Luisiana

Circulaban con la capota bajada y la calefacción a toda potencia. Bailey se reía alegremente mientras se arrebujaba en su abrigo. Estaban locos por viajar de ese modo, con la capota del coche bajada y envueltos en sus ropas invernales. Pero todo lo referente a esta situación era una locura.

Logan se volvió la mirarla.

—¿Qué te parece tan cómico?

—¡Nosotros!

Ella extendió sus manos enguantadas hacia el cielo, como solía hacer cuando se montaba en una montaña rusa. En este momento iba sentada en el primer vagón de la montaña rusa más excitante que cabía imaginar.

—Estás como una cabra, ¿lo sabías?

—Debo de estarlo si me he casado contigo.

—¡Y no dejaré que lo olvides! —contestó él. Al cabo de unos momentos señaló la carretera—. Casi hemos llegado. No pestañees, no sea que pasemos de largo y no lo veas.

Bailey se enderezó en el asiento, emocionada. Durante varios kilómetros, cada vez que había divisado una verja de hierro había preguntado si era Abbott Farm.

Él había sonreído cada vez, explicándole que antes tenían que llegar a Wholesome.

Por fin habían llegado a la población, anunciada por un curioso letrero de madera.

—«Wholesome Village —leyó Bailey en voz alta—, setecientos dieciocho habitantes.» ¡Parece un lugar encantador!

Él extendió el brazo sobre el asiento y le tomó la mano.

—Espero que te sientas feliz aquí.

—Seguro que sí, Logan. Porque es tu hogar. Dime de nuevo a quién conoceré hoy.

—A mi hermana, Raine.

Su única familia.

—La artista.

—Sí. Temperamental y melancólica.

—Parece ser un rasgo familiar —comentó Bailey en broma.

—Por suerte, yo no lo he heredado.

Los dos se rieron.

—Da clase de dibujo en la universidad —continuó él—. A tiempo parcial.

—La que está en Hammond. Sé que tiene un excelente programa de enseñanza primaria.

—La Southeastern. Sí.

Pasaron frente a varios establecimientos, el Dairy Freeze, que estaba cerrado, y Earl's Quick Stop. Unos parroquianos se volvieron para mirarlos. Sin duda habían reconocido el coche. Ella se preguntó cómo reaccionarían ante la noticia de que Logan había vuelto a casarse.

Él no pareció percatarse de la curiosidad que suscitaban.

—Raine vive en una casa en los terrenos de la finca.

—No olvides que me prometiste que le caería bien.

—No recuerdo habértelo prometido. —Él arqueó una ceja sonriendo divertido—. Además, da lo mismo que le caigas bien o mal, cielo. Porque te amo.

Él detuvo el coche en una intersección de cuatro ramales y ella lo miró con expresión burlona.

—De modo que eres uno de esos tipos que prometen a una mujer lo que sea con tal de conquistarla.

—El caso es que dio resultado, ¿no?

Bailey no estaba dispuesta a abandonar el tema de su hermana.

—¿Así que crees que no le caeré bien?

—Raine es un poco… posesiva, por lo que su primera reacción quizá sea… un tanto fría. Pero cuando te conozca, y vea lo feliz que me haces, estoy convencido de que os haréis buenas amigas.

Bailey puso los ojos en blanco.

—Genial. Me has hecho polvo.

Él se rió, aunque no lo negó, y atravesó lentamente la intersección.

—Luego conocerás a August. Ándate con cuidado con él, es un donjuán impenitente y un cabronazo.

—Pero lo quieres.

—Lo respeto —rectificó Logan—. Es un magnífico entrenador.

Bailey se lo imaginó. August Pérez, entrenador de doma clásica. Moreno y seductor. Sonaba todo muy romántico.

—¿Ocurre esto realmente? —preguntó.

—Desde luego —respondió él. En las esquinas de sus ojos se formaron unas arruguitas—. Hasta que la muerte nos separe.

El sol se ocultó detrás de una nube y Bailey experimentó de pronto una sensación de frío, como si una sombra hubiera pasado sobre ella.

—¿Cuánto falta para que lleguemos?

—Un par de kilómetros.

—Entonces cuéntame algo sobre Paul.

—Mi jefe de cuadras.

—Tu mejor amigo y mano derecha.

—Sí. Cuando se entere de lo nuestro, se va a cabrear.

Otra buena noticia. El secretismo de Logan la había preocupado. Ella había llamado a las dos únicas personas en su vida que sabía que querrían conocer la noticia: su amiga Marilyn y su exjefa en la librería. Ambas se habían quedado estupefactas y le habían rogado que recapacitara. Recelaban de los motivos de Logan.

No lo entendían. Él no la había presionado para que accediera a casarse con él. Ambos habían actuado siguiendo los dictados de su corazón, convencidos de que estaban destinados a estar juntos.

Aunque en el caso de Bailey, el factor aventura también había influido. Había decidido, por una vez, saborear la vida a tope. Participar de forma activa en que sus sueños se hicieran realidad.

—Debiste decírselo, Logan. No es justo que les sueltes la noticia sin previo aviso. Yo también me enfadaría.

El semáforo se puso rojo y él se detuvo. Se volvió para mirarla.

—Quería guardar esto entre nosotros, Bailey. Durante un tiempo.

Ella sintió un nudo en la garganta. No era secretismo. Él no había comunicado a nadie la noticia porque quería atesorar este momento tan especial para ambos.

El semáforo cambió y Logan arrancó de nuevo.

—Además, cuando los conozcas lo comprenderás.

—¿Insinúas que son una manada de lobos hambrientos?

—Más o menos. —Él alargó el brazo sobre el asiento y le tomó la mano—. Mira a la derecha. Abbott Farm.

3

Logan enfiló el sendero de acceso y al cabo de unos momentos atravesó la verja de hierro forjado, que estaba abierta, adornada con el vistoso logotipo *AF*.

—¡Espera! —dijo ella—. Para.

Él obedeció, frunciendo el ceño.

—¿Qué ocurre?

—Nada. —Bailey confiaba en que él no detectara el temblor en su voz—. Necesito un momento.

Para apaciguar su agitado corazón. Para controlar la inopinada sensación de incertidumbre que se había apoderado de ella. Este era su nuevo hogar. Ahora estaba ligada a este hombre y a este lugar, todo lo que le resultaba familiar lo había dejado a muchos kilómetros de distancia.

Aquí estaba sola.

No, tenía a Logan. Y mientras estuvieran juntos, nunca estaría sola.

Era preciso saborear la vida a tope, se recordó Bailey. El verdadero amor y todo cuanto formaba parte de él.

Inspiró hondo y expelió el aire despacio.

—De acuerdo —dijo—. Estoy lista.

—¿Tienes dudas?

—No —respondió ella, forzando una sonrisa—. En absoluto.

Logan arrancó. El serpenteante sendero de grava discurría hacia el establo principal —aquí los llamaban cuadras, le había explicado él— y las pistas de entrenamiento. Le había enseñado fotografías de la propiedad en Internet. Consistía en las cuadras y las instalaciones de entrenamiento, inmensos pastos y tres residencias que ocupaban cuarenta hectáreas de terreno arbolado.

Pero las fotos no la habían preparado para contemplar una finca tan espectacular.

Extensos pastos rodeados por cercas pintadas de blanco. Un terreno inmenso sembrado de robles, arces y abedules. En el prado, junto a la entrada, pastaban dos yeguas y sus potrillos.

Cuando llegaron a la cuadra, Logan aparcó el Porsche a la sombra de un árbol y apagó el motor. Dos perros salieron corriendo a saludarlos —un corgi y un labrador de color chocolate—, seguidos por un hombre con unos vaqueros azules, botas y un sombrero de *cowboy*.

Logan se volvió hacia ella.

—Una advertencia. Paul tiene un oído supersónico. No se le escapa una palabra de lo que se dice en la cuadra.

—¿Así que debemos abstenernos de hablar de sexo cuando esté cerca?

—Exacto. —Logan sonrió—. Por mucho que me fastidie decirlo.

Al cabo de un momento Bailey observó a los dos hombres saludarse con un abrazo.

—¡Sinvergüenza! —dijo Paul a Logan, dándole una palmada en la espalda—. Empezaba a preguntarme si ibas a regresar. Una semana se ha convertido en tres semanas. Me tenías preocupado, tío.

Logan sonrió.

—Pensé en quedarme a vivir en el paraíso, pero temí que este lugar se fuera al garete sin mí.

Paul emitió una risa grave y gutural.

—Qué más quisieras. —Se volvió hacia Bailey y sonrió—. Veo que has traído a una amiga. Hola, soy Paul.

Ella se quitó su gorro de lana, sacudió su larga melena rubia y ondulada y sonrió.

—Soy Bailey. Logan me ha hablado mucho de ti.

Paul la miró sorprendido y se aclaró la garganta.

—Espero que no te haya contado nada que yo tenga que negar de forma categórica.

—No temas. Eran encendidos elogios.

Logan se volvió hacia ella y extendió la mano. Ella se acercó a él y la tomó, complacida al sentir los dedos de él enlazados con los suyos. Él la atrajo hacia sí.

—Tengo una noticia que darte, Paul —dijo—. Procura no cabrearte y comportarte como un cretino.

—Lo sabía —replicó el jefe de cuadras, colocándose en jarras y sonriendo con gesto irónico—. Has comprado un caballo.

Logan miró a Bailey con ojos risueños y luego a su amigo.

—Más o menos.

—Serás cabrón. El potro de dos años de Miami. Te dije que pedían demasiado dinero por él. August también te lo advirtió.

Bailey trató de reprimir la risa.

—No es un «él» —aclaró—. Es una «ella».

—Bailey es más que una amiga, Paul. Es mi mujer. Esa es la noticia.

El jefe de cuadras soltó una sonora carcajada.

—Os conocisteis en la playa, os enamorasteis y os casasteis. Me parece de lo más lógico.

Ante el silencio de los recién casados, la sonrisa se borró de los labios de Paul. Lo miró a él y luego a ella y por fin fijó la vista en Logan.

—¿Es una broma?

—No. Nos casamos hace dos días.

Paul se sonrojó y se volvió hacia ella.

—Lo siento —dijo secamente—. No pretendía faltarte al respeto, es que estoy… estupefacto.

—Lo entiendo —respondió ella, ofreciéndole la mano—. En cierto modo, a mi me pasa lo mismo. Encantada de conocerte, Paul.

Bailey supuso que la noticia debía de parecerle un disparate; sabía que no le gustaba la situación en que Logan lo había colocado. Pero en lugar de comportarse como un cretino, no hizo caso de la mano que ella le tendía y la abrazó con fuerza.

—Estás en Luisiana del Sur, y aquí nos abrazamos. Además —añadió apartándose para mirarla con afecto—, ahora somos familia.

Esa simple palabra la impresionó. *Familia. Lo que ella había perdido al morir su madre.*

—Eso significa mucho para mí, Paul. Gracias.

Él miró a Logan.

—¿Lo sabe Raine?

Logan negó con la cabeza y Paul arqueó las cejas.

—Bueno, cada cual hace las cosas como cree más oportuno, pero pienso que debiste comunicárselo.

—No le tengo miedo —replicó Logan con una carcajada.

—Pero yo sí —dijo Paul, guiñando el ojo a Bailey—. Como solemos decir, viento y Raine…*

---

* Se trata de un juego de palabras, ya que *rain* significa «lluvia» en inglés. (*N. de la T.*)

—... truenos y rayos —apostilló Logan—. Ya se le pasará. No tiene más remedio.

Condujo a Bailey hacia el coche, pero antes de alcanzarlo se volvió y dijo a su amigo:

—Por cierto, estás invitado a cenar. Trae una botella de vino del bueno para celebrarlo.

Al cabo de unos momentos, se montaron de nuevo en el Porsche y se alejaron de la cuadra.

—¿Qué te ha parecido Paul?

—Me ha caído bien. La que me preocupa es tu hermana.

—Raine es muy emotiva, eso es todo. —Logan condujo el vehículo por el sendero de grava al tiempo que el cuidado césped que les rodeaba daba paso a un terreno más agreste.

—¿Emotiva? —Bailey lo miró arqueando una ceja—. ¿Viento y lluvia, truenos y rayos?

—Ya te dicho que es temperamental.

—¿Y posesiva con respecto a ti?

—Mucho.

—Y August es un cabronazo. —Bailey fingió un gemido de consternación y se tapó la cara con las manos—. Tengo la impresión de que esto va a ser un desastre.

—Recuerda que Paul es un encanto.

—Gracias por recordármelo, pero sigo pensando que me he metido en un lío.

—Yo te protegeré.

—Más te vale, puesto que tienes la culpa.

Dejaron el sol tras ellos. A la sombra de los árboles hacía más fresco y ella se arrebujó en su abrigo.

Llegaron a otra verja de hierro, más pequeña y sin ningún logotipo. Logan alargó el brazo sobre el asiento y tomó la mano de ella.

—¿Emocionada?

Ella asintió y atravesaron la verja lentamente. Los muros de piedra que rodeaban la finca parecían tener un siglo de antigüedad, aunque, por lo que Logan le había contado, la casa había sido construida hacía menos de cincuenta años.

Bailey contuvo el aliento al contemplarla. Había imaginado una casa señorial o al estilo de una plantación sureña, no esta gigantesca mansión.

Al comentárselo a Logan, él la corrigió.

—Es un cortijo de estilo español.

—¿Un cortijo? —repitió ella.

—Una finca. Mi madre le puso el nombre de Nuestro Pequeño Cortijo.

—¿Se te ha ocurrido que no tiene nada de pequeño?

—Si hubieras conocido a mi padre. Él deseaba una elegante casa rural francesa, pero mi madre tenía otras ideas. Como puedes comprobar, ella se salió con la suya.

Bailey detectó cierta tristeza en su voz y le apretó la mano.

—Me encanta.

Logan aparcó el coche y descendieron. Ella se detuvo un momento, asimilando todo lo que la rodeaba. Olía a tierra y a vida. Pero reinaba un ambiente apacible. Sólo se oía el susurro de las hojas, el canto de los pájaros y el murmullo de una fuente cercana.

—Parece como si estuviéramos alejados de la civilización.

—En nuestro mundo particular.

Él tomó la mano de ella, entrelazando los dedos con los suyos.

—Vamos, te enseñaré la casa.

Al llegar a la puerta de entrada, la cogió en brazos para cruzar el umbral.

—Bienvenida a casa, señora Abbott.

Tras depositarla en el suelo, la besó. Ella se abrazó a él, preguntándose cómo había ocurrido esto, cómo era posible que su vida se hubiera convertido en el cuento de hadas con el que había soñado de jovencita, pero al que había renunciado.

—Estás llorando —comentó él al soltarla—. ¿Qué ocurre?

—Me siento tan feliz que… Pensé que no aparecerías nunca.

—Pero aquí estoy.

Durante unos momentos se miraron a los ojos, luego él la condujo de una habitación a otra, como un niño deseoso de mostrarle sus tesoros. Era una casa magnífica. Al mismo tiempo austera y elegante. Dotada de lo más moderno en materia de comodidad y de un encanto clásico. Grandes ventanales y piedra vista. Puertas de madera de ciprés y suelos de pino; lo último en aparatos electrónicos y electrodomésticos Viking en la cocina decorada al estilo rústico.

Bailey se acercó a la cristalera de la terraza, a través de la cual contempló el espléndido jardín. Contaba con una piscina, una chimenea exterior y la fuente cuyo murmullo había oído desde el sendero de grava.

Se volvió para mirar a Logan y comprobó que la estaba observando.

—Creo que ya sé dónde pasaré gran parte del tiempo.

—Aparte de la cuadra, recuerdo que era también el lugar favorito de mi madre. Ven, te enseñaré el resto de la casa.

Al cabo de unos momentos, abrió una puerta y dijo:

—Mi estudio.

Bailey entró y se detuvo frente a un cuadro que presidía la habitación. El retrato de una mujer y un caballo. La mujer era muy bella, de cabello oscuro y tez clara, la boca curvada en una enigmática sonrisa idéntica a la de Logan. De alguna forma, el artista había captado el vínculo entre el caballo y su ama.

—Es tu madre.

—Te pareces mucho a ella. —Logan la rodeó con los brazos y la atrajo hacia sí—. Así es como la recuerdo.

—Era muy guapa.

—Sí. —Él apoyó la barbilla en la cabeza de ella—. El caballo se llamaba *Zafiro*. Ella lo crió desde que era un potrillo.

Bailey recordó lo que le había contado. Que los caballos habían sido la pasión de su madre; que había participado en la competición de doma clásica con el equipo estadounidense en los Juegos Olímpicos de Verano de 1980.

—¿Ganó alguna medalla?

—Sí. Ven, te la enseñaré. —Logan la condujo hacia la repisa de la chimenea. En una vitrina estaban expuestas varias fotografías de una joven Elizabeth Abbott a caballo y la medalla de bronce olímpica que había ganado.

—Después abandonó la competición. Se casó con mi padre y nos tuvo a nosotros. Dedicó su vida y sus energías a entrenar a jóvenes jinetes.

—¿Este es el mismo caballo que el que aparece en el cuadro?

—No. *Zafiro* era hijo suyo —respondió él con tono quedo—. Murió el mismo año que mi madre.

Al percibir el dolor en su voz Bailey sintió un nudo en la garganta. Su madre había muerto muy joven. Ella desconocía los detalles, sólo que se había ahogado. En aquella época Logan iba a cumplir dieciséis años. Raine tenía diez. Él le había prometido revelarle los detalles algún día; ella se había mostrado de acuerdo, tenían toda la vida para averiguar todo lo referente al otro.

Algún día. Hacía unos días le había parecido algo muy lejano. En este momento, aquí, rodeada de las cosas de la madre de él, ese «algún día» había llegado. Bailey anhelaba averiguarlo todo. Sobre su madre y sobre todo lo que había contribuido a formar al hombre que amaba.

Se disponía a hacerle una pregunta, pero Logan se apartó, como si lo hubiera intuido.

—Ven, te enseñaré el piso de arriba.

Constaba de tres dormitorios, como comprobó Bailey, incluyendo el dormitorio principal. Todos tenían una terraza que daba al jardín y a la piscina.

—Este es el dormitorio principal —anunció él, abriendo la puerta.

Ella entró en la habitación. Una cama inmensa de columnas. Decorada en suaves tonos azules y crema, con unos toques dorados. Los muebles parecían haber sido confeccionados expresamente para la habitación. Era preciosa, pero… había algo en ella que le chocó. Era una habitación anónima, aunque bien decorada, como la de un hotel.

Bailey se detuvo en el centro y se volvió despacio.

Cuando su vista se posó en la cama, se preguntó si era la misma que él había compartido con True.

—¿Ocurre algo?

—Nada. —Ella se esforzó en apartar de su mente los pensamientos de la otra mujer—. Es muy bonita.

—Puedes redecorarla a tu gusto.

Bailey se acercó al ventanal, lo abrió y salió a la terraza. Él se acercó por detrás y la rodeó con sus brazos, haciendo que se apoyara en su pecho.

—¿Quién es ése? —preguntó, señalando a un hombre que caminaba por el bosque que se extendía más allá del muro de piedra. Lo acompañaba un perro de color blanco, que correteaba ante él, luego regresaba junto a su amo y al cabo de unos momentos se adelantaba de nuevo a la carrera.

—Es Henry. Ha trabajado para nuestra familia toda su vida. Cuando te lo presente, no te asustes por su aspecto, es un hombre sencillo y encantador.

—¿Por qué iba a asustarme su aspecto?

—Lo atacó uno de nuestros sementales.

—Cielo santo.

—Se sacrificó para salvar a mi madre. Cuando conseguimos rescatarlo, había sufrido heridas muy graves. Su cuerpo cicatrizó, pero su cerebro no. Y su rostro... Después de media docena de operaciones para reconstruírselo, decidimos que era una crueldad que siguiera sometiéndose a más intervenciones quirúrgicas.

—¿Vive aquí, en la finca?

—Sí. Tiene una pequeña cabaña en el lado nordeste de la propiedad.

—¿Y el perro? ¿Cómo se llama?

—*Tony*.

—¿*Tony*? —Ella ladeó la cabeza y lo miró—. No parece un nombre apropiado para un perro.

—Cuando lo conozcas cambiarás de opinión. —Él hizo que se volviera entre sus brazos—. ¿Qué te parece todo lo que has visto hasta ahora?

—Maravilloso. No quiero irme nunca de aquí.

—¿Y yo, Bailey? —Él la tomó del mentón para que alzara el rostro y la miró con expresión intensa—. Prométeme que jamás me abandonarás. Que tendremos hijos y envejeceremos juntos.

Era lo que ella había deseado siempre. Una familia. Comer sentados a una mesa enorme, envueltos en un caos familiar de risas y peleas entre hermanos.

Logan parecía tan triste que ella se sintió profundamente conmovida.

—Hijos y nietos —dijo—. Los criaremos aquí, juntos. Jamás te abandonaré. Te lo prometo, Logan.

Él la condujo hacia la cama. Hicieron el amor con la cristalera de la terraza abierta al frío que penetraba del exterior.

4

—¡Sinvergüenza! —La voz femenina provenía de la planta baja—. ¡Ven aquí enseguida!

Bailey se incorporó apresuradamente, llevándose las sábanas.

—¡Dios santo, alguien ha entrado en la casa!

Logan soltó un gruñido.

—No es «alguien». Es Huracán Raine.

—¿Tu hermana? —preguntó Bailey.

—¡Dos minutos! —gritó la mujer—. ¡O subiré yo!

—Aguántate el pipí —contestó él a voz en cuello—. ¡Ahora bajo!

Logan se incorporó en la cama esbozando una media sonrisa.

—Supongo que se ha enterado de lo nuestro.

—Esto es humillante. —Bailey se tapó la cara con las manos—. ¿Crees que nos ha oído…? Ya sabes a qué me refiero. La puerta de la terraza estaba abierta.

—No te preocupes, cariño. —Él se inclinó hacia ella y la besó—. Quédate aquí. Enseguida vuelvo.

Pero Bailey no estaba dispuesta a ocultarse en la cama —desnuda—, y perderse la primera oportunidad de conocer a su cuñada. O arriesgarse a que esa mujer subiera y la viera en cueros.

En cuanto Logan salió de la habitación, se levantó y empezó a organizarse. Después de recogerse el pelo en una coleta y ponerse un poco de brillo en los labios, salió al pasillo.

Pero se detuvo en el rellano. Los oyó discutir, aunque se hallaban al pie de la escalera y no alcanzaba a verlos.

—¿Cómo has podido hacerme esto, Logan? Soy tu hermana.

—Y te quiero. Pero es mi vida.

—Y yo quiero creer que formo parte de ella.

—Y así es, Raine. Vamos, mujer.

Bailey percibió el afecto en el tono de Logan y sonrió.

—Es un encanto —dijo él—. Te gustará. Te lo prometo.

—Dijiste lo mismo sobre True.

—Y te cayó bien.

—Al principio. Luego se volvió contra nosotros.

—No quiero hablar de ella. No lo haré. Y menos hoy.

—¿No ves los paralelismos? Ella también te pareció un encanto. La trajiste a casa, como esta…

Bailey se acercó a la escalera y se asomó para verlos.

—… ¡sorpresa! «¡Te presento a mi bella esposa! Te encantará. Ahora forma parte de la familia.»

La rabia y amargura del tono de Raine la sorprendió. Al igual que la noticia de que Logan había hecho esto con anterioridad, casarse tras una fugaz y romántica historia.

Bailey pensaba que ella era especial, que el amor entre ambos era algo único. Pero al parecer estaba equivocada, a juzgar por lo que Raine acababa de decir. Apartó ese doloroso pensamiento y se centró de nuevo en la conversación que mantenían los dos hermanos.

—Son dos personas muy distintas —dijo Logan en voz baja, con tono tranquilizador—. Ya lo verás.

Raine bajó también la voz; Bailey aguzó el oído para oír lo que decía.

—Pero tú eres el mismo. No soporto… No soportaría que volvieran a destrozarte el corazón.

Bailey salió de su escondite.

—Descuida, eso no ocurrirá —anunció en voz alta y clara, forzando una sonrisa jovial—. Quiero a tu hermano con toda mi alma.

Raine levantó la vista y la miró. Era guapa —con el pelo castaño tan oscuro que parecía casi negro y unas facciones clásicas—, una versión femenina de Logan, salvo por el color de sus ojos. En lugar de verde claro, los suyos eran de un castaño cálido e intenso.

Que en estos momentos centelleaban de furia.

—Ahí la tienes —dijo él—. Mi bella esposa.

Su sonrisa disipó la sensación de frío que experimentaba Bailey. Bajó la escalera y se situó a su lado. Él la enlazó por la cintura con gesto posesivo.

—Bailey Abbott, te presento a mi hermana, Raine.

Bailey dirigió una sonrisa radiante a su nueva cuñada y le tendió la mano.

—Huracán Raine —dijo—, estoy encantada de conocerte por fin.

La expresión de la mujer cambió de forma sutil. ¿Admiración?

¿Por las agallas que había demostrado Bailey? ¿O interés? Como si hubiera comprendido que podía ser una rival digna de ella…, o un blanco fácil.

Tomó la mano que le ofrecía Bailey.

—Tienes razón, Logan. No es True. Creo que ella y yo vamos a llevarnos estupendamente.

5

El olor a carne asada flotaba en el ambiente nocturno. Las risas se mezclaban con el murmullo de la fuente en el jardín. Paul había sido el primero en llegar, con un ramo de flores y una botella de vino. Raine no se había marchado, sino que se había encaminado directamente al bar y luego había salido para sentarse junto a la piscina, sola, arrebujada en su abrigo.

A Bailey le había chocado que fuera a sentarse sola en el jardín. Logan le había asegurado que su hermana tenía la costumbre de aislarse para reflexionar y que se reuniría con ellos cuando estuviera dispuesta a hacerlo. O no.

Al cabo de un rato Raine entró para reunirse con ellos, risueña y comportándose de forma animada, pero seca. Más que seca. Bailey temía que cualquier frase inconveniente la hiciera polvo. Paul, por el contrario, se mostró afable y generoso con ella. Sonriendo, procurando incluirla en la conversación. No obstante, Bailey observó cierta tensión alrededor de sus ojos.

Se preguntó si él había notado la tensión alrededor de los ojos de ella. Si todos podían observarla. Estas personas eran muy distintas a ella. Bellas y sofisticadas. Este lugar era… más imponente de lo que había imaginado. Como el decorado de una película.

Cuando se le ocurrió comentarlo, todos la miraron. Raine sonrió, claramente divertida ante su ingenuidad.

—¿Y qué clase de película sería, mi sorprendente cuñada? ¿Una comedia? ¿O una tragedia?

—Ni una cosa ni la otra.

Era una voz masculina melodiosa y profunda, con un acento europeo. Todos se volvieron hacia él.

—August —dijo Raine con tono divertido—. Nunca desaprovechas la oportunidad de hacer la gran entrada.

Él la besó en la mejilla y se volvió hacia Bailey.

—Tú debes de ser la flamante señora Abbott.

No era un hombre corpulento, pero daba la impresión de tener una fuerte personalidad. Llevaba el cabello recogido en una coleta y sus rasgos morenos contrastaban con la blancura de su camisa de seda. Unos vaqueros ajustados; una sonrisa que mostraba una dentadura blanca y perfecta.

Tomó la mano de Bailey y la miró a los ojos al tiempo que la acercaba a sus labios.

—Está claro que se trata de una película romántica. Épica, sin duda.

Ella sonrió.

—August —dijo, sintiendo los ojos de todos fijos en ella, como si esto fuera una prueba—, eres tan encantador como me advirtió Logan.

Él se rió.

—Y tú, Bailey, tan joven y hermosa como imaginé —respondió él.

Ella no sabía con qué intención lo había dicho, pero no estaba dispuesta a dejarse achantar.

—¿Una prueba del buen gusto de mi marido?

—Más o menos.

Logan anunció que los filetes estaban listos y se sentaron en torno a la gigantesca mesa del comedor. Bailey habría preferido una velada más informal, pero él había insistido en que tenían que celebrarlo por todo lo alto. De modo que habían dispuesto la mesa con un mantel y unas servilletas de hilo y una vajilla de porcelana, y habían encendido las largas velas blancas dentro de unos fanales antiguos.

Tras unos minutos de educada conversación, comenzó el interrogatorio que esperaba Bailey. ¿Cómo no iban a sentir curiosidad? A fin de cuentas, era una extraña cuya presencia les había sido impuesta casi a la fuerza.

Y tal como había supuesto, el interrogatorio lo inició Raine.

—Háblanos de ti, Bailey. ¿Dónde naciste?

—En Nebraska. En una pequeña población llamada Broken Bow.

Raine arqueó las cejas.

—No conozco a nadie de Nebraska.

—Pues ahora me conoces a mí. Ya puedes decir que tu vida es completa.

Logan, que estaba sentado junto a ella, contuvo la risa.

—¿Y tu familia? —preguntó Paul.

—No tengo familia.

Raine emitió un sonido entrecortado y tomó su vaso de agua.

August se inclinó hacia delante, intrigado.

—Qué interesante.

—No estoy segura de a qué te refieres con eso.

—No se refiere a nada en concreto —terció su cuñada—. Sólo trata de hacerse el listo.

August se rió y bebió un trago de vino y Raine se centró de nuevo en Bailey.

—Tengo una curiosidad —murmuró—, ¿cómo es posible que no tengas parientes?

—Soy hija única y me crió mi madre sola. Ella... —se le formó un nudo en la garganta y no pudo continuar. Se sentía como una idiota y miró a Logan con gesto implorante.

—Su madre murió hace poco —dijo él—. Aún llora su pérdida.

—Lo siento mucho —dijo Paul, dirigiéndose a Bailey—. Perdóname por sacar el tema.

Raine ensartó un trozo de carne con el tenedor.

—¿Fue una muerte repentina?

Bailey se aclaró la garganta.

—Depende de lo que consideres repentino. Para mí lo fue. Le diagnosticaron cáncer de huesos y seis meses más tarde... murió.

Logan apoyó la mano en la suya.

—Bailey dejó los estudios para cuidar de ella.

—¿Qué estudiabas? —inquirió Paul.

—Quería ser maestra —respondió Logan por ella—. De enseñanza primaria.

—Pero voy a retomarlos —dijo Bailey, sonriendo—. Logan me ha dicho que la Southeastern tiene un excelente programa. Y podría ir y volver a diario sin mayores problemas.

—Es cierto —terció Raine—. Yo doy clase allí. En el Departamento de Bellas Artes.

—Lo sé. Logan me lo dijo.

—Mi hermano y yo nos graduamos en Tulane, como es natural.

El sutil énfasis que puso Raine en las palabras dejó claro que Southeastern era una universidad apropiada para Bailey, pero no para gente como ellos. A la joven le sentó como un tiro.

—¿Por qué? ¿Es más cara?

—Una pelea entre gatas —murmuró August llevándose la copa a los labios.

—En efecto, es más cara —respondió Raine—. Pero estudiamos allí por tradición. Como hicieron nuestros padres y nuestros abuelos. Aquí damos importancia a estas cosas. Es una tradición familiar.

Bailey se sentía ofendida.

—Mi madre estudió en la dura escuela de la vida. Y obtuvo matrícula de honor.

—¡Bien dicho! —August miró a Raine para comprobar su reacción.

Pero antes de que esta pudiera responder, Paul se apresuró a intervenir.

—¿Montas a caballo, Bailey? —preguntó.

—Solía montar. Pero hace años que no lo hago.

—¿Una chica de campo como tú? —Raine arqueó una ceja con expresión divertida—. ¿Cómo es posible que no montes a caballo?

—No os riáis, pero los caballos me dan miedo. Más bien terror.

Nadie se rió. Un tenso silencio cayó sobre la mesa.

—Bueno —dijo August, alzando su copa en un brindis—, siempre hay una primera vez. Por la señora de la casa, que gobierna sobre todo lo que ve, pero siente terrror por los protagonistas de sus propiedades. Por ti, señora Abbott.

—Cállate, August —le espetó Raine—. Eres un idiota. —Se volvió hacia Bailey—. Los caballos son las criaturas más mansas del planeta, ¿cómo es posible que los temas? ¿Qué te ocurrió?

—Un caballo me derribó al suelo y estuvo a punto de patearme. —Bailey miró a Logan—. Cuando me contaste lo que le había ocurrido a Henry, reviví mi experiencia.

Él le tomó la mano y entrelazó los dedos con los suyos.

—Un exnovio la convenció de que montara un caballo que no le convenía.

—Es muy propio de un hombre convencer a una chica sensata de que haga algo que no debe —comentó August, mirando a Logan con una sonrisa de satisfacción.

Éste no le hizo caso.

—Pero lo intentará de nuevo.

—Cuando esté dispuesta a hacerlo —matizó Bailey.

—Por supuesto, cuando estés dispuesta, cariño. —Logan miró a Paul—. ¿Te parece que monte a *Tea Biscuit*?

Paul sonrió.

—Una elección perfecta. Es una yegua de polo retirada. Muy dulce y mansa.

—La conservamos porque hace compañía a los potrillos que se están destetando —dijo August.

—Y para que la monten los niños —añadió Raine.

Paul carraspeó para aclararse la garganta, claramente incómodo ante la pulla de Raine.

—Logan, cuéntanos cómo os conocisteis Bailey y tú.

Él la miró.

—Cuéntaselo tú, cielo.

—Fue muy romántico.

—Necesito más vino para escuchar esto —dijo August alzando la botella vacía—. ¿Te importa, Logan?

—Claro que no.

—Ocurrió durante la primera noche de mis vacaciones —contó Bailey, mirando a Logan—, de las vacaciones de los dos. Yo paseaba por la playa y alguien me atacó.

Paul sonrió.

—Una táctica genial, amigo. Demostraste tener agallas.

Logan se rió.

—Puede que lo fuera, pero confieso que no soy tan hábil.

—Él me salvó —aclaró Bailey—. Mi príncipe azul.

Raine puso los ojos en blanco.

—Dios santo.

—Se quedó conmigo todo el rato, aunque tuvimos que esperar horas a que aparecieran los guardias de seguridad y luego la policía. Le dije que podía irse, pero insistió en quedarse. —Bailey suspiró—. Contemplamos juntos el amanecer. Fue la noche más romántica de mi vida.

—Disculpadme si me dan náuseas —dijo Raine con tono guasón—. Pásame la botella, August.

—A partir de entonces no nos separamos un momento —dijo Bailey.

—Luego alargamos nuestras vacaciones…

—Porque no soportábamos tener que despedirnos.

—Esto podría convertirse en una costumbre —observó August—. Parece que aquí se están creando muchas costumbres.

Paul le miró irritado.

—¿De modo que decidisteis que no podíais despediros?

—Exacto. Simplemente… lo sabíamos. —Logan alzó la vista y miró a Bailey a los ojos—. Estábamos destinados a permanecer juntos.

—Él se declaró…

—Y ella aceptó.

Paul intervino.

—Y como suele decirse, el resto es historia.

—Un final feliz —dijo Bailey, sonriendo a Logan.

—Obviamente, no te ha hablado de True.

Un tenso silencio cayó sobre la mesa. Todos miraron a Raine.

—¿Por qué crees que no le he hablado de ella? —preguntó Logan en voz baja, con un tono en el que vibraba algo que Bailey no había percibido hasta ahora, pero que comprendió que era peligroso.

—Los dos sabemos por qué, querido hermano. En esta familia, los finales felices no existen.

6

Los días se sucedían sin novedad. Al cabo de una semana, Bailey seguía sin creer que estaba,en este lugar mágico, casada con su príncipe azul. Habían pasado juntos prácticamente cada momento del día, pero Logan había tenido que ir hoy a Nueva Orleans, por un asunto relacionado con su empresa de explotación y administración de fincas.

De modo que Bailey se quedó sola en casa por primera vez. Pensó en ultimar los detalles para que le enviaran sus cosas desde Nebraska o llamar a su amiga Marilyn para charlar con ella, pero decidió ir a explorar la propiedad.

Se ató los cordones de sus zapatillas de deporte Nike, tomó su chaqueta y salió. Visitaría la cuadra, a fin de intentar hacer acopio del valor necesario para ofrecer una zanahoria a la yegua que Logan había elegido para ella. ¿Era posible que temiera a un caballo llamado *Tea Biscuit*? Al atravesar la verja, el perro de color blanco que había visto a su llegada desde el ventanal del dormitorio salió de entre los arbustos.

—Hola —dijo Bailey, agachándose y extendiendo la mano.

El perro se acercó, meneando la cola y agitando sus flancos traseros. Ella le rascó detrás de las orejas y el animal se puso tan contento que casi le dio un ataque epiléptico.

—*Tony*, eres un perrito muy simpático.

Un «perrito» no tan pequeño, pensó. Pero aún era un cachorro.

Estaba claro que era un mestizo. Blanco, de pelo largo y desaliñado, con unos rasgos que no encajaban, una mancha negra sobre un ojo y una sonrisa bobalicona de oreja a oreja.

—Tienes algo de pitbull, ¿verdad?

Tony sonrió y ella soltó una carcajada.

—¿Dónde está tu amo? Te echará en falta. Anda, vete. Vete a casa.

Bailey echó a andar hacia la cuadra, seguida por *Tony*.

—Quédate aquí —le ordenó ella, deteniéndose—. Henry te estará buscando.

El perro no hizo caso. Siguió caminando a su lado durante un trecho, luego se adelantó a la carrera y al cabo de unos instantes regresó junto a ella. De vez en cuando echaba a correr hacia los árboles, pero enseguida regresaba con una expresión casi cómica de satisfacción. Bailey decidió que en la cuadra preguntaría dónde podía localizar a Henry y ella misma le devolvería el perro.

Cuando se aproximó a la cuadra, otros dos perros se acercaron para saludarla, los mismos que había visto el día que había llegado a la finca. *Tony* se apresuró a unirse a ellos y los tres se pusieron a jugar persiguiéndose. Después de observarlos unos momentos, Bailey entró en la cuadra. El interior olía a tierra, pero era un olor agradable, a heno recién cortado y a paja limpia. Varios animales se acercaron a la puerta de sus compartimentos cuando ella pasó de largo, observándola con tristeza al ver que no se detenía para acariciarles el cuello u ofrecerles una golosina.

Logan le había dicho que las mañanas eran los momentos de más ajetreo en la cuadra; había que dar de comer a los animales y llevarlos a hacer ejercicio, limpiar los compartimentos y atender al veterinario que pasaba visita a diario. Bailey supuso que realizaban esas tareas a primera hora de la mañana, pues ahora todo estaba en calma.

Desde que había llegado a la finca solía visitar la cuadra al menos una vez al día con Logan. Pero en esas ocasiones era distinto. Él controlaba la situación. Le había hablado de cada uno de los caballos, señalando los que estaban allí temporalmente y los que pertenecían a Abbott Farm. Le había aclarado que el término «sangre caliente» era un rasgo del temperamento, no una raza, y le había explicado con paciencia las diferencias entre los sementales, los caballos castrados, los potros, las potrancas y las yeguas.

Cada día había constituido una lección; un día sobre habituar a los potros al manejo diario, otro sobre la edad adecuada para empezar a acostumbrarlos a la silla de montar y otro sobre doma clásica.

Ese día se habían sentado en las gradas y habían observado a August y a una clienta. August se había comportado como un cretino, tratando a su alumna con rudeza y gritando desde una esquina de la pista las rectificaciones que debía hacer, pero la mujer no había perdido la calma en ningún momento y había reaccionado con serenidad, realizando unos ajustes tan sutiles que Bailey ni siquiera los había percibido.

Pero Logan no había perdido detalle. Se había mostrado entusiasmado y había hecho continuos comentarios en voz baja sobre la destreza de la amazona y la excelente forma física y potencia del caballo. Bailey se había dado cuenta de que, aunque le había dicho que los caballos habían sido la pasión de su madre, estaba claro que él sentía la misma pasión por ellos.

Y ese era otro motivo por el que ella había ido hoy a la cuadra. Quería vencer el temor que le inspiraban. Quería poder compartir con Logan su amor por los caballos.

Permaneció en el centro del pasillo entre los compartimentos, sintiendo una leve opresión en la boca del estómago. Eran unos animales bellísimos. Y aterradores. Recordó cuando, de jovencita, galopaba por los campos a pelo, con el viento agitando su cabello y azotando sus mejillas, sintiéndose viva y libre.

Y recordó el día en que había montado al semental que la había derribado de la silla, cómo había sentido su poder y experimentado auténtico pánico, quizá por primera vez en su vida. En ese momento había comprendido que el animal de más de quinientos kilos que montaba era el que controlaba la situación, no ella.

Y había seguido controlando la situación desde entonces, pensó con tristeza. Pero esto iba a cambiar, se prometió.

—¿Bailey?

Se volvió rápidamente, casi chocando con August.

Él la sujetó para impedir que perdiera el equilibrio.

—Lo siento, no pretendía asustarte.

—No te preocupes, ha sido culpa mía —respondió ella, retrocediendo un paso—. Estaba absorta en mis pensamientos. Perdona.

—Espera. Quería hablar contigo. Para disculparme por mi conducta la otra noche durante la cena.

—Está olvidado.

—No. Yo no lo he olvidado. —Tomó de nuevo su mano, casi con ternura—. Me comporté de forma grosera, frívola e… imperdonable. Lo sé. ¿Me perdonas?

Ella lo observó. Quizás estaba tomándole el pelo, pero ¿qué más daba?

—Perdonado y olvidado, August.

—¿De veras?

Ella retiró la mano de la suya.

—De veras.

—No me extraña que Logan se enamorara de ti. —Él echó a andar junto a ella—. ¿Has venido a visitar a *Tea Biscuit*?

—¿Cómo lo has adivinado?

—Intuición. Y por la zanahoria que asoma de tu bolsillo.

Ella se llevó involuntariamente la mano al bolsillo y se rió. En efecto, asomaba la punta de una zanahoria.

August la miró con el rabillo del ojo.

—El otro día te vi en las gradas, observando. ¿Qué te pareció?

—¿El qué?

—Mi actuación, claro está. Siempre se trata de mí. Pregúntaselo a cualquiera.

Ella volvió a reírse. El día en que lo había conocido había pensado que era muy hábil a la hora de suscitar la risa a expensas de otros. Pero ahora se dio cuenta de que también era capaz de reírse de sí mismo.

—¿Quieres que te diga la verdad?

—Por supuesto.

Llegaron al compartimento de *Tea Biscuit* y la bonita yegua se acercó para saludarlos. Bailey sacó una de las zanahorias que llevaba en el bolsillo.

—Me pareciste un cretino. De hecho, pensé que preferiría que me pegaran un tiro a que tú me dieras clase.

Él se rió.

—Sabía que seríamos amigos.

¿Amigos? ¿Con este hombre? Bailey no imaginaba que eso pudiera ocurrir. Jamás. La yegua la empujó un poco con el testuz y relinchó.

—Sabe que llevas zanahorias —dijo él—. Puede olerlas. —Tomó la zanahoria de manos de ella y la partió en unos trozos—. Pon las manos así —le indicó, ahuecando las suyas.

Ella obedeció y él depositó los trozos de zanahoria en sus manos.

—Ofréceselos así —le indicó, bajando la voz.

Bailey trató de hacerlo, pero las manos le temblaban tanto que él tuvo que sujetárselas. En ese momento, la yegua mordisqueó los pedazos de zanahoria y ella sintió su testuz, suave como el terciopelo, contra las palmas de sus manos.

—¿Lo ves? —dijo él—. Es un animal muy dócil. No tienes nada que temer.

Bailey se rió. De niña solía dar de comer a los caballos, sin experimentar temor alguno. Le parecía tan natural como cuando ella misma comía. Esos tiempos habían pasado, pero puede que estos fueran mejores, pensó. Había cierta magia en conectar de nuevo con algo tan elemental. Jamás volvería a subestimarlo.

Dio el resto de la zanahoria a *Tea Biscuit*, esta vez sin ayuda de August.

—Mira, las manos ya no me tiemblan.

—Ya lo veo. Ahora acaríciala.

—¿Que la acaricie?

—En el cuello.

Bailey asintió y alargó la mano. La yegua se movió a un lado, apartándose de ella.

—No le caigo bien.

—Nota que le tienes miedo —respondió él—. Y reacciona a tu temor. Acaríciala con confianza. Con afecto.

Bailey volvió a intentarlo. Esta vez *Tea Biscuit* se dejó acariciar.

—Tiene la piel tibia. Y suave.

Se volvió y comprobó que él la observaba. Algo en sus ojos oscuros la indujo a poner cierta distancia entre ellos. A diferencia de la yegua, no podía apartarse de él bruscamente.

Bajó la mano.

—Gracias por la lección, pero debo irme.

Él la detuvo, sujetándola del brazo.

—Lo he dicho en serio, Bailey. Quiero que seamos amigos. True y yo lo éramos.

—¿Perdona?

—Éramos amigos. —August bajó la voz—. Yo la quería.

Sus palabras la asombraron. Se detuvo en seco.

Él sonrió con tristeza.

—No me malinterpretes. True era una persona maravillosa. Todos los que la conocían la querían.

De pronto Bailey se sintió acomplejada, celosa.

—Ya.

—Supongo que Logan te lo habrá dicho.

—Desde luego. —Se preguntó si August había notado que mentía. Logan apenas le había hablado de True—. Lo compartimos todo.

—Salvo lo que él no quiere que sepas.

Ella se tensó.

—¡Espera! Perdona. Siempre meto la pata, por eso tengo tan pocos amigos. Por eso la amistad de True significaba tanto para mí. —Él la miró a los ojos—. Te pareces a ella. No sólo físicamente, sino por tu forma de ser.

—¿Me parezco a ella?

—Sí, guardas cierta semejanza con ella. ¿No lo sabías?

—Nadie me lo había dicho.

—Espero no haberte molestado.

—En absoluto.

Pero la había molestado. Y mucho.

—Deja que te ayude a superar tu temor a montar a caballo.

—No sé… Pensé que Logan quizá querría…

—Le darás una sorpresa. El día de su cumpleaños podríais dar un paseo a caballo juntos.

—A finales de abril —dijo ella—. ¿Crees que es posible?

—Desde luego.

Sería una sorpresa maravillosa. Un regalo para su marido, un hombre que lo tenía todo.

August interpretó por su expresión que ella estaba de acuerdo y sonrió.

—La nuestra será una extraña amistad.

—Somos radicalmente distintos. Una pera en dulce y un cardo borriquero.

Él se rió.

—Un encanto con agallas. Me gusta. Nos llevaremos estupendamente, lo sé.

Ella sonrió.

—Es posible.

—Por desgracia, veo que ha llegado mi clienta, una chica de lo más torpe, sin el menor sentido de la coordinación, pero haré lo que pueda.

Bailey le observó dirigirse hacia la joven. Era alta, hermosa, esbelta. No daba la impresión de ser torpe; de hecho se movía con soltura y elegancia. Se saludaron con un abrazo y August la besó en la mejilla.

Bailey desvió la mirada y vio a Raine a unos metros de distancia, observando a la pareja con manifiesta animadversión.

¿O eran celos?, se preguntó. ¿Estaba su cuñada enamorada del atractivo entrenador?

—Buenos días.

—Hola, Paul.

El jefe de cuadras había salido de lo que Bailey dedujo que era su despacho y se dirigía hacia ella, sonriendo con gesto afable.

—Logan me dijo que quizá vendrías y que estuviera al tanto por si te veía.

Ella le devolvió la sonrisa.

—Pues aquí me tienes.

—Os vi a ti y a August hablando —continuó Paul al tiempo que la sonrisa se borraba de su rostro—. Espero que no te haya dicho ninguna… inconveniencia.

El comentario chocó a Bailey.

—En absoluto —respondió, negando con la cabeza—. Se disculpó por la forma en que se comportó la otra noche.

—Es lo mínimo que podía hacer. Estuvo muy grosero. —Paul se detuvo—. Te prevengo que es un…

—¿Seductor?

—Para decirlo suavemente.

—Logan ya me lo advirtió. —En ese momento *Tony* y los otros dos perros entraron en la cuadra a la carrera; al verla, el chachorro se abalanzó hacia ella, arrojándose contra sus piernas mientras ella se reía—. Como puedes comprobar, he hecho un amigo.

—Ya lo veo. Es el perro de Henry.

—Lo sé. Iba a devolvérselo.

Paul se agachó para coger al cachorro en brazos, pero este se alejó corriendo para reunirse con los otros perros. El jefe de cuadras se incorporó y la miró de nuevo a los ojos.

—No es necesario. Como habrás visto, en la finca hay varios perros y todos corretean libremente por ella. *Tony* sabe dónde vive. ¿Conoces a Henry? —preguntó.

Ella negó con la cabeza y él continuó:

—Vive en una cabaña en el lado nordeste de la finca.

—Logan me contó lo del accidente.

—Ella no debió entrar en el compartimento de *King's Challenge*, estando las yeguas en celo y con otro semental cerca.

Se detuvo, con la mirada perdida en el horizonte.

—Se creía la mujer que susurraba a los caballos. Y lo era. Pero no en esa ocasión.

Bailey tragó saliva para aliviar el nudo que tenía en la garganta.

—¿Estabas presente? ¿Viste lo que sucedió?

Él asintió con la cabeza.

—Yo era un niño. Tenía doce años. Quizás once.

—Cielo santo.

—Henry era uno de los mozos de cuadra. Se dio cuenta de lo que ocurría y se interpuso entre ella y el semental. Fue algo… —Paul sacudió la cabeza—. No he vuelto a mirar a un semental, ni a ningún caballo, de la misma forma. Son unos animales muy poderosos.

Bailey imaginaba lo traumático que debió de ser para él presenciar el ataque. Se restregó los brazos.

—¿Cuántos años tenía Henry cuando sucedió?

—No estoy seguro. Era lo bastante mayor para poder ser el padre de Raine.

—¿Cómo dices?

—Me he expresado mal. Quiero decir que tenía la misma edad que los padres de Logan. Ella nunca se perdonó por lo ocurrido.

Paul guardó silencio unos momentos.

—Elizabeth se hizo cargo de todos los gastos médicos de Henry. De hecho, prometió que se ocuparía siempre de él. Y cumplió su palabra, incluso después de muerta. Le cedió el terreno, construyó para él una casita, le dio un empleo y un sueldo de por vida. Todo es legal. Nadie puede arrebatárselo.

—Debía de ser una mujer muy especial.

—Sí. —Los ojos de Paul mostraban una mirada ausente—. Se comportó conmigo mejor que mi propia madre.

Se quitó el sombrero de *cowboy*, se pasó la mano por su pelo rubio cortado al cepillo y volvió a ponérselo.

—Lo siento, me he dejado llevar por la emoción. ¿Puedo ayudarte en algo, Bailey? ¿Quieres hacerme alguna pregunta, que te indique cómo llegar a algún sitio?

—Tengo una pregunta.

—Adelante.

—Se trata de True. August dijo que me parecía a ella. ¿Es verdad?

Bailey observó que su pregunta le había sorprendido. Paul se aclaró la garganta.

—No. Quizá guardes cierta semejanza con ella, por tu estatura y tu aspecto.

Ella no le creyó, aunque no habría sabido decir por qué. Quizá por la falta de confianza en sí misma.

—Otra pregunta.

Él consultó el reloj.

—Adelante.

—Oí una conversación entre Raine y Logan. ¿Es cierto que él se casó con True de forma tan repentina como…?

Paul la interrumpió.

—Deberías hablar con Logan sobre esto, Bailey. No es asunto mío.

Lo dijo con un tono tan brusco que fue como si le hubiera dado un bofetón, y ella sintió que se sonrojaba.

—Tienes razón. Lo siento, no debí ponerte en este aprieto.

—Si puedo hacer algo más por ti, no tienes más que decírmelo.

Ella metió las manos en los bolsillos.

—Gracias, lo haré. ¿Paul?

Él se detuvo y se volvió para mirarla.

—No soy como True.

—No he dicho que lo seas.

—Sólo quería que lo supieras. No pienso irme de aquí.

7

Bailey salió al soleado y frío día. Tiritó un poco y se arrebujó en su chaqueta de punto. Llevaba casi un mes en la finca y había aprendido su ritmo. Las actividades giraban en torno a los caballos y sus necesidades físicas. Alimentación, ejercicio y atención sanitaria. Doma para los más jóvenes y disciplina para los testarudos. Como una cuadra llena de niños a los que hay que atender.

Las jornadas de Bailey habían adquirido también un ritmo predecible, que giraba alrededor de la agenda de Logan en lugar de la suya. Logan andaba siempre muy atareado entre su empresa de administración de fincas y los asuntos relacionados con la propiedad.

Pero no se aburría. Ni se sentía sola. Por fin le habían enviado sus cosas de Nebraska y dedicó varios días a ordenarlas y colocarlas. Se entretuvo contemplando las cosas que habían pertenecido a su madre, fotografías de ella y de las dos juntas. Había distribuido las fotos enmarcadas de su madre por toda la casa, para poder verla en cualquier habitación en la que se encontrara.

Tony la saludó con un alegre ladrido y corrió hacia ella, meneando no sólo la cola, sino también sus cuartos traseros.

—Hola, amiguito.

Bailey se agachó y le rascó detrás de las orejas. En su éxtasis, el animal no dejaba de moverse de un lado a otro. Ella había aprendido a no preocuparse de dónde estuviera el cachorro. Este parecía haber adquirido también unos determinados hábitos, repartiendo su tiempo entre ella, Henry y los otros perros, con los que jugaba en las inmediaciones de la cuadra.

—¿Vas a quedarte con Henry esta mañana? ¿O has venido a verme?

El perro dejó de moverse, dando a Bailey la oportunidad de rascarle como es debido. De pronto se incorporó, soltó un ladrido y salió corriendo hacia el garaje.

Ella lo siguió y enseguida comprendió el motivo. El viejo Henry estaba en el otro extremo del garaje, reparando una segadora.

—¡Hola, Henry! —dijo Bailey.

El anciano no la oyó, y ella se acercó a él. Al verla, se quitó el sombrero y sonrió con gesto jovial. Entre las lesiones que había sufrido y las cicatrices de las intervenciones quirúrgicas, su sonrisa era como la de un payaso.

—Hola, señorita True. Un día magnífico para dar un paseo.

La primera vez que la había llamado por el nombre de la primera esposa de Logan, Bailey se había sentido dolida. Pero ya no le importaba, en todo caso no demasiado. Se había dado cuenta de que el viejo Henry había quedado atrapado entre el pasado y el presente.

—En efecto, pero he decidido dar una vuelta en coche.

—¿En coche? —preguntó el anciano, arrugando el ceño—. ¿Por qué?

—Creo que ha llegado el momento de aprender a moverme por la finca. —Henry no parecía muy convencido de que fuera una buena idea, y ella le dio una palmada en el brazo—. Que paséis un buen día tú y *Tony*.

Bailey dio media vuelta. Pero él la detuvo, sujetándola del brazo con firmeza.

—¿Volverá?

—Pues claro —respondió ella, sorprendida—. ¿Por qué crees que no lo haré?

—A veces no vuelven.

—¿A quién te refieres?

El anciano dejó caer la mano y siguió reparando la segadora.

—¿Henry? —Ella le tocó el brazo—. ¿Te refieres a True?

Él alzó sus ojos oscuros; el dolor que reflejaban era casi palpable.

—Betsy no volvió. Él regresó sin ella.

—¿Quién regresó sin ella?

—No quiero hablar de él. —Los ojos del anciano se llenaron de lágrimas—. No me obligue.

—De acuerdo. —Al observar lo consternado que estaba, ella le dio una palmadita en la mano—. No te obligaré. Hasta luego, Henry.

El anciano no respondió, reanudó su tarea. Ella se alejó, tomando nota de preguntar a Logan quién era Betsy. Quienquiera que fuera, estaba claro que Henry sentía gran estima por ella.

Logan le había dejado las llaves de un destartalado Range Rover. Se montó en él y arrancó, deseando de pronto salir de la finca. Cuando pasó frente a la cuadra, vio a Paul y a August discutiendo acaloradamente. Al verla se detuvieron y la miraron. Ella sonrió y los saludó con la mano, sintiéndose de repente ligera y libre como una pluma transportada por la brisa.

Condujo sin rumbo fijo. Admirando el paisaje. La tierra. Las granjas, grandes y modestas; algunos comercios diseminados aquí y allá, no concentrados en un determinado lugar, salvo los de la población propiamente dicha. Una clínica veterinaria. Un salón de belleza llamado Snipz and Stylz. Unos viveros y una tienda de alimentación. E iglesias. Un gran número de pequeñas estructuras de ladrillo o de tablilla, algunas adornadas con cruces, otras con simples letreros.

Bailey supuso que en primavera la campiña estaría espléndida, verde y exuberante. Pero en estos momentos, en pleno invierno, presentaba un aspecto grisáceo y mustio.

El sonido de una sirena interrumpió sus reflexiones. Al mirar en el retrovisor vio las luces parpadeantes de un coche de policía. Ella circulaba dentro del límite de velocidad permitida, quizás un par de kilómetros por encima de él, pero no era motivo suficiente para que la policía la detuviera. De pronto imaginó la versión hollywoodiense de una pequeña población sureña: Buford T. No Sé Cuántos.

Salió a un camino de grava y detuvo el coche.

Al cabo de unos momentos, apareció el rostro de un policía en la ventanilla.

—Su carné de conducir, matrícula y póliza de seguro.

Ella le entregó los documentas que le pedía.

—¿He superado el límite de velocidad, agente?

En lugar de responder, el policía preguntó:

—¿Está aquí de visita, señorita Browne?

—¿Perdón?

—El carné es de Nebraska.

—Acabo de mudarme aquí. —En vista de que el policía no respondía, Bailey añadió—: Ahora soy la señora Abbott.

—¿La nueva señora de Logan Abbott?

El tono irónico del policía la irritó.

—¿Se encuentra con una nueva cada semana?

Él la miró perplejo.

—¿Cómo dice, señora?

—Por la forma en que ha dicho «la nueva» señora Abbott pensé que yo era la última de una larga y respetable lista.

Él sonrió levemente.

—Respetable desde luego, señora.

Bailey comprendió que entre Logan y este hombre existía una clara animadversión. Fuera el que fuera el motivo, estaba muy arraigada.

—¿Va a ponerme una multa?

—Esta vez la dejaré marchar con una amonestación. —El policía se agachó y acercó su rostro a la ventanilla, de forma que ella se vio reflejada en sus gafas de sol—. Pero le aconsejo que cambie el carné. Suponiendo que piense quedarse aquí un tiempo.

—Puede estar seguro de ello, agente. Gracias. —Si el hombre había detectado la aspereza en su tono, no se dio por aludido.

El policía extendió la mano con la que sostenía sus documentos, pero cuando ella trató de recuperarlos, los retuvo unos instantes.

—¿Le ha hablado Logan de True?

—¿Perdón?

—Apuesto a que sólo le ha contado lo que desea que usted sepa.

Bailey se sonrojó de ira.

—Si no tiene nada más que decirme, agente…

—O quizá sólo lo que usted desea oír. No cabe duda de que es un buen partido…

Ella contuvo el aliento, pasmada.

—Se está pasando de la raya, agente.

—Usted se parece a ella.

—¿Cómo dice?

—Ella y yo éramos amigos. ¿Le sorprende?

—¿Qué insinúa?

Él le entregó los documentos y ella se apresuró a retirar la mano.

—Piense en ello, señora Abbott. Y de paso, lea un ejemplar de nuestro periódico local en Faye's. Creo que lo encontrará interesante.

Todo vestigio de amabilidad y campechanía sureña había desaparecido. Este hombre era un policía con una misión, con una pistola y una placa y la amenaza que ello comportaba.

Pero ¿esa amenaza iba dirigida contra ella? ¿O contra Logan?

—¿Cómo se llama, agente?

El policía se enderezó.

—Le aconsejo que se ande con cuidado, señora. Con mucho cuidado.

Bailey decidió que era un tipo avasallador, uno de esos policías que disfruta amedrentando a la gente. Que utilizaba su placa para infundir temor. Para sentirse más poderoso.

Pero no estaba dispuesta a dejarse intimidar por este policía provinciano y resentido. Si tenía algún complejo, era su problema, no el de ella.

Asomó la cabeza por la ventanilla.

—Le he preguntado su nombre, agente.

Él se detuvo y se volvió para mirarla.

—Billy Ray Williams. Jefe de policía. —Sonrió y se llevó la mano a la gorra—. Buenos días, señora Abbott.

8

Bailey observó al policía regresar al coche patrulla y montarse en él. Al cabo de unos momentos, arrancó, despidiéndose de ella con la mano. Como si fueran viejos amigos.

Ella notó que le temblaban las manos. Respiró hondo, tratando de calmarse. El policía no la había amenazado abiertamente a ella ni a Logan. Pero este encontronazo con él la había puesto nerviosa.

Arrancó y enfiló de nuevo la carretera. No era la placa ni la pistola lo que la había inquietado, ni siquiera la actitud agresiva de ese hombre, sino su manifiesta inquina hacia Logan. Y las insinuaciones. Que su marido le ocultaba algo. Que ella ignoraba toda la historia sobre True.

Había dicho que él y True habían sido amigos. Casi con tono desafiante. Como un reto. Pero no un reto lanzado a ella, sino a Logan.

«De paso, lea un ejemplar de nuestro periódico local en Faye's. Creo que lo encontrará interesante.»

Faye's. Uno de los dos restaurantes de Wholesome, en el que Logan le había asegurado que servían las mejores galletas con salsa de carne de cerdo, un plato típico de la cocina del sur. Bailey vio unos metros frente a ella el letrero que anunciaba Wholesome Village. Sonrió para sí. *De acuerdo, gran jefe Billy Ray. Acepto el reto.*

No le costó localizar el restaurante. Faye's estaba ubicado en la calle Mayor, justo pasado el único semáforo de la población. El edificio —una estructura baja de ladrillo, con un ventanal cubierto de folletos— no tenía nada de particular, excepto la comida, que el letrero en la ventana aseguraba que era *Muy Rica*, y el aparcamiento casi lleno, con su colección de camionetas y todoterrenos cubiertos de polvo.

Bailey entró en el restaurante. En cuanto lo hizo la campanilla sobre la puerta sonó y la conversación cesó al tiempo que todos los presentes se volvían para mirarla.

Al parecer, había dado con el lugar adecuado para ver y ser vista en Wholesome.

—¡Siéntese donde pueda! —dijo la camarera—. Enseguida estoy con usted.

Bailey se dirigió hacia una pequeña mesa situada en un rincón. Después de sentarse, echó un vistazo a su alrededor. Todo tenía un aspecto sencillo y casero. Básico. Mesas de fórmica a juego con los gastados suelos de fórmica. Paredes decoradas con fotos y objetos referentes a carreras de caballos y partidos de polo y un par de pescados disecados. Unas percas negras, pensó Bailey.

Respiró hondo y empezó a salivar. Olía maravillosamente. A beicon, hamburguesas y galletas caseras.

Cuando se disponía a tomar una de las cartas colocadas entre el servilletero y el salero y pimentero, se acercó la camarera.

—Hola —saludó.

La mujer aparentaba treinta y tantos años y tenía un atractivo y curtido rostro. Curtido no en el sentido negativo del término, sino un rostro que proclamaba aire puro y sol. Tenía el cabello, largo y castaño, recogido en una coleta.

—Hola.

—Siento haberla hecho esperar. La otra chica no se ha presentado hoy. Es la segunda vez esta semana.

—Vaya.

—Pues sí. ¿Está buscando trabajo? —Antes de que Bailey pudiera contestar, la camarera se fijó en su anillo y ella misma respondió a la pregunta—. No, supongo que no. Es precioso.

Bailey lo miró y sonrió a la camarera.

—Gracias.

—Dele las gracias a él —contestó con una sonrisa más que elocuente—. ¿Ha decidido lo que va a tomar?

—Aún no he mirado la carta. ¿Sirven todavía desayunos?

—Lo siento, cariño. A partir de las once sólo servimos almuerzos.

—¿Puedo pedir un BLT?*

—Desde luego. ¿Patatas fritas o chips?

—Chips. Con mayonesa aparte.

—Perfecto. ¿Para beber?

—Agua con limón.

* BLT: sándwich de beicon, lechuga y tomate. (*N. de la T.*)

—¿Algo más?

—¿Tienen un periódico?

—Tengo el *New Orleans T-P*, el *Baton Rouge Advocate* y nuestro modesto periódico local, el *Village Voice*.

Bailey no sabía qué buscaba —ni siquiera si buscaba algo—, de modo que pidió que le trajera los tres. Al cabo de unos momentos, la camarera depositó en la mesa el vaso de agua y tres periódicos.

Cuando Bailey empezó a echarles un vistazo, se dio cuenta de lo aislada del mundo que había estado. Logan y ella no veían la televisión por las noches, ella no escuchaba la radio ni leía un periódico. Ni siquiera había entrado en Internet salvo para ponerse al día de vez en cuando en su Facebook y su Twitter.

En la portada del *Voice* encontró lo que sospechaba que Billy Ray Williams quería que viera.

Desaparece una segunda mujer en Wholesome

Debajo de la fotografía de una chica de veintipocos años, con el cabello largo y castaño y una sonrisa engreída, una sola palabra: «¡Desaparecida!»

Bailey leyó el artículo por encima. La chica se llamaba Amanda LaPier. Había sido vista por última vez tomando copas en un bar local. Al día siguiente habían encontrado su coche, en cuyo interior estaban sus llaves, su bolso y su teléfono móvil. No había signos de violencia. Todo indicaba que se había bajado del vehículo para reunirse con alguien que conocía.

Al parecer, cuatro años atrás había desaparecido otra joven. Trista Hook; todo había sucedido prácticamente igual.

Bailey terminó el artículo y siguió leyendo por encima el resto del *Village Voice*. Ventas de casas y estadísticas de carreras, el robo de unos tranquilizantes para caballos en una clínica veterinaria, un par de reyertas que habían concluido con el arresto de unos individuos en un par de garitos. Nada que le llamara la atención.

Regresó al artículo de portada y frunció el ceño. Estaba segura de que esto era lo que Billy Ray Williams quería que viera. Pero ¿qué tenía que ver con Logan?

La camarera apareció con su sándwich y depositó el plato frente a ella.

—Se le pone a una la piel de gallina, ¿verdad?

Bailey se abstuvo de hacer un comentario y la camarera prosiguió:

—Por las noches siempre evito ir a recoger el coche sola.

Village of Wholesome.*

Población: 718 habitantes.

—Algunos incluso creen que hay una tercera mujer. ¡Y este pueblo pretende dar la imagen de un lugar apacible y pintoresco! ¿Quiere algo más?

Bailey alzó la vista.

—¿Qué ha dicho?

—¿Que si quiere algo más?

—No, lo de la tercera mujer.

—Una joven encantadora llamada...

La camarera se detuvo y miró el dedo anular de Bailey. Luego alzó de nuevo la vista.

—No debí decir eso. Soy una bocazas. No son más que rumores. El domingo pasado el reverendo nos dio un sermón sobre...

—¡Steph! ¡El pedido está listo!

La chica se volvió. Bailey la detuvo, recordando que Logan le había dicho que su primera mujer le había abandonado.

—¿Se refiere a True Abbott?

La expresión consternada de la camarera lo decía todo.

—¡Stephanie!

—Lo siento, debo irme.

La mujer sacó su bloc de pedidos y un bolígrafo, anotó algo en una hoja y la depositó en la mesa.

—Aquí tiene mi número de teléfono. Llámeme. Lo siento.

---

* *Wholesome*: significa «Sano», «Saludable». *(N. de la T.)*

9

El frío azotó a Bailey en el rostro cuando salió de Faye's. Se guardó el papel con el número de teléfono de la camarera en el bolsillo de la chaqueta y se dirigió hacia su todoterreno.

Al aproximarse, vio a Billy Ray Williams en su coche patrulla, bloqueando la salida de su vehículo, con el motor en marcha. No tenía ganas de soportar de nuevo a ese hombre y sus insinuaciones, de modo que se acercó y dio unos golpecitos en el cristal con los nudillos.

Él bajó la ventanilla. Se había quitado las gafas de sol y Bailey vio que tenía unas facciones marcadas y regulares y los ojos castaños, con unas arruguitas en las esquinas por entrecerrarlos continuamente para evitar que el sol le deslumbrara. Un rostro común y corriente.

—Hola, señora Abbott —dijo, sonriendo con gesto afable.

—Déjese de pamplinas. Es usted, ¿verdad?

—¿Yo, quién, qué?

—El que cree que la primera esposa de Logan es la tercera mujer que ha desaparecido.

—No soy el único que lo cree.

—¿Qué jueguecito se trae entre manos?

—Esto no es un juego. Pregunte a su marido sobre True.

—No me diga lo que debo hacer en mi matrimonio.

—¿Le ha contado Logan que lo investigamos en relación con la desaparición de su esposa?

No se lo había contado. Pero no tenía importancia.

—Ella le abandonó.

—¿Ah, sí?

—Sí.

—Móntese en el coche.

Ella rió con gesto de incredulidad.

—Está loco.

—Móntese en el coche y le contaré todo lo que desea saber. Le contaré la verdad.

Ella se rió de nuevo.

—Su verdad, jefe Williams. No me interesa.

—Soy el representante de la ley.

—¿Pretende impresionarme? No puede ser el representante de la ley y tener sus propias prioridades.

—Todo el mundo tiene sus prioridades. La mía es averiguar la verdad. Ponerla al descubierto.

En lugar de responder, Bailey dio media vuelta y se dirigió hacia el Range Rover.

—¿Desea vivir, señora Abbott?

Ella se detuvo. Se volvió y lo miró incrédula.

—¿Me está amenazando?

Él se rió.

—Ni mucho menos. Me limito a darle un consejo de amigo.

Ella abrió la puerta del conductor.

—Déjeme en paz.

—La muerte lo persigue. Persigue a esa familia. Pregúntese por qué. —El policía sacó la cabeza por la ventanilla y añadió—: Pregunte a Logan por qué mintió cuando lo interrogamos. Por qué cambió repetidas veces su declaración. ¿Es lo que haría un hombre inocente? ¿Un marido preocupado?

—Si no aparta su vehículo, le daré un golpe. No crea que no soy capaz de hacerlo.

Bailey se montó en el coche, metió la llave en el contacto y el potente motor rugió. Temblando de furia, empezó a hacer marcha atrás. En ese preciso momento, Billy Ray encendió las luces de su coche patrulla y salió del aparcamiento a toda velocidad.

10

La fuente del jardín enervaba a Bailey con su rítmico gorgoteo y salpicaduras. El sol, que jugaba al escondite con las pocas nubes en el cielo, parecía burlarse de su nerviosismo.

Desde que había regresado de Wholesome, no se había estado quieta un momento. Se había paseado de un lado a otro, había entrado y salido de la casa, había subido y bajado la escalera. Su mente se movía más deprisa que sus pies. No dejaba de pensar en lo que le había contado Billy Ray Williams, en los comentarios de Stephanie.

Cuatro años. Dos mujeres desaparecidas.

Algunos pensaban que True era la tercera.

Habían interrogado a Logan en relación con la desaparición de su esposa. Él había mentido a la policía, había cambiado su historia. ¿Por qué lo había hecho? Bailey se restregó la frente. True no había desaparecido. Se había marchado voluntariamente.

True había estado liada con otro. Logan se lo había dicho.

«La muerte lo persigue. Persigue a esa familia.»

¿Qué significaba eso?

¿Y por qué no le había contado Logan nada de todo esto?

¿Qué otras cosas no le había revelado?

Al parecer, muchas. Pero ¿qué esperaba ella? Se había casado con un extraño.

No. Bailey respiró hondo para calmarse. Ella lo conocía. En todo caso, sabía lo que necesitaba saber: que era fuerte pero tierno, cariñoso y comprensivo. Sabía lo que significaba una pérdida, porque él mismo había perdido mucho. Había prometido no abandonarla nunca.

Todo lo demás carecía de importancia.

Ella no permitiría que Billy Ray Williams —ni nadie— le arrebatara su felicidad.

Bailey le oyó llegar, oyó el sonido de los neumáticos sobre el sendero de grava. Salió apresuradamente a su encuentro, sonriendo.

—¡Por fin has llegado!

Él la abrazó con fuerza.

—Haces que el regreso a casa sea el momento más feliz de mi jornada.

Ella lo miró a los ojos.

—Te quiero.

—Y yo a ti.

Permanecieron unos momentos abrazados, mirándose estúpidamente a los ojos. Embriagados de amor, pensó ella. Era ridículo.

Pero maravilloso. Las preocupaciones sobre lo que sabía y no sabía acerca de su marido y los chismorreos del pueblo se disiparon, y se dejó envolver por el amor que ambos se profesaban y este momento perfecto.

Hasta que al cabo de unos momentos, pese a que él la estrechaba entre sus brazos, Bailey sintió frío. Se estremeció y Logan se apartó para mirarla.

—Debiste ponerte una chaqueta.

—Y unos zapatos.

Él bajó la vista y miró sus pies desnudos.

—Mi mujer está loca. ¿Cómo se te ha ocurrido salir así?

Díselo, Bailey. Él responderá a tus preguntas y todo tendrá sentido de nuevo.

Pero en vez de decírselo, le tomó de la mano y lo condujo a la casa.

—He descorchado una botella de tu Pinot favorito.

—Sírveme una copa mientras subo a asearme.

—¡No te vayas!

Él arrugó un poco el entrecejo.

—¿Qué pasa?

Estaba a punto de decírselo, pero no lo hizo y sonrió.

—¿Qué va a pasar?

Él la besó.

—Vuelvo en diez minutos.

—¡Espera!

La arruga en el entrecejo de Logan se hizo más pronunciada.

—¿Qué tal te ha ido el día?

Unos representantes de la Asociación Norteamericana de Caballos Daneses de Sangre Caliente habían visitado una finca vecina de ganado equino, Oak Hill Ranch, para echar un vistazo a los potros de dos años.

—Muy bien. *Paragon* obtuvo una puntuación de un ocho y *Paradox* un nueve. Para que te hagas una idea, es prácticamente imposible obtener un diez. Me habría gustado que estuvieras presente.

Ojalá lo hubiera estado, pensó ella.

—Demasiados caballos y expertos en caballos, hablando de…

—Caballos.

—Exacto. —Ella le indicó que subiera—. Ve a cambiarte. Yo me ocuparé del vino.

En cuanto él desapareció, las dudas irrumpieron de nuevo en sus pensamientos. No eran dudas, se dijo mientras servía dos copas de vino. Eran preocupaciones.

Temía haberse precipitado al casarse, que las cosas que no sabía sobre él pesaran más que las que sabía.

Basta, Bailey.

Ve a hablar con él, deja que disipe tus dudas y tus temores.

Bailey tomó las dos copas de vino y subió apresuradamente la escalera. Entró en el dormitorio; oyó el ruido de la ducha en el baño. Se acercó al tocador y depositó las copas en él. Vio que las manos le temblaban.

Tras contemplar unos momentos el líquido de color rubí, desvió la vista. Sus ojos se posaron en una fotografía de ella y su madre. El último cumpleaños que habían celebrado juntas.

Era la única foto que había en la habitación. Miró alrededor del dormitorio, tomando nota de cada detalle, cada superficie y cada pared. No había fotos enmarcadas, galardones ni otros recuerdos. Ningún objeto personal. Como la elegante suite de un hotel de lujo.

Era la impresión que había tenido la primera vez que había entrado en esta habitación, aunque no con tanta nitidez.

Recorrió mentalmente el resto de la casa. El retrato de la madre de Logan. Su fotografía. Los premios que había ganado en las competiciones; su medalla olímpica.

Pero ¿dónde estaban las fotografías de Logan y Raine de niños? ¿De las vacaciones? ¿Y los abuelos? Entendía que Logan hubiera eliminado todo rastro de True, teniendo en cuenta las circunstancias, pero ¿por qué las de todos los demás? Su madre incluso había conservado una foto del impresentable padre de Bailey, porque a fin de cuentas era su padre.

¿Y el padre de Logan? Le había hablado de él..., le había dicho que había muerto, pero no la causa de su muerte. Ni cuándo. ¿Por qué no había fotografías de él?

Bailey sintió náuseas y mareo.

Entró en el cuarto de baño. Logan estaba en la ducha, de espaldas a ella. Tenía el pelo oscuro pegado a la cabeza. El agua caía sobre sus anchos hombros, deslizándose hasta la cintura. Era magnífico, bellísimo.

Pero *¿quién* era?

Él se volvió y sonrió al verla. Abrió la puerta de cristal y asomó la cabeza.

—Hola, cielo.

—Te he traído la copa de vino.

—Perfecto. —Alargó la mano—. ¿Quieres meterte en la ducha conmigo?

Él sonrió de nuevo. Esa sonrisa. Que hacía que ella se derritiera.

—Sí —respondió, sonriendo a su vez—. Me parece genial.

Bailey se quitó los vaqueros y la camiseta, tomó su mano y se metió en la ducha, vestida con el sujetador y las braguitas.

—Precioso —dijo él, deslizando el dedo suavemente por el borde de encaje del sujetador, insertando el dedo debajo del delicado tejido.

Ella arqueó la espalda y se apretó contra él. Ansiosa no sólo de sentir sus hábiles manos y su boca, sino de sumirse en el olvido que le producía estar con él. Los momentos de un placer embriagador, la certeza que experimentaría después.

Que él era el hombre que ella creía que era. Que el cuento de hadas tendría un final feliz.

Él la apoyó contra la pared de la ducha, acariciándola por todo el cuerpo con sus manos y su boca. Ella se estremeció y contuvo el aliento, y él la besó en la boca. Luego la alzó sobre él y la tomó allí, dándole lo que ella anhelaba.

Olvido.

11

Bailey y Logan yacían desnudos debajo de la sábana, abrazados; el ventilador del techo giraba perezosamente sobre ellos. Ella deslizó un dedo sobre su pecho, pensando en que había dudado de él. En que se había dejado llevar por su imaginación.

—Cuéntame lo que has hecho hoy, cariño.

Era como si él le hubiera leído el pensamiento. Ella le besó en el cuello.

—He estado casi todo el día comportándome como una tonta.

Él ladeó la cabeza para mirarla a la cara.

—¿A qué te refieres?

Ella se incorporó.

—Nuestro vino. Casi lo había olvidado.

Se levantó y atravesó la habitación para ir en busca de las copas.

—Una vista magnífica.

Bailey se volvió para mirarlo y adoptó una pose sensual.

—Me gusta oírtelo decir.

—Vuelve a la cama.

Tomó las dos copas y regresó a la cama. Él se incorporó, apoyando la espalda en las almohadas, con la sábana recogida entre las piernas, mostrando su magnífico torso, caderas y muslos.

—A mí me gusta *esa* vista —dijo ella, pasándole una copa y metiéndose en la cama junto a él.

—¿Tenías algo planeado para cenar?

Negó con la cabeza.

—Podríamos ir a la ciudad.

—¿Tendríamos que vestirnos?

—Por desgracia, creo que sí.

—¿Quieres que prepare una ensalada? ¿O unos huevos?

Él torció el gesto.

—Faye's abre a la hora de cenar.

—No me apetece ir a Faye's.

—¿Porque ya estuviste hoy allí?

Ella no pudo ocultar su sorpresa.

—¿Quién te lo ha dicho?

—Bromeaba. ¿Has ido hoy allí?

Durante unos momentos, ella no supo qué responder.

—¿Qué ocurre? —preguntó él, extrañado.

—Nada…

—De modo que estuviste allí.

—Sí.

—¿Por qué no me lo dijiste?

—Pedí un BLT. No creo que sea un crimen.

—No he insinuado que el hecho de que estuvieras allí fuera un crimen. Te comportas como si te sintieras culpable.

Ella se sonrojó. En efecto, se sentía culpable. ¿Por qué? No había hecho nada malo.

Desistió de decir algo. Este no era el momento. ¿Por qué dudaba? Cuanto más tardaba en decírselo, más turbada se sentía. Y más incómodo se mostraba él. Lo veía en su expresión.

—Hoy me paró la policía.

—¿Te han puesto una multa? —preguntó él con tono divertido.

—Me dio una amonestación. Era un policía local.

—Billy Ray Williams. —Logan pronunció el nombre con tono inexpresivo, pero sus ojos traslucían una emoción peligrosa.

—Sí. Yo… Deduje que os teníais ojeriza.

—Más o menos.

Ella continuó:

—¿Por qué?

—Es una vieja historia. ¿Te molestó?

—¿Por qué iba a hacerlo? —preguntó ella; la evasiva sonaba a mentira.

Él no respondió y ella prosiguió.

—Oí algo en Faye's…

Él soltó un bufido.

—Espero que te lo tomaras a broma. Ese lugar es un hervidero de rumores. Y la familia Abbott siempre ha sido el tema favorito de los cotillas.

A Bailey le chocó la amargura que denotaba el tono de Logan y decidió abandonar la cuestión. Seguir como si nada hubiera pasado.

Pero no podía.

—Leí en un periódico un artículo sobre las mujeres que han desaparecido. ¿Por qué no me hablaste de ellas?

—No se me ocurrió. —Él se volvió hacia ella—. Eso no tiene nada que ver con nosotros, Bailey.

—¿Estás seguro, Logan?

—¿Qué insinúas?

—Yo… Oí una conversación. Sobre True.

Él se tensó.

—¿Podrías especificar?

—Oí que… no te había abandonado. Que desapareció y la consideraban víctima de un crimen. Como a las otras dos mujeres.

—Te advertí que ocurriría, te hablé de los chismorreos.

—Pero no sobre esas otras dos… Pensé que debíamos hablar de ello.

—No hay nada de que hablar. True me abandonó. Esas otras dos mujeres… Nadie sabe lo que les sucedió.

—Pero…

—¿Prefieres creer los rumores o que lo que diga tu marido?

—Ese es el problema. No me has dicho nada.

—¿Qué más quieres que te diga?

—Todo. ¿Cómo puedo defenderte si no sé…?

—¿Por qué tienes que defenderme?

—Quiero defenderte de las personas interesadas en difundir esos rumores. —Ella se levantó de la cama y se puso la bata—. Esos mezquinos infundios.

—No deberías darles importancia.

Su voz vibraba de indignación. Ella trató de tranquilizarse.

—No se la doy. —Bailey se sentó en el borde de la cama—. Lo que me importa es que seas completamente sincero conmigo. El hecho de que me ocultes cosas…

—¿Ahora resulta que te oculto cosas?

—No he dicho eso. Simplemente…

—¿Tú también, Bailey? —Él apartó las ropas de la cama bruscamente y se levantó. Tomó sus vaqueros y se los puso—. ¿Pasas un rato en la ciudad y de pronto me convierto en un monstruo?

—¡Tampoco he dicho eso! —protestó ella, levantándose apresuradamente—. Jamás diría eso, Logan.

Ella lo observó, desolada, mientras él se ponía la camiseta y los calcetines y se dirigía al armario en busca de sus botas.

—¿Adónde vas?

—Voy a salir.

—¡Cuéntame lo que sucedió!

Él se volvió hacia ella.

—¡Ya lo he hecho! Un día regresé a casa y ella se había ido. ¿Qué más quieres que te cuente?

—¿Por qué dicen esas cosas de ti? ¿Por qué?

—¡Porque encontraron su coche junto a la carretera! —Las palabras estallaron de la boca de Logan—. ¡Abierto, con las llaves dentro! ¡Y porque mentí sobre la última vez que la había visto! ¿Satisfecha?

Ella se llevó la mano a la boca y retrocedió un paso.

—Cielo santo, como las otras.

—Me marcho.

—¡Espera! ¡Háblame! —Él no hizo caso y ella corrió tras él—. ¿Por qué mentiste a la policía, Logan?

Él se detuvo, pálido de ira.

—Por orgullo —contestó por fin—. Irónico, ¿no? No quería que nuestra relación estuviera en boca de todos, pero siguen hablando del tema. Incluso tú.

Bailey se estremeció al percibir el desdén en su voz. Lo siguió escaleras abajo y salió al jardín.

—¡Quédate, Logan! Por favor, hablemos de esto.

—No tendría que ser necesario.

—¡Logan!

Ella lo observó, impotente, dirigirse hacia la camioneta, montarse en ella y marcharse, dejándola sola.

12

Bailey se despertó sobresaltada. Se había quedado dormida en el sofá de la sala de estar, esperando a que Logan regresara. Los ojos le escocían y los tenía hinchados de llorar. La cabeza le dolía.

¿Qué hora era? Miró su teléfono móvil. En la pantalla ponía 12:46.

¿Dónde estaba Logan?

Presionó las palmas de las manos sobre sus ojos. Maldita sea. ¿Cómo era posible que lo hubiera estropeado todo? Él era su marido; se suponía que podían compartirlo todo. Debió confiar en que, si se sinceraba con él, Logan respondería a sus preguntas. Pero en vez de formularlas abiertamente, ella había titubeado y él se había puesto a la defensiva.

«¿Tú también crees que soy un monstruo?»

«Soy tu marido, no deberías sentir la necesidad de defenderme.»

Tenía razón. Ella debía creer en él. Sin dudarlo.

Bailey se incorporó. ¿Creía él realmente que ella —u otra persona— lo consideraba un monstruo?

Billy Ray Williams estaba convencido de ello. Le había dicho que la muerte perseguía a Logan. Perseguía a su familia. ¿Qué había querido decir con eso? Su madre había muerto a causa de un accidente. ¿Quién más? ¿Su padre?

¿Dónde estaban las fotografías familiares?

«¿Por qué mentiste a la policía, Logan?»

«No quería que nuestra relación estuviera en boca de todos, pero siguen hablando del tema. Incluso tú.»

Se pasó las manos por el pelo. ¿No habían convenido en que tenían toda la vida para conocerse mutuamente? La Gran Aventura de Bailey.

Él se había puesto a la defensiva.

Y ella había sido injusta con él.

Se oyó un ruido en la habitación contigua. Como si hubiera caído al suelo un objeto pesado.

Se incorporó.

—¿Logan?

Silencio. Lo llamó de nuevo, extrañada, y se levantó.

Nada. Bailey atravesó la cocina y se dirigió hacia el vestíbulo de la entrada. A través de la puerta entornada del estudio vio luz.

Al llegar a ella, la abrió del todo. Había unos libros diseminados en el suelo, junto al escritorio. El ordenador portátil estaba abierto, emitiendo un leve resplandor. Y Logan estaba de espaldas a ella, contemplando el retrato de su madre.

Ella suspiró aliviada.

—¿Logan?

Él se volvió. Sostenía una copa que contenía un líquido ambarino. Ella contuvo el aliento, impresionada por la angustia que reflejaba su semblante.

—Aún estás aquí —dijo él, arrastrando un poco las palabras. Ella dedujo que había bebido una considerable cantidad del líquido que contenía la copa.

—¿Dónde iba a estar?

—Creí que tú también me odiabas.

—¡Por supuesto que no! Te quiero. —Ella se acercó a él, le quitó la copa de las manos y la depositó en el escritorio—. Estaba disgustada. Lo siento.

—Lo siento —dijo él, abrazándola y sepultando la cara en su cabello—. No debí… —Se enderezó y la miró a los ojos—. Quería protegerte.

—¿De qué, Logan?

—De la tristeza.

Ella tomó su rostro en sus manos.

—No puedes. La tristeza, la muerte forman parte de la vida.

—No hasta este extremo.

Ella supuso que se refería a su vida, a su familia. Lo entendía perfectamente.

—Ven a la cama.

Él permaneció inmóvil, mirándola, como si memorizara su imagen.

—¿Cómo puedo retenerte junto a mí, a salvo?

—No me iré de aquí.

—Es lo único que deseo. —Él agachó la cabeza—. Fui incapaz de proteger a los otros. Ni siquiera a True.

—Pero ella te abandonó.

—¿Y si…? Me convencí de que no…, pero ahora…

—Cariño, no entiendo lo que dices.

Él apoyó la frente en la suya.

—Se estaban peleando.

—¿Quién?

—Mi madre y mi padre. Esa noche. Debí hacer algo.

Ella sintió que se le aceleraba el pulso.

—¿Qué noche?

—Pero no lo hice —continuó él—. Yo estaba…

—¿Cuándo, Logan? ¿Cuándo debiste hacer algo?

—Tenía el deber… de impedir… —Él debía de suponer que ella sabía a qué noche se refería, o quizás estaba demasiado bebido para darse cuenta de lo que decía.

No terminó la frase, sino que se volvió y alargó la mano para tomar la copa.

Ella lo detuvo. Tomó su mano y la colocó sobre su corazón.

—No lo hagas. Eso no te ayudará. Pero esto, sí. —Lo miró a los ojos—. Habla conmigo. Apóyate en mí.

—Se fue. Sin una palabra. Todos… me culpan a mí.

—¿Quién te culpa, Logan? ¿De qué?

—No lo detuve. Pude hacerlo. Pero… no hice nada. Nada.

Rompió a llorar. Ella lo abrazó, sin saber qué hacer. Quería preguntarle qué pudo haber hecho, pero sabía que no obtendría respuesta.

Él apoyó de nuevo la frente en la suya.

—Quiero protegerte.

—Ya lo haces. Anda, ven a la cama. Tienes que dormir.

—No…, temo que si me quedo dormido… nadie te protegerá.

Bailey sintió que se le llenaban los ojos de lágrimas.

—Tienes que dormir. ¿Cómo puedes protegerme si estás agotado? Ven a la cama —repitió bajito, con dulzura.

Él dejó que lo condujera arriba. Al llegar al dormitorio, Bailey le ayudó a desnudarse, luego se desnudó ella y se metió en el lecho, acurrucándose junto a él.

—Necesito decírtelo.

—¿Qué?

—Lo que pasó con True. Debí… decírtelo…

—¿Qué, cielo? ¿Qué debiste decirme?

Pero él había cerrado los ojos.

—¿Qué querías decirme sobre True, cariño? —Ella lo zarandeó suavemente—. Háblame de ella.

Él abrió los ojos y la miró, aunque ella creyó que se había dormido.

—¿Cómo… puedo… conseguir…?

Logan no terminó la frase, pues se quedó dormido. Roncando suavemente.

Bailey lo miró; en su mente bullía un sinfín de pensamientos. ¿Qué había estado a punto de decirle? ¿Algo sobre True o algo sobre sus padres? Se habían peleado. Él se sentía culpable, pero ¿de qué?

Ella arrugó el ceño. ¿Qué había estaba haciendo Logan en el estudio, aparte de emborracharse? Bailey pensó en el escritorio, el ordenador portátil abierto. Había estado escribiendo en el ordenador. Los libros diseminados en el suelo… Supuso que él los había derribado al levantarse. Ese era el ruido que había oído.

¿Cuánto tiempo había permanecido él allí? Ese pensamiento condujo a otro. Habían discutido, pero cuando él había regresado a casa no había ido a reunirse con ella. Se había dirigido a su estudio y se había puesto a escribir con el ordenador. ¿Qué podía ser tan importante como para que se dirigiera en primer lugar a su estudio?

Bailey supuso que era algo relacionado con su trabajo. Algo que debía resolver hoy. Se volvió en la cama y se tumbó boca arriba. Quizás él había venido en su busca y al ver que dormía, había decidido dejarla tranquila. Eso es lo que él le diría por la mañana.

Pero ¿y si no lo hacía? ¿Y si no le daba ninguna explicación? ¿Lo aceptaría ella?

Cerró los ojos y respiró profundamente. Sí. Logan era su marido. Confiaba en él. De todo corazón; le habría confiado su vida.

Mientras se repetía esa promesa mentalmente, un insidioso temor hizo presa en ella. Temía que hoy hubiera cambiado algo entre ellos. Y en ella. Debido a Billy Ray. A las cosas que el policía había dicho sobre Logan. Y debido a las otras dos mujeres. Temía que ahora a Logan y a ella les costara más confiar uno en el otro.

13

Bailey salió y cerró la puerta del dormitorio sin hacer ruido. Era aún temprano y Logan seguía durmiendo. Al despertarse se había hecho las mismas preguntas que la habían mantenido desvelada hasta bien entrada la noche.

Y en cierto momento durante esas horas de insomnio había decidido lo que haría. Iría a echar un vistazo. Para demostrarse que se había dejado llevar por su imaginación. Luego se sentiría como una estúpida. Culpable por no haber confiado en Logan.

Después apartaría las dudas para siempre de su mente.

Bajó la escalera rápidamente. Al llegar abajo, se volvió para cerciorarse de que nadie la había visto y se dirigió hacia el estudio.

Al entrar se detuvo y observó la escena. El escritorio, la gran silla de la mesa vuelta hacia la puerta. Los libros en el suelo.

Se acercó al escritorio, se sentó en la sill y pulsó la tecla de retorno. El ordenador se puso en marcha.

Fotos. De los dos. Tomadas en Gran Caimán. Su boda. Las miró emocionada. La sonrisa de ella. La alegría que reflejaban los ojos de él. El prolongado beso que se habían dado. Bailando en la playa después de pronunciar sus votos. Sus risas.

Las lágrimas afloraron a sus ojos. No había visto las fotos hasta entonces, había esperado que el fotógrafo se las enviara por correo electrónico.

¿Cuándo las había recibido Logan? Miró la fecha en el archivo. *Ayer.* Ayer, cuando ella le había herido con sus dudas. Cuando sus sospechas la habían impedido pegar ojo y habían hecho que él se emborrachara.

«*¿Tú también crees que soy un monstruo?*»

—¿Bailey? ¿Qué haces aquí?

Ella se volvió. Logan estaba en la puerta, demacrado y resacoso. Sintió que las lágrimas le rodaban por las mejillas.

—Lo siento mucho.

Él se acercó al escritorio, cerró el ordenador y la ayudó a levantarse. Le acarició el rostro.

—¿Por qué lloras?

Ella meneó la cabeza.

—Las fotografías.

—Me has descubierto —dijo él, enjugando las lágrimas de sus mejillas—. Quería darte una sorpresa.

—Lo lamento —repitió ella, oprimiendo la cara contra su hombro.

—Eh, mírame. —Ella obedeció y él la miró sonriendo—. ¿Qué es lo que lamentas?

Le contaría la verdad abreviada, pensó ella. No quería herirlo contándole toda la verdad.

—Lo de ayer —murmuró—. Nuestra pelea.

—Tenemos que hablar.

—¿Sobre qué?

—Sobre True.

Ella asintió y él la condujo a la cocina. Allí, ella preparó café y él se bebió un par de vasos de agua.

—¿Cómo te sientes? —preguntó ella.

—Fatal. La cabeza me va a estallar.

—¿Te has tomado un analgésico?

—Sí.

—¿Quieres comer algo?

—Aún no. Sólo me apetece un café.

Él señaló la mesa.

—Sentémonos —dijo.

Ella depositó las tazas de café en la mesa y se sentó frente a él. El corazón le retumbaba en el pecho y se preguntó si él podía oír sus latidos.

—Creía que todo era perfecto entre True y yo. No tenía la menor idea de que se sintiera desdichada.

Bebió un trago de café y prosiguió:

—Fui a Jackson, a ver un caballo en una propiedad cerca de la ciudad. Cuando regresé, comprobé que ella se había marchado.

»Me chocó no encontrarla en casa cuando volví de la ciudad, pero entonces pensé que habría ido de compras a Nueva Orleans. No obstante, conforme pasaban las horas y ella no aparecía, empecé a preocuparme.

Su voz denotaba una profunda emoción.

—No me devolvió ninguna de mis llamadas —dijo al cabo de unos momentos—. Nadie en la finca sabía cuándo se había marchado ni dónde estaba.

—¿Ni siquiera Paul?

Él negó con la cabeza.

—*Zephyr* se había puesto enfermo y Paul había estado todo el día con él y el veterinario. De modo que fui a denunciar su desaparición a la policía.

—¿La policía de Wholesome? ¿Hablaste con Billy Ray?

—En esa época el jefe de policía era su tío Nate. Pero Billy Ray intervino en la investigación.

Logan guardó silencio. Bailey no le apremió, aunque los momentos se le hacían una eternidad.

Al cabo de un rato él continuó:

—Estaba seguro de que True había sufrido un percance. Un accidente… Luego encontraron su coche. Abandonado. Con su teléfono móvil y sus llaves dentro de él.

—Como las otras —murmuró Bailey—. Las mujeres desaparecidas.

—Yo estaba aterrorizado. Loco de preocupación. Desesperado por dar con ella. Pero entonces… —el tono de su voz se endureció— se descubrió todo.

—¿A qué te refieres?

—Los pagos con su tarjeta de crédito, en un hotel de Metairie cuando yo estaba ausente. Y dos días antes de que desapareciera, había retirado diez mil dólares de su cuenta bancaria.

Bailey se compadecía de él. Estaba claro lo que había sucedido.

—Dejó todas sus cosas. Pero se llevó el dinero. —Él se detuvo—. Para emprender una nueva vida con quienquiera que mantenía una relación.

Bailey rodeó su taza caliente con las manos.

—Lo siento mucho.

—Tienes que oír el resto antes de decidir si me crees o no. No quiero volver a pasar por esto.

Habla ahora o calla para siempre.

Ese pensamiento la turbó. Al igual que la forma en que él la miraba, casi desafiándola. Bailey se aclaró la garganta.

—Billy Ray dijo… que él y los otros creen que tú…

—¿Asesiné a mi mujer?

Lo dijo con tal amargura que ella se estremeció.

—¿Por qué, Logan? ¿Qué pruebas tienen?

—¿Pruebas? —Soltó una áspera carcajada—. La policía me interrogó. Varias veces. Y no sólo la policía de Wholesome. La oficina del *sheriff* también. Registraron la casa y la cuadra, pero no encontraron nada. Yo tenía una coartada irrefutable. Pero la gente sigue murmurando y la leyenda persiste. En todo caso, en la mente de Billy Ray.

—Anoche dijiste que habías mentido a la policía.

Él apretó los labios.

—Antes de que me fuera a Jackson, True y yo nos peleamos. Fue por una estupidez, pero cuando me interrogaron les dije que todo iba bien entre los dos. Negué que hubiéramos discutido. No quería que se supiera. La familia Abbott había sido objeto de demasiados chismorreos y no quería que los asuntos personales entre True y yo fueran la comidilla de la ciudad.

Y eso le había hecho parecer culpable.

—En esos momentos ignoraba que… no volvería a verla.

—Y la policía averiguó que habías mentido.

—Sí. Y no. Cuando me di cuenta de que me hallaba en una situación muy comprometida, les conté la verdad. Pero ellos ya la habían descubierto. Un jardinero nos había oído discutir.

—Billy Ray se dedicó a propagar a los cuatro vientos que yo era un marido dominante y maltratador. Sostiene que, cuando ella me comunicó que iba a dejarme, yo la maté. Y desde que su tío se jubiló en enero y él asumió el cargo de jefe de la policía, se ha convertido en su obsesión.

—¿Eso es todo?

—Sí.

Bailey no podía evitar pensar que había algo más, algo que él se negaba a compartir con ella. La sospecha persistía en su mente, atormentándola. De lo contrario, ¿a qué venía el afán de venganza de Billy Ray? ¿Por qué esa obsesión con demostrar que True había sido asesinada?

De pronto lo comprendió. Era tan evidente que era increíble que no se hubiera dado cuenta. Billy Ray estaba enamorado de True.

En un sentido morboso, aún lo estaba.

—¿En qué estás pensando? —preguntó él.

—Billy Ray estaba enamorado de True, ¿verdad?

Él asintió con la cabeza.

—Hace tiempo que lo pienso, pero me parecía increíble. Sólo se habían visto unas cuantas veces. No tenía sentido.

El problema era que el amor no siempre tenía sentido. Ocurría y punto. Ella lo sabía por experiencia.

—¿Tienes que ir hoy a la ciudad? —preguntó.

—Por desgracia. Regresaré tarde. Una reunión con el concejo municipal.

—Ya.

—Subiré a vestirme.

—¿Te apetece desayunar?

—Desde luego. Me daré una ducha y luego comeré algo. ¿Desayunarás conmigo?

Ella respondió afirmativamente y él se detuvo en la puerta y se volvió para mirarla.

—No me has dicho qué hacías en el estudio.

Ella lo miró un momento.

—Nada de particular —respondió, meneando la cabeza—. Navegaba por Internet.

—Vale. —Él sonrió—. Bajaré dentro de diez minutos.

14

Logan partió para la ciudad, y Bailey decidió hacer una visita a Henry. Le disgustaba la idea de que el anciano estuviera allí solo, sin poder hablar con nadie, salvo con *Tony*. Además, le agradaba su compañía.

Condujo su todoterreno por el estrecho y serpenteante camino de acceso a la cabaña de Henry. El camino estaba flanqueado por frondosas hileras de elevados pinos, a través de los cuales apenas se filtraba el sol.

Lo había visitado en otra ocasión, pero había ido a pie, siguiendo a *Tony*. Confiaba en que esta vez, como la anterior, lo encontraría en el porche de su casita, sentado en su vieja mecedora que crujía cada vez que se movía.

Pero no fue así, como comprobó Bailey cuando detuvo el coche frente a la cabaña. Se bajó, pero antes de que avanzara dos pasos hacia el porche, *Tony* se puso a ladrar. Cuando alcanzó la puerta, el animal había empezado a arañarla y sus ladridos eran más agudos y desesperados.

Ella nunca lo había oído ladrar de esta forma, y arrugó el ceño.

—¡Henry! —dijo, llamando a la puerta con los nudillos—. Soy Bailey.

En vista de que el anciano no respondía, miró a través de la ventana. La salita de estar estaba limpia y ordenada. Observó que había una mancha en la alfombra. Parecía como si *Tony* hubiera hecho sus necesidades dentro de la casa.

Eso no tenía sentido. El perro estaba bien adiestrado. Siempre y cuando Henry lo dejara salir...

El animal no había salido de la casa.

—¡Henry! —gritó ella de nuevo—. ¡Soy Bailey! —empujó la puerta y esta cedió. *Tony* salió disparado hacia el césped y levantó la pata.

Bailey entró en la casa sintiendo un nudo de angustia en la boca del estómago. Apestaba a orines y excrementos de perro. Se tapó la nariz con la mano y se adentró en la cabaña.

Algo iba mal. El hedor. El silencio. Debería ir en busca de ayuda. Llamar a alguien…

Tony entró de nuevo en la casa y pasó junto a ella. Se detuvo en la puerta de una habitación y miró a Bailey como diciendo «¿A qué esperas?» A continuación entró apresuradamente en ella.

La joven lo siguió. Era el único dormitorio de la cabaña. Henry yacía en la cama. Inmóvil.

Bailey sofocó un grito y se acercó apresuradamente a la cama.

—¡Henry! ¡Soy yo, Bailey! ¡Despierta!

El anciano no reaccionó y *Tony* se subió de un salto en la cama y empezó a lamerle la cara.

Henry gimió.

Estaba vivo. Gracias a Dios.

Bailey obligó a *Tony* a apartarse. El desfigurado rostro de Henry estaba encendido. Ella le tocó la frente y comprobó que estaba ardiendo. Se preguntó cuánto tiempo llevaba enfermo, quizá varios días.

El anciano abrió los ojos. Estaban vidriosos debido a la fiebre.

—True —dijo.

—No, soy Bailey.

Él tomó su mano. Tenía la piel seca y caliente.

—True —repitió—. Temía que ellos…

Volvió a gemir, cerró los ojos y le soltó la mano.

Era preciso que bebiera un vaso de agua, pensó Bailey. Y que tomara algo para bajarle la fiebre. Pero cuando hizo ademán de alejarse, él volvió a sujetarle la mano.

—No se vaya.

A Bailey se le llenaron los ojos de lágrimas. Su madre le había dicho lo mismo el día en que había muerto.

—No me iré, te lo prometo. Enseguida vuelvo. —Pero el anciano se negaba a soltarle la mano—. Te lo prometo, Henry. Sólo voy a buscar un vaso de agua.

Entonces él la soltó. Cerró los ojos y ella vio que se relajaba. Durante un angustioso momento, pensó que había muerto. Rápida y apaciblemente, como su madre.

Pero observó que su pecho se movía al tiempo que respiraba con normalidad.

Bailey se dirigió apresuradamente a la cocina en busca de un vaso de agua. Lugo rebuscó en el botiquín del baño. Encontró un bote de Advil, dio gracias a Dios en silencio y regresó junto al anciano.

Después de conseguir que bebiera un poco de agua y se tomara el fármaco para bajar la fiebre, fue en busca de un paño húmedo.

Los minutos transcurrían mientras ella le ofrecía sorbos de agua y sustituía los paños húmedos. De vez en cuando, Henry agitaba las manos, como si peleara con unos demonios imaginarios. Pero ella le hablaba bajito y con dulzura y él se dormía de nuevo.

Por fin, la piel del anciano adquirió un tacto fresco y se sumió en un sueño apacible, con *Tony* acurrucado junto a él.

Cuando Bailey estuvo segura de que podía dejarlo solo unos momentos, limpió los orines y las heces del perro, fregó el suelo y la alfombra y depositó los desechos en el cubo de basura junto a la puerta de la cabaña. Después se sentó de nuevo junto a su cama.

De pronto se fijó en una foto que había en la mesita de noche. Era la madre de Logan. Joven y hermosa, posando junto a un caballo, sonriendo a la cámara. Bailey tomó la vieja fotografía y la examinó. No, no sonreía a la cámara. Sonreía a Henry. Relajada y feliz.

Djó la foto en la mesita y se acercó al tocador, en el que había otras fotografías. Una era también de Elizabeth Abbott, sosteniendo a unos bebés en brazos. Dos bebés. Otra era de Logan y otro niño. Logan aparentaba unos diez años, el otro niño la mitad. Posaban juntos, con el torso desnudo, sonriendo alegremente.

Bailey examinó la fotografía. El otro niño guardaba una marcada semejanza con Logan. De hecho, sus rostros eran casi idénticos. Podrían haber sido gemelos, salvo que estaba claro que Logan era mayor que el otro niño.

Sintió que las piernas le flaqueaban. ¿Un hermano? ¿Logan tenía un hermano del que no le había hablado? Ambos niños eran muy parecidos, forzosamente debían de ser hermanos.

¿Cómo era posible que no le hubiera dicho que tenía un hermano? Bailey no salía de su estupor.

¿Qué más le había ocultado?

Miró otra fotografía. Logan, Raine y el otro chico. Raine sonreía también. Con aspecto despreocupado y feliz, pensó Bailey. Todos mostraban un aspecto feliz y risueño.

Sintió tristeza. Se preguntó qué había ocurrido para que les arrebataran la felicidad que mostraban en esas fotos.

Salió del dormitorio. Tal como sospechaba, encontró más fotografías. El tipo de fotografías que había supuesto que vería en la casa grande. De unos niños en su infancia y su adolescencia. De los acontecimientos que habían marcado sus vidas.

De una familia, unida y feliz.

Bailey comprendió que Henry consideraba a la familia de Logan como la suya. Las lágrimas afloraron a sus ojos y siguió explorando. Entre las fotos de los niños Abbott había varias de una niña. Con un vestido blanco de primera comunión; montada en un caballo que ostentaba una enorme cinta azul prendida en la brida; vestida con el birrete y la túnica de graduación del instituto. Su aspecto le resultaba familiar, pensó Bailey, aunque no recordaba dónde la había visto.

La última fotografía hizo que se detuviera en seco. True. Al menos, sospechó que la guapa rubia que aparecía en ella, rodeando a Logan con los brazos, era la primera esposa de su marido.

En efecto, True y ella guardaban cierto parecido. Bailey ladeó la cabeza al tiempo que examinaba la imagen. La bonita y jovial sonrisa de la mujer. Su cabello y sus ojos, la forma de su boca y su barbilla. Vistas de lejos, alguien que las conociera superficialmente quizás habría podido confundirlas. Pero cualquiera que las conociera bien a ambas se habría dado cuenta enseguida de la verdad: ella era una pálida imitación de la otra mujer.

Bailey sintió una punzada de celos y se hizo una dolorosa pregunta: cuando Logan le había dicho que sólo tenía ojos para ella, ¿era porque se parecía a True?

Oyó un ruido en el dormitorio. Henry se había despertado y farfullaba algo. Bailey regresó apresuradamente junto a él.

—Tranquilo —murmuró—. Te pondrás bien.

Pero ¿era cierto?, se preguntó, apoyando la mano suavemente en la frente del anciano. No sabía cuánto tiempo llevaba enfermo, si su dolencia estaba causada por un virus o una bacteria. No podía dejarlo aquí solo, era necesario que lo viera un médico. A su edad, lo más prudente era trasladarlo a un hospital.

Un hospital. Pero ¿cómo conseguiría montarlo en el Range Rover? Logan no regresaría de Nueva Orleans hasta dentro de unas horas, y para entonces... Paul, pensó Bailey. Paul la ayudaría.

15

En cuanto Paul vio a Henry, decidió que tenían que trasladarlo a urgencias. Lo transportó en brazos hasta la camioneta; el médico de urgencias lo vio enseguida.

Bailey aguardó en la sala de espera mientras Paul, que se hallaba junto al puesto de enfermeras, trataba de ponerse en contacto con la sobrina de Henry. Entretanto, ella había dejado a Logan un mensaje, refiriéndole lo ocurrido.

—Steph no tardará en llegar —dijo Paul cuando regresó a la sala de espera—. Está muy disgustada.

—¿Dónde vive?

—En Wholesome. —Paul se sentó junto a ella—. ¿No la conoces?

Bailey negó con la cabeza. Ambos guardaron silencio.

Al cabo de unos momentos, lo rompió.

—¿Le has dicho a Logan dónde estás?

—Sí.

—Bien.

Bailey se volvió hacia él.

—¿Cómo os hicisteis amigos?

—¿Logan y yo? —Ella asintió con la cabeza—. Nos conocemos desde la escuela primaria.

—Eso no responde a mi pregunta.

Él esbozó una sonrisa melancólica.

—Logan se convirtió en mi defensor.

Ella lo miró. Alto y fuerte, derrochando seguridad en sí mismo.

—No parece que necesites que alguien te defienda.

—En aquella época, te aseguro que sí. De chaval tenía un aspecto cómico, escuchimizado y lleno de pecas.

Ella se rió.

—¡No me lo creo!

—Pues créetelo. Para colmo, era bastante rarito.

Ella se puso seria.

—¿Y los otros niños se metían contigo?

—Ahora lo llaman acosar, pero sí. —Paul se encogió de hombros, como restando importancia al tema antes de que ella pudiera decir que lo sentía—. Un día Logan intervino. Nadie volvió a meterse conmigo.

—¿Así, sin más?

—Sí. En aquel entonces Logan ya apuntaba maneras, era el matón del patio del colegio.

Ella no pudo evitar sonreír al imaginárselo en ese papel.

—Sigue sin explicar vuestra amistad.

—Eres bastante tozuda.

—Pero en un sentido positivo —contestó ella, sonriendo.

Él soltó un resoplido.

—Logan decidió que yo le caía bien, aunque en aquel entonces yo era un patán. Pero resultó que teníamos varias cosas en común. Entre ellas, los caballos. De haber podido, los dos nos habríamos pasado la vida en la cuadra.

A ella le encantaba que le hablara de Logan cuando era niño. Le complacía imaginarlo en esa época.

—¿Cuántos años tenías?

—Ocho, creo. Las cosas cambiaron de forma radical cuando Logan me llevó a Abbott Farm. Al verme, Elizabeth…

—¿La madre de Logan?

—Sí, disculpa. A ella le gustaba que la llamara así. En cuanto me vio, un chaval pecoso y delgaducho, mi situación cambió.

—¿En qué sentido?

—Tenía una nueva familia. Metafóricamente hablando, claro está.

—¿A qué te refieres?

—Por las noches solía regresar a casa. Pero no me sentía a gusto allí. —Su tono cambió levemente, se tornó más áspero—. Ellos no me merecían. Me lo dijo la propia Elizabeth.

—¡Paul!

Bailey se volvió. El jefe de cuadras se levantó y fue a saludar a una mujer que se dirigía apresuradamente hacia él. Ambos se abrazaron y Bailey se dio cuenta de que la había visto antes. Era Stephanie, la camarera de Faye's, y la niña que aparecía en las fotografías que había visto en la cabaña de Henry, convertida ahora en una mujer hecha y derecha.

—¿Cómo está? —pregunto ella.

—Deshidratado. Débil. Tiene la tensión baja, el doctor sospecha que se trata de una gripe. Pero está estable.

Los ojos de la mujer se llenaron de lágrimas.

—¿Puedo verlo?

—Desde luego. —Paul la miró a los ojos—. Se pondrá bien, Steph.

—Pero si tú no… Tengo el deber de asegurarme de que…

—No me des las gracias, dáselas a Bailey. Fue ella quien cayó en la cuenta de que hacía días que no lo veía y fue a comprobar si estaba bien.

La mujer se volvió hacia Bailey, aunque evitó mirarla a los ojos.

—No sabe cuánto se lo agradezco. Mi tío Henry es mi único…

—Gracias —murmuró—. Disculpe.

Bailey la observó entrar en la habitación que ocupaba el anciano y se volvió hacia Paul.

—¿Qué hacemos ahora?

—Tengo que volver a la finca.

—Me quedaré un rato.

—Ahora que ha venido Stephanie, Henry está en buenas manos. No es necesario que te quedes, Bailey.

—Lo sé, pero está muy disgustada. No quiero dejarla sola.

Paul miró su reloj y asintió.

—¿Sabrás regresar?

Ella le aseguró que, en caso de que no supiera, su GPS le indicaría cómo hacerlo, y prometió llamarlo si tenía problemas. Luego se sentó a esperar que Stephanie regresara.

Apareció al cabo de treinta o cuarenta minutos.

—Hola —dijo.

—¿Cómo está Henry? —preguntó Bailey.

—Dormido. Descansa apaciblemente, como suelen decir en los hospitales.

—Me alegro.

—El doctor me ha dicho —la joven se aclaró la garganta, tratando de reprimir las lágrimas que empañaban sus ojos— que, si usted no hubiera ido a su casa, a estas horas quizás estaría muerto.

Bailey se acercó a ella y la abrazó.

—El caso es que fui. Y Henry se pondrá bien. ¿De acuerdo?

—De acuerdo. —La joven sonrió débilmente y señaló los asientos—. ¿Le importa que me siente? Las piernas apenas me sostienen.

Bailey le trajo un refresco y se sentó a su lado mientras la joven se lo bebía a sorbos.

—Henry es hermano de mi padre. Nunca se casó. —Stephanie se detuvo unos instantes y luego añadió, casi como si hablara consigo misma—: Como era de esperar.

—¿Por lo que le ocurrió?

Stephanie la miró con una expresión extraña.

—Lamento lo de ayer —dijo.

—No tiene por qué.

—Sí. De niña pasaba mucho tiempo en Abbott Farm. Logan es amigo mío.

—¿De modo que no cree los rumores?

—No —respondió Stephanie—. No los creo. —Bajó la vista y miró sus manos, luego miró de nuevo a Bailey—. Debo decirle algo.

—¿A mí? ¿De qué se trata?

—Ayer la vi salir de Faye's. La vi hablar con Billy Ray. Vi lo que él hizo.

La joven se detuvo. Bailey esperó.

—Tiempo atrás, Billy y yo tuvimos una relación. —La chica bajó la vista y al cabo de unos momentos volvió a alzarla—. Yo estaba enamorada de él.

Bailey no sabía qué responder, de modo que no dijo nada.

—Pero él no me quería —concluyó la joven con voz entrecortada por la emoción.

—Estaba enamorado de True, ¿verdad?

—Sí. Todavía lo está. —La chica hizo otra pausa, pero esta vez para poner en orden sus pensamientos—. Por fin acepté la verdad y rompí con él.

»Pero hay algo más, que no he contado nunca a nadie. Se trata de algo que sucedió cuando él y yo estábamos juntos.

Bailey sintió una opresión en el pecho. La sensación de que no le gustaría lo que iba a revelarle, y de que cuando se lo dijera ya no habría marcha atrás. No sabía por qué —si era por el tono serio de Stephanie o una premonición—, pero tuvo que hacer un esfuerzo para no levantarse y marcharse.

—Él y yo éramos amantes. En su casa había una habitación que tenía cerrada con llave. Billy me dijo que la utilizaba como trastero, pero yo sabía que mentía. Un día lo pillé allí, y él cerró la puerta antes de que pudiera ver lo que estaba haciendo. Pero…

—¿Qué? —preguntó Bailey, impaciente—. Dígamelo, por favor.

—Vi una cosa. Una pizarra blanca con unos diagramas y unas fotos. Fotos de True. —Stephanie se detuvo—. Y una de Logan. En el centro.

Fotos de True. Una foto de Logan. En el centro. Durante un momento, Bailey tuvo la sensación de que le faltaba el aire.

—¿Preguntó a Billy Ray qué significaba? ¿Qué respondió él?

—Fingí no haber visto nada. Pero me dejó flipada.

—¿Qué cree que significaba?

—No estoy segura, pero… Creo que Billy Ray trata de reunir pruebas contra Logan.

—No comprendo.

—Para demostrar que Logan no sólo mató a True, sino que también es responsable de las desapariciones de las otras mujeres.

Bailey sintió náuseas.

—Eso es una locura.

—Así es Billy Ray. Está loco.

—No puede tener pruebas de que Logan lo hiciera. Porque no lo hizo. Me consta.

Bailey percibió el tono desesperado de su voz y trató de controlarse.

—Si tuviera pruebas, hace tiempo que las habría utilizado.

—No cejará en su intento. Está obsesionado. Yo… pensé que convenía que usted lo supiera.

Bailey sabía que tenía que responder, darle las gracias. Pero en vez de ello se levantó y dijo:

—Tengo que volver a la finca.

Stephanie le agarró la mano.

—No ha sido fácil para Logan. Se culpa de todo, desde el asesinato de su madre al suicidio de su hermano. —La joven meneó la cabeza—. Demuéstrele su amor, Bailey. Es lo que necesita de usted.

16

Durante largo rato después de abandonar el hospital, Bailey permaneció sentada en su vehículo, con el motor en marcha, mientras multitud de pensamientos se agolpaban en su mente. ¿La madre de Logan había sido asesinada? ¿Un hermano suyo se había suicidado? Recordó al chico que había visto en las fotografías en casa de Henry y se estremeció. No era de extrañar que Logan no quisiera hablar del pasado. Que se mostrara reservado hasta el extremo de guardarlo todo para sí.

El abandono de True. Otra traición. Los infames rumores. Haber sido investigado por la policía.

«*La muerte lo persigue. Persigue a esa familia.*»

La muerte, no. La tragedia. Era injusto señalar a Logan con el dedo. Él era la víctima, no el asesino. Una de las víctimas. Raine era otra. Todas las personas afectadas por esta desgracia eran víctimas.

Al igual que ella, puesto que lo amaba.

Los ojos se le llenaron de lágrimas.

«*Demuéstrele su amor. Es lo que necesita de usted.*»

Bailey apoyó la cabeza en el respaldo del asiento. Pero ¿cómo podía amar a alguien a quien no conocía? ¿Alguien que guardaba para sí tantas cosas referentes a su vida y su persona?

Ella quizás estuviera enamorada de él, pero no era lo mismo que el amor en el sentido transformador de la palabra, cuando dos personas se convierten en una. Compartiéndolo todo. Apoyándose uno en el otro para todo.

En la enfermedad y en la salud.

Hasta que la muerte nos separe.

En esto oyó el sonido del cierre automático del coche que había junto a ella. Un hombre y una mujer se acercaban. Bailey se percató de que estaba llorando y se enderezó en el asiento, fingiendo buscar algo en su bolso, que había dejado en el asiento del copiloto.

Sintió las miradas de curiosidad de la pareja, y supuso que debían pensar que lloraba porque alguien a quien quería estaba enfermo. Alguien a quien había ido a visitar. O a despedirse de esa persona.

Quizá debería hacerlo. Decir adiós. Abandonar a Logan y Abbott Farm. Él le había ocultado muchas cosas. Adrede. Porque quería hacerlo. Si ella analizaba la situación, restándole el romanticismo, el sexo y los amaneceres, lo cierto era que él la había engañado. La había manipulado, le había hurtado el derecho a tomar una decisión ponderada sobre casarse con él.

Bailey se enjugó las lágrimas de las mejillas. Quería estar furiosa. Indignada. Habría sido más soportable que el dolor que sentía. La sensación de haber sido traicionada.

Podía pedir explicaciones a Logan. Exigir que se lo contara todo si no quería que lo abandonara.

Bailey suspiró profundamente. Eso no le produciría ninguna satisfacción. Deseaba que él confiara en ella plenamente. Que se sincerara con ella, sin lágrimas ni ultimátums.

Como había hecho ella. Le había contado que su padre las había abandonado, lo de la enfermedad de su madre y el estrés que le había causado cuidar de ella. Había compartido con él sus esperanzas, sus sueños y sus temores. Antes de que abandonaran la isla. Antes de que pronunciaran sus votos. Antes, antes, antes.

Lo que él había compartido con ella cabía en una taza de té.

Pero ella lo amaba. Había unido su vida a la de él, había creído que su historia era un cuento de hadas. Para bien y para mal, al margen de que fuera una locura.

Felices para siempre.

Ella podía creer por los dos.

Bailey se enderezó. No dejaría que el amor que se profesaban desapareciese. Lo amaría lo bastante, completa e incondicionalmente, para derribar las defensas que él había erigido.

Pero necesitaba ayuda. De alguien que lo supiera todo sobre él y su pasado. Que le comprendiera y estimara. Bailey pensó en dos personas. Una cuya lealtad garantizaba su discreción, y otra cuya inestabilidad emocional la hacía demasiado peligrosa.

Pero Raine quería a Logan como sólo una hermana que ha sufrido los mismos golpes que él podía quererlo.

Ella era sin duda la persona idónea. Aunque quizá sólo un milagro la induciría a revelarle todo lo que deseaba saber.

Bailey pulsó «a casa» en su GPS y el dispositivo le indicó que «siguiera la ruta señalada».

Un buen consejo. Y justamente lo que había planeado, pensó al tiempo que arrancaba su Range Rover.

El sol había iniciado su declive cuando Bailey tomó el sendero de acceso a la casa y al estudio de Raine. Era un paraje salvaje y hermoso, como ella. Unas esculturas abstractas adornaban los espacios verdes cerca de los edificios; una era de aspecto lírico, dotada de unas piezas coloristas que reflejaban la luz y giraban al viento como molinetes. Bailey detestó de inmediato las otras dos, musculosas y de aspecto amenazador, como unas gárgolas *New Age*.

Aparcó frente a los dos edificios. No era difícil distinguir la vivienda del estudio; la casa se parecía a muchas de las que había visto en la ciudad, con un amplio porche delantero y unos adornos victorianos; el otro era moderno y minimalista, y no pegaba con el paisaje que lo rodeaba.

Bailey vio luces encendidas en el estudio, de modo que asumió una sonrisa afable y se encaminó hacia él. Raine abrió antes de que tuviera tiempo de llamar a puerta. Llevaba un mandil de pintor, decorado con toda una vida de manchas de pintura, y debajo unos *shorts* y una camiseta. Tenía las manos enfundadas en unos guantes de látex.

—Qué sorpresa —dijo.

—Hola, Raine. —Bailey le entregó la botella de vino que había cogido de la bodega de Logan—. Confiaba en poder hablar contigo.

Raine miró la etiqueta de la botella y a Bailey. Una esquina de su boca se curvó en una expresión divertida.

—Una excelente elección. Espero que Logan no la eche en falta.

Se apartó para dejar pasar a Bailey. El estudio era poco más que una caja de gran tamaño con ventanas, un techo abovedado y media docena de ventiladores suspendidos de las vigas. Olía a óleo y trementina, pero no resultaba agobiante. Era evidente que Raine se había esmerado en instalar un buen sistema de ventilación.

Bailey miró alrededor del espacio. Color y textura, luces y sombras, líneas y formas. En cada pared, caballete y soporte vertical estaban expuestos los cuadros más grotescos que jamás había visto.

—Son espantosos, ¿verdad?

—No, en absoluto. —Bailey era sincera. Eran unos cuadros poderosos. Y poderosamente inquietantes. Tenebrosos, violentos y descarnados.

—Los decoradores de interiores no me tienen simpatía.

—Lo cual te complace.

No era una pregunta, pero Raine se apresuró a responder:

—El arte debe suscitar emoción. Estimular el pensamiento. No sumirte en un letargo bien coordinado.

—Lo comprendo.

—¿De veras?

—Pese a lo que opines sobre la elección de tu hermano, Raine, no soy estúpida ni una analfabeta. Y por más que te asombre, en Nebraska hasta tenemos museos de arte.

Raine se rió.

—Está claro que tienes carácter. No estoy segura de si a la larga bastará, pero en cualquier caso será interesante observarlo.

—Eres una cínica. ¿No crees en el amor?

—Cuidado, estimada cuñada, vas a hacer que vomite.

Raine se acercó a una mesa de trabajo, se quitó los guantes y tomó un sacacorchos de un cajón.

—Este vino es demasiado bueno para un martes por la tarde, pero qué diablos, ¡vivamos peligrosamente!

Descorchó la botella con destreza y sirvió vino en dos vasos de plástico.

—Son del Mardi Gras —dijo, pasando uno a Bailey—. Los arrojan desde las carrozas. Salud.

Bailey miró el dibujo estilo cómic de su vaso, de un hombre barbudo que lucía una guirnalda de hojas de parra.

—Krewe of Bacchus* —explicó Raine—. Baco, el dios del vino, y las bacanales. Muy apropiado, ¿no crees?

Bailey bebió un sorbo, aunque no le apetecía nada beber vino tinto en una tarde calurosa como esta.

—¿Te gusta? —le preguntó Raine.

* Una organización que desfila durante el carnaval de Nueva Orleans. *(N. de la T.)*

—Está muy rico.

—Menos mal, porque cuesta doscientos cincuenta dólares la botella.

Bailey casi se atragantó. Raine rompió a reír.

—El regalo perfecto para congraciarte con alguien. Como he dicho, una excelente elección.

Bailey dejó su vaso y repitió la pregunta que había hecho hacía unos momentos.

—No me has contestado si crees en el amor.

—¿La versión romántica? ¿Hasta que la muerte nos separe y esas monsergas?

—Sí.

—¿Tú crees en él?

—Desde luego.

—Celebro que seas tan inocente. —Raine se acercó al fregadero y se enfundó otros guantes, sin estrenar, como los que utilizan los detectives en la televisión.

—Eso no responde a mi pregunta —insistió Bailey.

—Me temo que sí.

Bailey tomó su vaso.

—¿Por qué me tienes manía?

—No me gusta que me impongan a nadie por la fuerza. Y eso es exactamente lo que ha vuelto a hacer Logan. Me cabrea.

Bailey decidió probar otra táctica.

—¿No quieres que sea feliz?

—La felicidad es ilusoria. —Raine empezó a limpiar la pintura de sus pinceles—. Pero por supuesto que quiero que sea feliz. Lo deseo más que mi propia felicidad.

—Entonces ayúdame. Es lo único que te pido.

—Compórtate como una esposa dulce y entregada y él te corresponderá.

—¿Por qué eres tan desagradable?

Raine se rió, pero no levantó la vista.

—Deduzco que has venido por eso, ¿no? Te preocupan las cosas de las que él no quiere hablar. Te preguntas el motivo y qué puedes hacer para lograr que se sincere contigo.

¿Cómo lo había adivinado? ¿Acaso era ella tan transparente, o Logan tan previsible?

—Sólo en parte —respondió—. Quisiera que fuéramos amigas.

Raine dio un respingo y Bailey prosiguió.

—Háblame de tu otro hermano.

—¿Roane?

Bailey se esforzó en reprimir su excitación. Se llamaba Roane.

—Sí.

—¿Por qué? —Raine se detuvo y la miró—. ¿Qué te importa lo que le ocurrió a mi pobre y difunto hermano gemelo? ¿Qué tiene que ver eso con hacer feliz a Logan?

Los dos bebés de la fotografía que ella había visto en casa de Henry. Raine y Roane.

—Tú misma lo has dicho. Necesito comprenderle. Para poder ayudarlo.

—¿Ayudarlo? —repitió Raine—. Querrás decir, cambiarlo. —Se rió—. Deja que sea como es. Disfruta de tu suerte mientras puedas.

Estaba amargada, pensó Bailey. Y furiosa. Lo traslucían sus ojos y vibraba en el tono agrio de su voz.

Se compadecía de ella, por las desgracias que había padecido. Pero quería salvar a su marido.

—¿Qué insinúas?

—Nada.

Pero Bailey sospechaba lo que había querido decir, y no estaba dispuesta a pasarlo por alto.

—Lo amo —insistió—. Y no dejaré de amarlo.

—Y por ello tienes que pelar las capas, como si fuera una cebolla, hasta llegar al meollo del asunto. —Raine terminó de limpiar los pinceles y los depositó en una bandeja—. Mirar debajo de la roca para ver qué se oculta allí.

Mientras hablaba empezó a moverse de un lado a otro de la habitación, tocando uno y otro objeto. De repente se detuvo y miró a Bailey cara a cara.

—No te gustará lo que descubras.

—No conseguirás atemorizarme.

—Yo creo que sí.

Raine tomó su vaso y bebió unos tragos mientras se acercaba a un cuadro tras otro, deteniéndose unos momentos para examinarlo y pasando luego al siguiente.

—Me recuerdas a otra persona. «Lo amo» —dijo Raine con desdén, rellenando su vaso—. Quiero que sea *feliz*. Ya vimos el buen resultado que tuvo.

—True.

—Por supuesto. True. —Raine se detuvo y miró de nuevo a Bailey—. Incluso te pareces a ella. No eres tan guapa, pero te pareces.

—He visto fotografías de ella.

—¿De veras? —Parecía sorprendida—. ¿Dónde?

—En casa de Henry.

Raine asintió con expresión ausente.

—True era una belleza. Y un encanto. —Su tono denotaba melancolía. Y dolor—. Como una mariposa. Demasiado vulnerable para este tanque de tiburones.

Se rió de nuevo y sacudió la cabeza.

—Tenía diez años menos que Logan. Tú también tienes diez años menos que él. ¿Por qué crees que se casa siempre con mujeres más jóvenes que él?

Bailey procuró no sulfurarse, disimular que se sentía ofendida. Raine le había comido demasiado terreno.

—No tiene nada de particular —respondió—. Mucha gente se casa con personas más jóvenes.

—Más hombres que mujeres —dijo Raine—. Por razones obvias.

—Logan no es un hombre cualquiera.

—Cierto. Y podría tener a cualquier mujer. —Se detuvo de nuevo y la miró con una expresión feroz—. ¿Por qué te eligió a ti?

Bailey procuró no inmutarse, pero sin éxito. Lo comprendió por la expresión de triunfo que vio en los ojos de su cuñada.

—He dado en la diana. —Raine sonrió y se llevó el vaso a los labios—. Al menos, no eres tonta.

—Y tú no eres agradable.

—No has respondido a mi pregunta. ¿Por qué te eligió a ti?

—No tengo la menor idea. Pero, al parecer, tú sí.

—No te gustará.

—Procuraré encajarlo.

—Porque las mujeres jóvenes son unas románticas. Y unas ingenuas. Y se enamoran con facilidad.

—Quieres decir que somos estúpidas.

—Algunas. Tú no lo eres. Quizás impetuosa. Y un poco desesperada.

Eso último le dolió, pero Bailey confió en que no se diera cuenta.

—¿Te contó Logan que mantuvo también su relación con True en secreto, que no nos habló de ella? Por tu expresión deduzco que no. —Raine sonrió—. Descuida, mi dulce Bailey, su noviazgo con ella fue muy distinto. Logan no se fue de vacaciones a una isla caribeña y regresó con una esposa.

—Celebro saberlo.

Raine sonrió ante el sarcasmo.

—True era una manicurista. Otra que no había alcanzado sus aspiraciones. Al igual que tú, no tenía parientes. O prácticamente ninguno. Una madre chiflada y drogadicta. True era una chica de Misisipí. De la zona de Jackson. Se conocieron cuando Logan fue allí por un asunto de negocios. Salieron durante unos meses, se casaron en Las Vegas ¡y, *voilà!* Raine se encontró con una hermana.

—Está claro que no te gustaba.

Los ojos de su cuñada se llenaron de lágrimas. Pestañeó para reprimirlas y se alejó un poco.

—Todo el mundo quería a True. Incluso yo.

—¿Por qué lo abandonó? ¿Qué falló entre ellos?

Raine se detuvo, de espaldas a Bailey.

—¿Estás segura de que quieres seguir con esto?

—¿Con qué?

Se volvió para mirarla.

—¿Mirar debajo de la roca? ¿Averiguar qué se oculta en la oscuridad?

—Sí.

Raine encorvó los hombros, como si de pronto se diera por vencida. Se sentó en un taburete frente a un cuadro sombrío de gran tamaño. El cuadro en el que había estado trabajando, pensó Bailey.

Durante unos momentos su cuñada se quedó mirando el cuadro en silencio. Luego dijo:

—No lo sé. Pero lo que fuera estuvo a punto de hundirlo.

—Yo no le haré daño. Te lo prometo.

—Pero ¿y tú? —Raine se volvió para mirar a Bailey—. La muerte lo persigue. Es lo que dicen. La muerte persigue a nuestra familia.

Bailey sintió que se le ponía la carne de gallina, pero trató de controlar su emoción.

—Lo sé. Me parece una crueldad.

—Lo has oído decir en la ciudad.

—Sí.

—No me choca. —Raine se volvió de nuevo hacia el cuadro—. Han muerto todos. Mi madre y Roane. Mi padre. True —añadió con voz tan baja que casi era un susurro.

Bailey sintió que la sangre le retumbaba en la cabeza.

—¿Qué has dicho? —preguntó.

En vista de que Raine no contestaba a su pregunta, se acercó a ella.

—Has dicho el nombre de True. Pero True no ha muerto.

Durante un momento, su cuñada siguió mirando el cuadro mientras bebía un trago de vino. Luego respondió sin volverse:

—Es todo caso, es lo que te han dicho.

—No sigas.

—¿Quién será la próxima víctima? ¿Tú?

—¡Basta!

—Sólo pretendo ser sincera contigo. ¿No es por eso que has venido hoy aquí?

—Eso no es lo que pretendes, y las dos lo sabemos.

En la boca de Raine se dibujó una media sonrisa.

—Estás asustada. Pobre Bailey. Te aconsejo que te vayas antes de que sea demasiado tarde.

Bailey comprendió que había cometido un error al ir allí, pensando que alguien tan brillante e inestable como Raine haría otra cosa que jugar con ella.

—Supuse que querías a tu hermano lo suficiente como para ayudarme. Pero he averiguado algo y te doy las gracias por ello.

Bailey depositó su vaso en una mesa y se encaminó hacia la puerta. Cuando la alcanzó, se detuvo.

—Te advierto que no lograrás que me vaya. No pienso irme de aquí.

—¿Bailey? —Raine la miró a los ojos—. Roane se ahorcó. El día que ambos cumplimos dieciséis años.

17

La noche había engullido los últimos rayos de sol. El aire frío y húmedo había calado a Bailey hasta los huesos. Se bajó de su todoterreno y se dirigió apresuradamente hacia la puerta de entrada.

«*Roane se ahorcó. El día que ambos cumplimos dieciséis años.*»

Al entrar en la casa la acogió la oscuridad. Y el frío. Bailey se estremeció y encendió la lámpara del vestíbulo. La luz bañó la estancia, pero no disipó el frío que sentía.

¿Cómo debía de sentirse Raine? Cada nuevo cumpleaños le recordaría al hermano gemelo que había tenido. Y había perdido. La mera idea le produjo una opresión en el diafragma.

Se esforzó en respirar con normalidad, se acercó al termostato y subió la temperatura.

¿Y Logan? ¿Cómo le había afectado la pérdida de su hermano?

Bailey sintió que se le llenaban los ojos de lágrimas y miró su reloj. Eran las seis y unos minutos. Logan le había dicho que la reunión del concejo municipal era a las siete. Quizá podía pillarlo antes de que comenzara.

Sacó el móvil del bolso y marcó. Él respondió de inmediato.

—Hola, Logan, soy yo.

Ella notó que le temblaba la voz.

—¿Estás bien? —La de él denotaba preocupación, incluso pánico.

No debió llamarlo hasta no haberse tranquilizado.

—¿Bailey?

—Sí. —Ella se aclaró la garganta—. Estoy bien. Sólo… quería oír tu voz.

—Yo también te echo de menos. ¿Cómo está Henry?

—Estable. El médico quiere que se quede esta noche en el hospital. Stephanie está con él.

—Muy bien. ¿Estás en casa?

—Sí. Pero hace frío.

—Enciende el fuego en la sala de estar. La llave del gas está en la repisa.

—Ojalá estuvieras en casa.

—¿Seguro que estás bien? Te noto rara.

—Fui a ver a… Raine. Me habló de vuestro hermano. De Roane.

Él guardó silencio. Ella oyó un murmullo de voces alrededor de Logan. Al cabo de unos momentos, él se aclaró la garganta. Pero al hablar, su voz sonaba ronca debido a la emoción.

—Lo siento… Me disgusta que te hayas enterado de esa forma. Debí…

—No te preocupes. Lo comprendo. —Ella se dio cuenta de que los labios le temblaban y los apretó durante unos instantes—. Soy yo quien… Lo siento, Logan. Imagino el dolor que debió causarte. Lo mucho que debe de dolerte aún.

Alguien lo llamó para que entrara en la sala de juntas.

—Anda, ve.

—Sí, debo irme, cariño. Lo siento. Tardaré unas horas en regresar.

—Te esperaré levantada.

Él colgó. Y ella se sintió sola y desolada. No tenía nada a qué aferrarse, salvo las aterradoras palabras de Raine. La imagen que proyectaban en su mente. Las terribles cosas que había averiguado hoy. El sentirse traicionada.

Necesitaba a Logan. Sus brazos reconfortantes. El calor de su cuerpo para ahuyentar el frío.

Las fotografías de su boda.

Dejó su bolso en la mesa de la entrada y se dirigió hacia el estudio. Encendió la lámpara del escritorio y se sentó en la butaca. El ordenador seguía encendido, y cuando levantó la tapa, aparecieron en la pantalla las fotos de Logan y ella. Una confirmación visual de su amor, de que ella no había cometido un error. Se entretuvo mirándolas, tomando nota de sus favoritas, perdiendo la noción del tiempo. Las palabras de Raine se desvanecieron de su mente.

Sus tripas empezaron a protestar y se percató de lo tarde que era. No había comido desde primeras horas de la mañana. Logan regresaría dentro de poco. Cuando se dispuso a cerrar la carpeta de las fotos, sin querer hizo clic con el ratón en otra carpeta.

En la pantalla apareció el rostro de Amanda LaPier. La joven que había desaparecido.

Bailey movió el cursor hacia abajo con mano temblorosa. La foto estaba relacionada con el artículo que ella había leído en el *Wholesome Village Voice*.

Respira hondo, Bailey. Esto no significa nada. Teniendo en cuenta la discusión que había tenido con Logan, incluso tenía sentido.

Vio que había otra ventana abierta detrás de esta.

Por más que se dijo que debía cerrar el ordenador y salir de allí, la abrió.

Una web. NecroSearch International, una organización dedicada a ayudar a la policía a localizar sepulturas clandestinas.

Sepulturas clandestinas.

Bailey contempló la imagen, confundida, mareada. Tenía la sensación de que era un momento surrealista. Algo propio de una novela. En un abrir y cerrar de ojos, todo cambió. El mundo se detuvo. Y se contrajo hasta consistir sólo en ella, el ordenador y una imagen digital de una mujer a la que no conocía.

Y una web que a Bailey sólo se le ocurrió un motivo por el que podía interesarle a su marido.

Movió el cursor hacia arriba. Más artículos periodísticos. Sobre LaPier. Y Trista Hook, la mujer que había desaparecido con anterioridad. Y no uno, sino muchos. Como si Logan hubiera buscado en los medios alguna noticia sobre la investigación.

Bailey tragó saliva para eliminar la bilis que sentía en la garganta. Logan había realizado anoche esta búsqueda. Esto era lo que había estado haciendo aquí. Buscar. Estudiar. ¿Por qué?

Oyó cerrarse la puerta de un coche. Miró el reloj. *Logan. Había vuelto.*

No podía hablar con él. Ahora no. No podía mirarlo a la cara. Él se daría cuenta. ¿Qué debía…?

Piensa, Bailey. Piensa.

Ve a acostarte. Con el corazón retumbándole en el pecho, se apresuró a cerrar la página web. Apagó la lámpara del escritorio, se levantó y salió al vestíbulo.

Pero se detuvo. Lo oyó en la cocina. El sonido de unos cubitos de hielo al caer en un vaso, el chorro del grifo.

Subió la escalera apresuradamente y entró en el dormitorio. Se desnudó y se metió en la cama. Se acurrucó en su lado, fingiendo que dormía.

Él entró en la habitación. Ella oyó el tenue sonido de su respiración.

—¿Bailey?

No respondió, procurando respirar profunda y acompasadamente mientras la sangre le latía con furia y los pensamientos se agolpaban en su mente. Le oyó acercarse a la cama, detenerse a su lado. Se inclinó sobre ella, su aliento rozándole la mejilla.

Al cabo de un momento, la puerta del dormitorio se cerró suavemente y ella volvió a quedarse sola.

18

A la mañana siguiente Bailey se levantó con náuseas. Se inclinó sobre el retrete y vomitó, aunque lo único que arrojó fue bilis. Se lavó la cara y se cepilló los dientes. Al volverse vio a Logan en la puerta. Vestido, dispuesto a iniciar su jornada.

—¿Te encuentras bien? —preguntó.

—Sí. Yo… —Se llevó una mano al vientre—. Debí de comer algo que me sentó mal.

Pero no había comido. No había tomado ningún alimento. Lo que había ingerido eran sospechas. Y dudas. Eso era lo que le había sentado mal.

—Quizás hayas contraído un virus. —Se acercó a ella y le tocó la frente—. Estás sudorosa, pero no tienes fiebre.

Ella retrocedió un paso.

—Estoy bien, de veras.

Él arrugó un poco el ceño.

—Anoche no me esperaste levantada.

—No… pude. —*No era una mentira. No era en absoluto una mentira. Tenía el corazón destrozado*—. Lo siento.

Él la miró unos instantes.

—Te he traído una cosa. —Lo dijo secamente, retrocediendo unos pasos. Como si de pronto ella se hubiera convertido en una extraña.

Era verdad, pensó Bailey. Esta mujer, atormentada por las dudas, se había convertida en una extraña incluso para ella.

—Gracias.

—No sabes lo que es. Ven a verlo.

Al cabo de unos momentos ella comprobó que era un iPad.

—Lo he programado. El correo electrónico, Internet… Todo. Incluso he subido las fotos de nuestra boda.

Bailey lo sostuvo en las manos, mirándolo como si fuera una serpiente. *Para que no utilizara el ordenador de él. Para que no tuviera acceso a sus secretos.*

—¿Qué ocurre?

—Nada —mintió ella—. Me encanta.

—Supuse que te gustaría conectarte en cualquier sitio. Sobre todo dado que tengo que ausentarme con frecuencia. —Él se detuvo—. ¿Habrías preferido un ordenador portátil?

Ella negó con la cabeza.

—Es perfecto. Gracias.

Ambos permanecieron de pie en el centro del dormitorio, envueltos en un tenso silencio. Él se aclaró la garganta.

—Me temo que esta noche también regresaré tarde.

Bailey no sabía qué decir. Si sentir desesperación o alivio.

—De acuerdo. Ya me dirás algo.

Tras dudar unos instantes, él se inclinó y le rozó los labios con los suyos.

—Te echaré de menos.

—Yo también te echo de menos.

—Aún no me he marchado.

—Ya me entiendes.

—Creo que sí. —Él sostuvo su mirada hasta que ella desvió los ojos—. Te llamaré más tarde.

Logan salió del dormitorio. Ella sintió como si la mejor parte de sí misma se hubiera ido con él. Ahogó un grito de angustia y corrió tras él.

—¡Espera! ¡Logan!

Bajó la escalera apresuradamente y se arrojó en sus brazos. Se abrazó a él y sepultó la cara en su pecho.

—Te quiero mucho.

Él se estremeció y la estrechó contra sí. En silencio.

—No me encuentro muy bien —dijo ella—. Eso es todo.

—Descansa. Te sentirás mejor.

Ella lo acompañó hasta la puerta y le observó partir en el coche. Cuando se volvió, sus ojos se posaron en la puerta del estudio, que estaba abierta al pasillo. Miró su escritorio.

El ordenador portátil había desaparecido.

19

A medida que transcurrían los días, la tensión entre Bailey y Logan se incrementó. Se comportaban con cautela, como unos extraños que estaban casados, ella con sus temores silenciados y él con sus secretos.

Sin duda él había averiguado que ella había visto lo que había estado buscando en Internet. Por eso le había regalado la tableta, por eso se llevaba su ordenador portátil a la ciudad todos los días.

Pero él no había mencionado nada al respecto.

Y ella tampoco.

Era un tema tabú, al que ninguno de los dos aludía, y la distancia entre ellos no hacía sino aumentar.

—¡Presta atención! —exclamó August, exasperado—. Los codos hacia atrás. Ella te conduce a ti. Cuando un caballo se da cuenta de que controla la situación, estás perdida.

Bailey había aceptado la oferta que le había hecho August de ayudarla a superar su temor a montar a caballo para el cumpleaños de Logan. Después de su terror inicial, había empezado a relajarse y a confiar en la yegua, y al cabo de un rato había comenzado a disfrutar montando de nuevo.

Bailey obedeció las instrucciones que el entrenador le daba, procurando concentrarse. Doblar un poco los codos. Sostenerse con firmeza sobre la silla. La mirada al frente. La yegua debía seguirla a ella, no a la inversa.

August emitió una exclamación de contrariedad.

—Esto no es como montar en bicicleta, Bailey. Si te olvidas de pedalear, la bicicleta no sigue adelante. Así es como la gente sufre accidentes.

La gente sufre accidentes.

Un corazón destrozado. Una sepultura clandestina.

La muerte lo persigue.

Ella sacudió la cabeza, tratando de centrarse. Sin éxito.

—¡Por lo que más quieras, Bailey! ¡Presta atención!

Ella tiró de las riendas y *Tea Biscuit* se detuvo.

August se acercó.

—Pareces una muñeca de trapo sentada ahí.

—Lo siento —contestó automáticamente, forzando una sonrisa—. Al menos le he perdido el miedo.

—Quizá deberías tenerlo.

Él sostuvo su mirada. De pronto ella sintió que le faltaba el aire.

¿De veras quieres mirar debajo de esa roca? ¿Averiguar qué se oculta allí?

—Quiero bajarme del caballo.

—No te lo tomes así. Procura centrarte…

—Ahora. ¡Quiero bajarme!

Sin esperar a que él respondiera, Bailey desmontó. Cuando sus pies aterrizaron en el suelo, notó que las piernas le temblaban. Trató de ocultárselo a August.

Pero a August Pérez no se le escapaba nada.

—¿Qué ocurre?

—Nada. —Bailey condujo a *Tea Biscuit* de regreso a la cuadra. El entrenador de doma clásica la siguió.

—¿Tenéis problemas Logan y tú?

—No.

—Siempre me daba cuenta cuando él y True habían tenido una pelea. Era como si ella lo irradiara, la pobre.

—No quiero hablar de True. No estoy de humor para escuchar tus bobadas.

—Ahora soy yo quien tiene el corazón partido.

Bailey ignoró el sutil énfasis que él puso en la frase. La única forma de ganar una batalla verbal con August Pérez era no seguirle el juego.

Cuando llegaron a la cuadra, ella ató a *Tea Biscuit* y le quitó el bocado. El animal reaccionó moviendo la mandíbula.

—Pobrecita —dijo Bailey, acariciándola—. A mí tampoco me gustaría llevar eso en la boca.

Le ofreció su premio favorito, un caramelo de menta Starlight. Observó sonriendo mientras la yegua lo chupaba. Le quitó la silla, pero dejó la manta, no quería que el animal se enfriara.

Cuando la yegua hubiera descansado un rato, la cepillaría. Mientras tanto, Bailey se entretuvo limpiándole los cascos con un instrumento destinado a eliminar la tierra y la suciedad. August permaneció a su lado, observándola.

A Bailey le encantaba cepillar a la yegua, reaccionaba de una forma elemental cuando estaba con ella. *Tea Biscuit* hacía lo propio, relinchando suavemente cuando la veía, contagiándose del estado de ánimo de la joven.

—Sé que fuiste a ver a Raine.

Bailey se detuvo y alzó la vista para mirar a August.

—Ella te llamó.

No era una pregunta, pero él respondió como si lo fuera.

—Sí. Se refociló contándomelo. No dejes que te afecte, cariño. Es mala, ya lo sabes.

—No es mala —respondió Bailey—. Está triste. Muy triste.

—¿Por esto estás hoy tan alicaída? —inquirió August—. ¿Te has dejado impresionar por los comentarios maliciosos de Raine?

—No. Y sí. Me contó lo de Roane. Que se ahorcó.

—Me dejas de piedra. Yo llevaba un año aquí cuando me enteré de que los Abbott habían tenido un hermano. Por supuesto, ahora sé dónde están enterrados todos los cadáveres.

—¿Qué has dicho?

—Es una expresión, cariño.

August estaba jugando con ella. Un gato con un ratón vulnerable. Como hacían todos.

No, pensó ella. Todos menos Logan, que optaba por no decir nada.

Bailey pasó las manos sobre la yegua, para comprobar si tenía algún bulto o herida. Tras cerciorarse de que no tenía ninguna lesión, se volvió hacia August.

—¿Me ayudarás?

Él arqueó una ceja.

—¿No es lo que estoy haciendo?

Ella sacudió la cabeza.

—¿Cómo era True en realidad?

—Guapa y bondadosa. Completamente entregada a Logan. Locamente enamorada de él.

Bailey soltó un bufido.

—Seguro —dijo.

—Es verdad.

—¿Estaba locamente enamorada de él, pero liada con otro? ¿Entregada a él, pero se fue y lo dejó plantado?

Él sostuvo su mirada.

—Quizá no se fue.

Ella se tensó.

—¿Tú también?

—Me atengo a los hechos, bonita. Eso es todo.

—¿Y el dinero que retiró de su cuenta corriente? ¿Y las noches que pasó en un hotel, mientras Logan se hallaba en la ciudad?

—Quizás exista una explicación aparte de la infidelidad.

—Si sabes algo —dijo, mirándolo fijamente—, debes decírmelo. O mejor, debes decírselo a Logan.

August rió.

—No sé nada. —Se inclinó hacia ella y añadió—: Sólo sé lo que creo.

Ella notó que tenía la boca seca.

—¿Y qué es lo que crees?

—Creo que True está muerta. Creo que todas están muertas.

Esas palabras, su significado, afectaron a Bailey como si le hubieran asestado un puñetazo. Durante unos momentos sintió que no podía respirar. Cuando recobró la compostura, preguntó:

—¿Por qué?

—Tan sólo es mi opinión, cariño.

Ella sintió que temblaba de ira. Debió de transmitir esa emoción a *Tea Biscuit*, porque el animal relinchó y empezó a moverse de un lado a otro.

—Tranquilízate —murmuró Bailey, acariciando el cuello del caballo—. No pasa nada.

Mientras trataba de calmar a la yegua, se preguntó si no era a ella misma a quien trataba de calmar. Por la forma en que August la observaba, comprendió que él pensaba lo mismo. Eso la disgustó.

—No pretendo herirte, Bailey.

—¿Sólo atemorizarme?

—Te aprecio. No quiero que salgas perjudicada.

—No mientas, August. Tú sólo piensas en ti.

—¿Y si Logan temía que fuera a perderla?

—¡No sigas!

—¿Y si temía que ella lo abandonara por otro hombre? Si fueras tú quien hubieras decidido abandonarlo, ¿cómo crees que reaccionaría Logan?

Bailey lo ignoraba. Pero sabía que él jamás le haría daño. Y eso fue lo que respondió a August. Luego quitó la manta a la yegua y empezó a cepillarla.

—Das demasiada importancia a las murmuraciones. Y a Billy Ray Williams.

—¿A Billy Ray? —replicó August con un bufido de desdén—. No necesito que ese tipo piense por mí. He entrenado a algunos de los mejores jinetes del mundo. He trabajado con caballos que pertenecen a reyes y son idolatrados como dioses. Como me idolatraban a mí. Billy Ray Williams no es digno de limpiarles la mierda. Ni la mía.

Ella nunca le había visto enfurecerse. La evidente antipatía que sentía por el jefe de policía era un sentimiento profundo y personal. ¿Qué había ocurrido entre ellos? ¿Y qué había traído a August hasta aquí, lejos de reyes y de los caballos de éstos?

Bailey dejó de cepillar a la yegua y lo miró.

—¿Por qué estás aquí, August?

El fuego de la indignación se extinguió de sus ojos, dando paso a una expresión de tristeza y amargura.

—Porque soy un hombre. No un dios.

Él se acuclilló para mirarla a los ojos.

—¿Por qué dejó True su coche abandonado junto a la carretera? Lo mismo que las otras. Debió suponer lo que pensaría todo el mundo. ¿Era lo que quería que pensara su marido, sus amigos…?

No, no querría que pensaran eso, se dijo Bailey. No la mujer que todos le habían descrito.

Pero esa mujer no se habría liado con otro hombre ni habría abandonado a su marido sin más explicaciones.

Una sepultura clandestina.

—Tú la conocías, me dijiste que erais amigos. ¿Pensaba True abandonar a Logan?

—Nunca dijo nada que me hiciera sospecharlo. Cualquiera pudo haberla matado. No sólo Logan.

¿Lo decía para animarla?

—¿Incluso tú? —preguntó ella. Siguió cepillando a la yegua, aunque tenía la mente en otra parte.

—Desde luego —respondió él, incorporándose—. Pero no lo hice.

—Eso dicen todos los asesinos.

—Por si te sirve de consuelo: no creo que Logan la matara.

Ella se detuvo, sorprendida.

—¿No?

—Logan es mi amigo, Bailey. Me acogió en su casa cuando yo había quemado todos los puentes habidos y por haber. Jamás lo traicionaría.

Lo cual no era lo mismo que creer en la inocencia de un hombre. Ella se apresuró a apartar ese pensamiento de su mente.

—¿Quién mató a True?

—Lo ignoro. Quizá consigas averiguarlo tú.

20

Bailey estaba acurrucada en el sofá de la sala de estar. No dejaba de pensar en la conversación que había tenido con August. Él había estado jugando con ella. Le gustaba provocar, pero era buena persona. Y leal a Logan.

«Jamás lo traicionaría.»

Se restregó el caballete de la nariz; empezaba a dolerle de cabeza. True había sido amiga de August. Él estaba convencido de que había muerto. Asesinada. Al igual que Amanda LaPier y Trista Hook.

Bailey repasó las cosas que le había dicho sobre True. Las cosas que le habían dicho los demás. Sobre el tipo de persona que era. Que estaba totalmente entregada a Logan. Locamente enamorada de él.

No había estado liada con otro. Debía de haber otra explicación que justificara lo de las habitaciones de hotel y el dinero que había sacado de su cuenta. Seguro.

August no creía que Logan fuera un asesino.

Y ella tampoco.

Durante las horas que habían transcurrido desde esa conversación, Bailey había tratado de meterse en la mente de Logan la noche que él había estado en su estudio. Imaginar su estado de ánimo después de la disputa que habían tenido. Y había llegado a la conclusión de que él era consciente de la nube que se cernía sobre ellos. De las sospechas y acusaciones. De las preguntas sin respuesta. Sabía que podía acabar con el amor que ambos se profesaban.

Puede que él también se hiciera preguntas y tuviera dudas.

¿Qué le había ocurrido realmente a True?

La verdad la dejó sin aliento. Él había buscado respuestas. Trataba de averiguar lo sucedido.

Lo cual le hacía parecer culpable. Pero por la misma regla de tres, según ella, le hacía parecer inocente.

Habían discutido por True, por su desaparición, por las otras mujeres que habían desaparecido. Por las cosas que Billy Ray había dicho y de las que estaba convencido.

Billy Ray Williams.

El principal detractor de Logan. Quien creía que Logan era un asesino y había hecho todo menos proclamarlo a los cuatro vientos.

«*¿Quién mató a True?*»

«*Lo ignoro. Quizá consigas averiguarlo tú.*»

Billy Ray le había dado su tarjeta el día en que ella había ido a Faye's. Estaba furiosa. Indignada. La había metido en la guantera del coche. Había cerrado la guantera.

No había vuelto a acordarse de ella hasta ahora.

Bailey se levantó apresuradamente y salió. Se dirigió al garaje. Para mirar en el coche.

La tarjeta seguía allí. La tomó, sacó su teléfono móvil y marcó.

La voz le temblaba cuando él respondió.

—Soy Bailey Abbott. Me dijo que me contaría todo lo que deseara saber sobre mi marido. Estoy dispuesta a escucharlo.

21

Billy Ray vivía en una pequeña casa de ladrillo a pocas manzanas de la comisaría. Bailey había experimentado cierto alivio al pasar frente a ella, aunque teniendo en cuenta que Billy Ray era el jefe de policía, esa proximidad no la beneficiaba mucho. Si él se había propuesto perjudicarla, nadie podría impedirlo.

Billy Ray sabría cómo hacer que ella desapareciera.

Bailey sintió que tenía la boca seca. Durante el trayecto hasta la casa, había cambiado de parecer media docena de veces. Pero aquí estaba, dispuesta a entrar en terreno enemigo.

Aparcó en la calle y se apeó del vehículo. Se detuvo y respiró hondo. No tenía más remedio que hacer esto. Tenía que averiguar qué «pruebas» tenía el agente contra Logan.

Cuando subió los escalones del porche, Billy Ray abrió la puerta.

—Hola, Bailey.

Esa familiaridad la molestó. Este hombre no era amigo suyo.

—Prefiero que me llame señora Abbott.

Él arqueó una ceja.

—De acuerdo, si así se siente más cómoda.

Ella cruzó los brazos.

—En efecto.

—¿Qué la ha hecho cambiar de parecer?

—No es asunto suyo.

—Muy bien.

—¿Qué quería decirme?

—No se trata de lo que quiero decirle, sino de lo que voy a mostrarle.

Su cuarto secreto. El cuarto del que le había hablado Stephanie. *Diagramas. Fotos de True. Una foto de Logan, en el centro.*

—Pero primero necesito que me prometa una cosa —dijo él—. Que examinará lo que le enseñe con imparcialidad.

—Pienso que no tiene derecho a exigirme nada.

Él esbozó una breve sonrisa.

—Si tiene dudas, alguna duda sobre la culpabilidad de su marido, colaborará conmigo.

—¿Colaborar con usted? —Ella meneó la cabeza—. ¿Se refiere a que le ayude a demostrar que mi marido es culpable de haber asesinado a su primera esposa?

—No. —Él se inclinó hacia ella—. Colaborará conmigo para demostrar que él no lo hizo.

Billy Ray sabía por qué había venido ella. Estaba claro.

La puerta con mosquitera rechinó cuando él la abrió del todo; al igual que la segunda, de madera, que se abría hacia dentro como una invitación a una tumba.

Ella entró tras él. Cuando el policía hizo ademán de cerrar la puerta de madera, ella le detuvo.

—Déjela abierta.

Él la miró sorprendido.

—¿En serio?

—Sí.

Él sacudió la cabeza.

—Es a su marido a quien debe temer, no a mí. Pero si es lo que desea, no tengo inconveniente en complacerla.

La condujo a través del cuarto de estar hacia el pasillo donde se hallaba el dormitorio. Se detuvo ante la única puerta cerrada, sacó una llave de su llavero y la abrió. Entró en la habitación y encendió la luz.

Bailey se detuvo en el umbral y echó un vistazo a la habitación. Parecía sacada de una película de policías. Una pizarra blanca que ocupaba toda una pared. Un diagrama, compuesto en parte por una cronología de los hechos y en parte por una «telaraña» de datos. Lugares y fechas. Fotografías. Notas, recortes de prensa.

—Pase.

El hecho de que ella estuviera allí era una traición a su marido. Ponía en peligro su relación, el futuro de los dos.

Pero no un peligro tan serio como la duda que gravitaba sobre ellos.

Bailey entró en la habitación y lo miró a los ojos.

—Salga.

—¿Perdón?

—Quiero hacer esto sola. Quiero que me conceda treinta minutos. Desde el momento en que se monte en el coche.

—¿En mi coche?

Ella asintió.

—Vaya a dar una vuelta. Le observaré desde la ventana hasta que se marche. El tiempo empezará a contar a partir de entonces.

Ella observó que él quería negarse, pero no lo hizo. Bailey esperó a que partiera en el coche y regresó apresuradamente al estudio. Treinta minutos. Tenía previsto marcharse dentro de veinte, antes de que él regresara. Programó el temporizador en su teléfono móvil y, después de respirar hondo para calmarse, entró en la habitación.

Tomó nota de todo lo que contenía, aunque tenía la sensación de que la habitación la engullía. Un tsunami de datos y fechas, notas y fotografías.

La foto de su marido ocupaba el centro.

Bailey no podía apartar los ojos de ella. Como una araña en su tela, con todos los hilos que irradiaban desde y hacia él. Acusándolo.

Trató de serenarse. Billy Ray sabía que reaccionaría de este modo; contaba con ello. Si ella se dejaba arrastrar por la emoción, no podría ser imparcial. Él había planeado estar aquí junto a ella, susurrándole al oído, potenciando su temor.

Ella se dijo que era más que capaz de controlar sus emociones, su vida, lo que sentía. Lo que creía. A quién creía.

Empieza por el principio, Bailey. La primera chica, una joven de la que no había oído hablar.

2005. Se llamaba Nicole Grace. Tenía quince años. La habían encontrado muerta. Estrangulada. Billy Ray había anotado que su madre había trabajado para los Abbott. De pequeña la chica solía pasar muchos ratos en la finca.

El agente había añadido, utilizando un color distinto: *«Nicole debía de sentirse segura con Logan Abbott».*

Bailey sintió un nudo en el estómago al pensarlo. Pero continuó, haciendo unos cálculos. 2005. Tres años antes de que él se casara con True. Logan tenía entonces veintisiete años.

Miró la foto de la siguiente joven. Trista Hook. 2010. Veintiocho años. Según las notas de Billy Ray, Logan y Trista habían salido durante un breve periodo de tiempo, mientras él estudiaba en la universidad y ella en el instituto. Un romance veraniego, que había concluido bruscamente. Él le había «destrozado» a ella el corazón.

Bailey pasó por alto a True, centrando su atención en Amanda LaPier, de veintiún años. Entre su desaparición y la de Trista habían transcurrido cuatro años.

La nota de Billy Ray decía: «*Dos años antes, Logan Abbott había recogido en su coche a LaPier cuando ésta hacía autostop. LaPier había presumido ante sus amigos de haberse montado en el Porsche de Logan*».

Tanto Trista como Amanda habían desaparecido después de haber ido de fiesta. Ninguna de las dos había regresado a casa la noche de autos. Al día siguiente la policía había encontrado sus coches, abiertos, con las llaves puestas, junto con sus bolsos, sus billeteros y sus carnés de identidad. No había signos de violencia.

La nota de Billy Ray decía: «*Todo indica que las mujeres conocían y se fiaban de su secuestrador. Se habían ido con él voluntariamente…, hasta que la situación había cambiado*».

Bailey comprendió adónde quería ir a parar Billy Ray. Logan estaba relacionado con todas las mujeres. Era evidente que se fiaban de él lo bastante como para montarse en su coche o acercarse lo suficiente para que él las hiciera subirse en él por la fuerza.

A continuación se centró en True. En este caso, Billy Ray disponía de más información que en los anteriores: fotografías, notas, algunas escritas con pulcritud, otras garabateadas apresuradamente.

Bailey dedujo que el jefe de policía había seguido a True. De lo contrario, no habría podido obtener algunas de las fotos. Una conducta impropia. Obsesiva.

Sacó su móvil con manos temblorosas y lo miró. Habían pasado casi veinte minutos. *¿Cómo era posible?* Programó de nuevo el temporizador, añadiendo ocho minutos.

Billy Ray había incluido más datos en cada extremo del diagrama. En uno, las tragedias que habían sufrido los Abbott, empezando por la muerte por ahogamiento de la madre. Bailey leyó todas las notas garabateadas: «*Esa noche Logan se hallaba en el barco*»; «*Fue Logan quien informó a su padre de lo sucedido*»; «*Logan fue quien encontró a Roane*».

Era evidente que Billy Ray estaba convencido de que Logan había tramado esas tragedias y que era la fuerza siniestra que había destruido las vidas de todos.

Las pruebas eran endebles. Poco consistentes. Incluso ella, que no estaba avezada en las técnicas de investigación, lo veía con toda claridad. Eran las reflexiones de un hombre obsesionado. Un hombre desesperado por creer en su obsesión.

De pronto la invadió una profunda sensación de alivio. Las lágrimas afloraron a sus ojos. Nada, todo se reducía a… nada. Logan había sufrido numerosas pérdidas. Su madre y su padre. Su hermano. Su esposa. Y para colmo había tenido que soportar sospechas y acusaciones.

Incluso por parte de ella. Sin expresar, pero altas y claras.

Bailey miró el temporizador y vio que le quedaban sólo un par de minutos si quería marcharse antes de que regresara Billy Ray, de modo que se acercó apresuradamente al otro extremo del diagrama.

Los nombres de tres mujeres. Una foto junto a cada nombre. Las tres habían desaparecido entre los años 2010 y 2014. Una en Jacksonville, Florida, otra en Houston, Texas, y la última en Atlanta, Georgia. Las tres tenían una breve conexión con Luisiana: una había trabajado breve tiempo como camarera en el Barrio Francés, dos habían estudiado en la Universidad Estatal de Luisiana.

Eso era todo. No había más datos sobre ellas ni sus secuestros. Suponiendo que hubieran sido secuestradas. Bailey sólo disponía de esto, de las disparatadas notas de Billy Ray.

El agente se agarraba a un clavo ardiendo, se dijo Bailey. Trataba de culpar a su marido de esas abominaciones, llegando incluso al extremo de acceder a las bases de datos de la policía sobre este tipo de crímenes. Era posible que la policía hubiera rescatado a esas mujeres, o que hubieran detenido a algún sospechoso.

Tenía que recabar más información. Sacó un bolígrafo y un trozo de papel del bolso, escribió los tres nombres en el papel y lo guardó en el bolsillo.

En esto oyó cerrarse la puerta de un coche frente a la casa. *Billy Ray había vuelto. Tres minutos antes de lo acordado.*

Ella no quería permanecer aquí, en esta habitación, con él. Se colgó el bolso del hombro y salió apresuradamente al porche delantero. El jefe de policía se mostraba ansioso. Y al mismo tiempo optimista. Durante un momento, Bailey se compadeció de él, pero enseguida recordó su afán de venganza contra su marido.

—¿Y bien? —preguntó Billy Ray. Ella no respondió; él escrutó su rostro—. Supongo que se habrá convencido.

—No. Al menos, no de lo que usted pretende convencerme.

—Miente. Lo veo en su rostro. Está disgustada.

—Me sentí disgustada unos momentos. Durante unos momentos dudé de él. Pero sólo fueron unos momentos.

—Está ciega. No ve cómo es Logan en realidad. Debido a su atractivo físico. Y su dinero. Debido a su…

—No —replicó—, es usted el que está ciego. Me voy a mi casa, Billy Ray.

—No. —Él la sujetó del brazo—. No hasta que me diga la verdad.

La sujetaba con firmeza. Había levantado un poco la voz. Ella trató de controlar el tono de la suya, de hablar con calma.

—Creo que le han dicho la verdad en reiteradas ocasiones. No tiene ninguna prueba de peso. Son datos circunstanciales, confunde sus deseos con la realidad. Lo siento.

Los dedos de él se clavaron en su brazo.

—No cejaré en mi empeño.

—Suélteme, Billy Ray. Me hace daño.

—Sé que tengo razón. Es más que evidente.

—Sólo para usted. —Bailey apoyó la mano en la de él y la presionó ligeramente, obligándole a soltarla—. Logan quería a True. No le hizo daño.

—Ella le temía.

—Se agarra a un clavo ardiendo. Nadie más vio lo que veía usted.

—Lo vi en los ojos de True. En su actitud. Lo irradiaba. Lo vi porque presencié esa conducta toda mi vida.

—Sus padres.

—Todos creían que formaban una pareja feliz. Mi padre era el tipo más buenazo del mundo. Pero yo sabía la verdad. Veía lo que nadie más veía. No me explico por qué ella siguió a su lado.

Esto último lo dijo casi como si hablara consigo mismo, y Bailey se preguntó si se refería a su madre o a True. Pese a la lástima que le inspiraba en ese momento, comprendió que daba lo mismo. Logan era el hombre que ella creía que era, el hombre del que se había enamorado.

—Lo siento mucho, Billy Ray.

—No necesito su compasión. —El policía se sonrojó de ira—. Ni la suya, ni la de mi tío ni la de nadie. Sé que tengo razón. Esas mujeres murieron asesinadas.

—Es posible, pero mi marido no las asesinó.

Bailey dio media vuelta y se alejó.

—Los cadáveres están allí —gritó él—. Enterrados en Abbott Farm. Pregúntese por qué Logan se niega…

Ella alcanzó su coche y abrió la puerta.

—… a que la policía registre la finca. ¿Qué es lo que…

Bailey se sentó al volante y arrancó.

—… oculta?

Nada, pensó ella. Logan no ocultaba nada. Con una sonrisa en los labios, arrancó y partió hacia su casa.

22

—De acuerdo, *Tony* —dijo Bailey, calzándose sus botas de agua (aquí las llamaban botas de pescar camarones, lo cual siempre la hacía reír). Casi estoy lista. ¿Y tú? —El perro ladró, se puso a correr en círculos, se detuvo y volvió a ladrar. Ella se rió—. Lo interpretaré como un «sí». Andando pues.

Se puso su cazadora con capucha y salió. El cielo se había despejado por fin, y el mundo empapado de lluvia relucía al sol. Bailey había comprobado que en Luisiana del Sur llovía a menudo. Dramáticas tormentas, chubascos repentinos y diluvios que duraban todo el día. O tres días, como en esta ocasión. Estaba impaciente por salir a respirar aire puro y hacer ejercicio.

Estaba claro que *Tony* pensaba lo mismo. Había estado correteando por la casa, haciendo de las suyas, una guerra con una almohada de plumas —había perdido el cojín—, jugando al escondite con todos los zapatos que Bailey tenía en el armario y una imaginaria carrera de bólidos, en la que la pista constituía un perfecto circuito cerrado a través del comedor y el salón, la cocina y el vestíbulo.

Pero al cabo de dos horas el juego había dejado de divertirle.

Había llegado el momento de respirar aire fresco y hacer ejercicio. Bailey no sabía quién lo necesitaba más, si ella o el perro.

Había decidido ir caminando a la cabaña de Henry. Se palpó el bolsillo interior de la cazadora para cerciorarse de que llevaba las chocolatinas favoritas del anciano, de la marca Baby Ruth.

Había regresado del hospital hacía casi dos semanas y estaba muy recuperado. Stephanie había permanecido con él los primeros días, luego Bailey y ella se habían turnado en ir a visitarlo todos los días. Entretanto, ambas se habían hecho amigas.

Bailey echó a andar por el sendero. Suponía que estaría mojado, pero no tan embarrado. Ahora comprendía la necesidad de calzarse las botas. Cuando Logan se las había dado con gesto afectuoso, no lo había comprendido. Paro ahora sí.

Logan. Sonrió al pensar en él. No le había dicho que había ido a casa de Billy Ray, ni le había hablado de su pizarra blanca. Se habría sentido dolido por las persistentes dudas de ella y se habría puesto furioso con el jefe de policía. Era preferible evitarlo; las cosas entre ella y Logan iban bien. Más que bien.

Tony, como era evidente, estaba encantado con la situación. Cuanto más empapado estaba el suelo y más embarrado, mejor. Echó a correr ante ella, abandonó el sendero y siguió avanzando a través de la maleza, persiguiendo a una presa imaginaria. Al cabo de unos minutos regresó junto a ella ofreciendo el aspecto de una criatura de los pantanos de cuatro patas. Bailey se echó a reír preguntándose qué pensaría Henry al verla aparecer con su perro en este estado, aunque sospechaba que no sería la primera vez que lo veía así.

De pronto se detuvo al darse cuenta de que hacía varios minutos que no veía al cachorro.

—¡*Tony*! —lo llamó—. Ven, guapo.

En lugar de oír un crujido entre la maleza que habría indicado la localización del perro, lo oyó ladrar. Una vez, seguida de otra. Ella lo llamó de nuevo. Esta vez el animal respondió con una serie de ladridos frenéticos.

Bailey observó el camino. La humedad había empezado a traspasar su cazadora y sus vaqueros, calándola hasta los huesos. La cabaña de Henry estaba cerca, ubicada en un claro. El sol aquí apenas se filtraba a través de las frondosas copas de los árboles, pero allí luciría con fuerza y caldearía el ambiente.

Como es natural, *Tony* sabía dónde vivía. Era un perro, no un niño de corta edad, y recorría ese camino a través del bosque casi a diario. Era ella la que se habría extraviado, no él. Pese a que sabía que no debía abandonar el sendero, Bailey decidió ir en busca del animal.

Extraño. Ella había hecho este trayecto una docena de veces con el cachorro, y *Tony* nunca se había alejado de su lado negándose a regresar cuando ella lo había llamado. ¿Y si había sufrido un percance y estaba herido?

Se mordió el labio inferior. ¿Y si era Henry quien había sufrido un percance? Quizás había salido a dar un paseo y se había caído y lastimado gravemente.

O quizá *Tony* se estaba comportando como un cachorro travieso y había descubierto un nuevo juego.

Bailey soltó una palabrota y fue en busca del perro, siguiendo el sonido de sus ladridos.

Parecía como si el bosque quisiera confundirla, conduciéndola en una dirección y luego en otra. De pronto, cuando pensó que se había perdido, el bosque se abrió a un pequeño claro en el que había un estanque.

Se detuvo, sorprendida. Logan no le había dicho que había un estanque en la finca, e imaginó que, cuando hiciera buen tiempo, debía de ser un paraje precioso. Apartado y sombreado, con un zona herbosa ideal para hacer un picnic o tomar el sol. Bailey se preguntó si de niños Logan y sus hermanos venían a jugar aquí para bañarse en el estanque.

De repente vio a *Tony* al otro lado del mismo, cavando al parecer un túnel hasta China desde un estanque en Luisiana.

—¡*Tony*! —lo llamó con tono autoritario—. ¡Ven enseguida!

Esta vez el perro ni siquiera le hizo caso. Irritada consigo misma y con él por el aprieto en que se hallaba, Bailey miró hacia atrás. Era evidente que el perro sabría hallar el camino a casa de Henry, pero ¿y ella?

Dudando de que lo consiguiera, examinó el terreno que rodeaba el estanque, cuyas aguas habían crecido debido a la persistente lluvia. No le apetecía caminar por el lodo alrededor del estanque, pero no quería marcharse sin *Tony*. Ese diablillo tendría que ayudarla a salir de aquí.

Bailey se dirigió hacia él, pisando con cuidado. Temía resbalar y caer al agua o torcerse un tobillo. ¿Cuánto tiempo pasaría hasta que Logan saliera en su busca? ¿Y cómo la localizaría en este lugar tan apartado?

Por fin llegó al otro lado del estanque, evitando ambos escenarios. El perro seguía sin prestarle atención, excavando afanosamente un tesoro que al parecer había descubierto.

Al aproximarse Bailey divisó algo rojo. Rojo como una manzana caramelizada. No era un color propio de esta región, y menos en esta época del año. ¿Qué diantres era?, pensó extrañada.

Se acuclilló junto a *Tony*.

—Veamos de qué se trata, amiguito —dijo, agarrándolo por el collar y apartándolo.

Bailey vio la punta de un zapato. Que asomaba a través del lodo en la orilla del estanque. Un zapato de mujer, con la puntera abierta.

Notó que se le erizaba el vello en la nuca. Al mismo tiempo sintió un sabor metálico en la boca. ¿Cómo había llegado ese zapato hasta aquí y había acabado enterrado en el lodo?

Tragó saliva. Se comportaba como una estúpida. Probablemente era una sandalia. Supuso que los lugareños debían de conocer este pintoresco estanque, y que los jóvenes acudían aquí con frecuencia. Alguna chica habría perdido una sandalia aquí.

Era una explicación muy sencilla.

Pero ¿por qué no se lo parecía a ella?

Bailey soltó a *Tony*, se incorporó y miró a su alrededor en busca de una rama gruesa. Encontró una y regresó junto al perro, que al parecer había decidido que era más divertido observarla a ella. El animal se sentó, como esperando pacientemente a que ella rescatara el tesoro que él había descubierto.

Bailey se arrodilló en el barro, sintiendo que la humedad le atravesaba los vaqueros. Empezó a excavar con la rama.

Al cabo de unos momentos comprobó que no era una sandalia, sino un zapato de tacón alto.

Se sentó sobre sus talones y lo contempló; el corazón le latía con furia y multitud de pensamientos se agolpaban en su mente.

Dos mujeres habían desaparecido en Wholesome. Algunos creían que True era la tercera.

Y ahora, en la finca de Logan, ella había encontrado este zapato de tacón alto, rojo como las manzanas caramelizadas. En un lugar donde no había ninguna explicación lógica de su presencia.

¿Qué más podía estar enterrado junto a este pintoresco estanque?

El temor hizo presa en ella, dejándola sin aliento. Toda noción de conservar la calma se evaporó.

Vete de aquí, Bailey. Ahora mismo.

Se levantó de un salto y resbaló sobre la hierba húmeda, pero logró recobrar el equilibrio. Al volverse se quedó helada y estuvo a punto de emitir un grito de terror. En la zona boscosa, más allá del claro, vio a un hombre. Observándola.

¿La había visto desenterrar el zapato?, se preguntó Bailey. ¿Y si había sido él quien lo había enterrado aquí y no quería que nadie lo supiera?

Dos mujeres habían desaparecido en Wholesome.

Y True era la tercera.

SEGUNDA PARTE

23

Sábado, 19 de abril

05:25

Bailey abrió los ojos. La luz la cegó. La cabeza le dolía. De pronto lo recordó. El hospital. Los retazos de conversación. Su marido.

Volvió la cabeza, esbozando una mueca de dolor. Sus ojos se posaron en él. Pronunció su nombre.

—Logan.

Él se despertó, abrió los ojos y la miró. Ella dijo de nuevo su nombre y él emitió un sonido ronco y entrecortado. Al cabo de un instante, tomó su mano y se la besó.

—Temía… Pensé… Pensé que te había perdido.

Ella trató de sonreír, pero no pudo.

—¿Qué… me ha pasado?

—Ahora que estás despierta, nada. Te caíste y te diste un golpe en la cabeza. Eso es todo.

Eso no era todo. Había algo más, pero ella no lo recordaba. De pronto se apoderó de ella una sensación de angustia; él estaba demasiado cerca. Su boca oprimida contra su mano le resultaba demasiado familiar. Bailey se hundió en la almohada.

—Déjame.

Él la miró dolido, pero le soltó la mano.

—Cariño, ¿qué te…?

—¡Buenos días, señor Abbott! —dijo una enfermera con tono jovial al entrar en la habitación—. En el mostrador de las enfermeras hay café recién hecho, por si le apetece.

Logan se volvió hacia ella.

—Está despierta.

La mujer, de cara rellenita, se acercó a la cama y miró a Bailey sonriendo.

—¡Caramba! Bienvenida al mundo de los vivos, señora Abbott. Me alegro de volver a ver esos bonitos ojos azules.

La enfermera se volvió hacia Logan.

—¿Cuándo se ha despertado?

—Unos momentos antes de que usted apareciera.

La mujer asintió y miró de nuevo a Bailey.

—El doctor Bauer ha llegado para pasar visita. Comprobaré sus constantes vitales y le comunicaré que está despierta.

La mujer le tomó el pulso, sin dejar de parlotear.

—¿Cómo se siente? ¿Tiene dolor?

—Tengo sed —respondió Bailey con voz ronca—. Me duele la cabeza.

—Es natural. Se ha dado un golpe muy fuerte. —La enfermera levantó un poco la cama—. Le traeré un vaso de agua.

—Espere. —Bailey la tocó en el brazo—. ¿Cuánto tiempo he estado...?

—¿Inconsciente? Unos tres días. —La mujer le dio una palmadita en la mano—. Y este encanto de marido que tiene no se ha separado de su lado en ningún momento.

Bailey sintió de pronto un escalofrío. Algo..., había algo que debía recordar. ¿Sobre su marido? ¿Algo que debía decirle? ¿O...?

No, no era eso. Cerró los ojos. ¿Sobre True? ¿Era eso...?

—¿Señora Abbott? ¿Se siente bien?

Ella fijó la vista en los bondadosos ojos de la enfermera.

—No me acuerdo... Tengo que... —Reprimió un sollozo—. ¿Qué me ha pasado?

La expresión de la mujer cambió sutilmente. Cruzó una mirada con Logan.

—Avisaré al doctor Bauer. —Sonrió para tranquilizarla—. Él le explicará todo lo que desea saber.

Al cabo de unos momentos, Logan le acercó un vaso de cartón con una pajita a los labios. La mano le temblaba un poco.

—Bebe a sorbitos —dijo—. Así. Despacio.

Después de beber varios sorbos, ella volvió la cabeza y cerró los ojos. Algo trataba de abrirse paso en su mente, persistente como el goteo de un grifo. *Recuerda... Recuerda... Recuerda.*

¿Por qué no lograba recordar?

—Todo irá bien, cariño. Te lo prometo.

Ella abrió los ojos y lo miró.

—¿Y nosotros? ¿Va todo bien entre nosotros?

—Sí. —Él le apretó la mano—. Por supuesto.

—¿Nos habíamos peleado?

—¿Peleado? ¿Cuándo?

—Antes de mi accidente.

—¿Por qué me preguntas eso, Bailey?

Ella meneó un poco la cabeza. Hasta ese breve movimiento le dolió.

—No, cielo. Todo iba perfectamente entre nosotros. Como siempre.

Entonces ¿por qué se sentía ella así?

—¿Éramos felices?

Logan torció el gesto, perplejo ante esa pregunta.

—Pues claro que somos felices. Ya lo verás. Necesitas descansar...

—No —contestó ella, levantando la voz. Las sienes le martilleaban—. ¿Qué me ha pasado? ¿Por qué no puedo...? ¡Necesito saberlo, Logan!

De repente recordó una canción. Cantándola ella misma con tono desafinado.

Rompe cada ventana hasta que el viento se lo lleve todo...

Carrie Underwood. Su voz sonaba a través de la radio del coche. Hacía un día magnífico y soleado. Ella se sentía feliz. Maravillosamente feliz.

Mientras la imagen penetraba en su mente, recordó lo sucedido.

Un accidente de coche. Había sufrido un accidente de coche.

Bailey lo recordó. Recordó el estrépito de metal y cristales rotos. Recordó que había herido a alguien, cuya sangre le manchaba las manos y se deslizaba sobre la acera.

Su pulso empezó a latir aceleradamente; el corazón le retumbaba en el pecho. El monitor junto a su cama comenzó a emitir un pitido.

—El accidente... ¿Hice daño a alguien...?

—Tranquilízate, cariño. Debes calmarte...

Ella le agarró la mano; el pitido del monitor era como un cuchillo que se le clavaba en el cráneo.

—Por favor..., tienes que decírmelo...

—¡Enfermera! —gritó él.

La mujer que había aparecido antes entró apresuradamente en la habitación, acompañada por una auxiliar.

—Estábamos hablando —dijo Logan, levantándose rápidamente—. Se disgustó. ¡Yo no sabía qué hacer!

La enfermera le ordenó que se apartara.

—Míreme, señora Abbott —dijo con firmeza. Bailey obedeció—. Todo va bien. Tranquilícese.

—La enfermera Flynn acaba de administrarle una pequeña dosis de Ativan, que la ayudará a calmarse. Todo irá bien.

—Pero yo…, por favor… Necesito… Sangre… Tanta… sangre…

—El efecto del sedante fue casi instantáneo. Los latidos de su corazón se normalizaron y su angustia se disipó. Apoyó la cabeza en la almohada y cerró los ojos.

Cuando volvió a abrirlos, en la habitación estaban sólo Logan y ella. Él se hallaba junto a la cama, con aspecto demacrado y preocupado.

—Hola —dijo en voz baja.

—Hola.

—¿Cómo te sientes?

—Grogui. Me sigue doliendo la cabeza.

—¿Quieres beber un poco de agua?

—Sí, por favor.

Él le acercó el vaso de cartón con la pajita a los labios; ella bebió un sorbo y reclinó de nuevo la cabeza en la almohada.

—¿Qué me han dado?

—Ativan. Nada que pueda perjudicar a… Temían que te hicieras daño.

—Cuéntame lo que ocurrió, Logan. Por favor.

—Este no es el momento. Has sufrido un trauma muy fuerte. Los dos lo hemos sufrido.

—Esta vez no me disgustaré. Pero… tengo que saberlo.

Tras dudar unos instantes, él acercó la silla y se sentó. Le tomó la mano y dijo:

—Nadie resultó herido, excepto tú.

Ella suspiró de alivio. Cerró los ojos.

—Gracias a Dios.

—Pero no tuviste un accidente de coche, Bailey.

Ella lo miró.

—Pero yo… recuerdo que iba en un coche. Cantaba la canción que sonaba por la radio.

—No, Bailey, cariño, montabas a *Tea Biscuit*.

Bailey lo miró atónita, tratando de asimilar sus palabras. Tenía miedo a los caballos. La aterrorizaban.

—Cabalgabas por el bosque, te habías alejado del sendero. La rama de un árbol te golpeó en la cabeza y te derribó de la silla.

¿La rama de un árbol? ¿La había derribado de la silla? Bailey rebuscó frenéticamente en su memoria. El incidente no estaba almacenado allí.

Miró a Logan sintiéndose impotente.

—Pero si no monto a caballo.

—August te estaba ayudando a superar tu temor. Para que me dieras una sorpresa.

Entonces ella lo recordó.

—Es cierto. Pero ¿cómo…?

—Me lo dijo Paul. Os oyó a ti y a August hablar de ello. —Logan esbozó una pequeña sonrisa—. No más sorpresas, ¿de acuerdo?

—De acuerdo —contestó ella. Los ojos se le llenaron de lágrimas—. Ahora recuerdo haber trabajado con August, pero no el accidente.

Él arrugó el ceño.

—¿No recuerdas que montabas a *Tea Biscuit*? ¿Ni por qué cabalgabas por el bosque?

Bailey se llevó una mano temblorosa a la cabeza. Se tocó el vendaje. Se sentía mareada, y respiró hondo y pausadamente. ¿Por qué no lo recordaba?

—Hay algo más relacionado con tu accidente. Algo que no te he dicho.

Algo malo. Estaba allí, oculto en los recovecos de su mente, atormentándola.

—La policía tendrá que interrogarte. Sobre Henry. —Logan hizo una pausa, mirándola consternado—. Ha muerto, Bailey.

Ella lo miró sintiendo que la invadía una extraña sensación. Como si se hallara perdida en medio del océano, zarandeada por la corriente. Incapaz de modificar su rumbo.

Las lágrimas afloraron a sus ojos, nublándole la vista. Apretó sus trémulos labios, abrumada por la emoción.

—No comprendo. Lo vi hace poco.

Él le apretó la mano.

—¿Cuándo?

Ella trató de hacer memoria. Pero la cabeza no dejaba de dolerle.

—No lo sé. No recuerdo qué día.

—No te preocupes. Ya lo recordarás.

—¿Qué… le ocurrió?

—Alguien disparó contra él. El ayudante del *sheriff* cree que fue un accidente de caza. —Logan desvió la vista y al cabo de unos instantes la miró de nuevo. Tenía los ojos húmedos—. Malditos cazadores furtivos.

—Entonces… No lo comprendo. ¿Por qué quiere interrogarme la policía?

—Estabas en el bosque en ese momento. Ocurrió el día que sufriste el accidente. Es posible que vieras algo. —Él se detuvo—. O a alguien.

¿Eran imaginaciones suyas o él la miraba ahora con extraña insistencia?, se preguntó ella. Volvió la cabeza, turbada por la intensidad de su mirada.

—Bailey, es importante para nosotros que tú…

Una llamada a la puerta lo interrumpió. Entró un hombre bajo y corpulento vestido con una bata blanca.

—Buenos días, señora Abbott —dijo—. Soy el doctor Bauer.

Se acercó a la cama y la miró sonriendo; sus ojos risueños eran reconfortantes.

—Nos ha dado a todos un buen susto. Pero ya está despierta. —Le dio una palmadita en la mano—. ¿Cómo se siente esta mañana?

—Dolorida. Confundida.

—No me extraña. —El doctor miró su historial—. Ha sufrido una fuerte contusión en la cabeza.

Logan se acercó a la cabecera de la cama y apoyó una mano en el hombro de Bailey.

—No recuerda lo sucedido, doctor Bauer. No recuerda nada.

El médico anotó algo en el gráfico.

—Cuando recobró el conocimiento, ¿se dio cuenta de dónde estaba?

—Sí, en un hospital.

—Pero ¿no recordaba cómo llegó aquí, verdad?

—Exacto.

—¿Reconoció a su marido?

—A Logan. Sí.

—¿Sabe dónde vive?

—En Wholesome, Luisiana. En Abbott Farm.

—¿Cuánto hace que vive allí?

—Desde enero. —Ella miró a Logan—. Nos casamos el primero de año.

—Enhorabuena. —El médico esbozó una breve sonrisa—. Antes que eso, ¿recuerda algo de su infancia?

—Creo que todo.

—¿Su nombre completo?

—Bailey Ann Abbott.

—¿Su apellido de soltera?

—Browne.

—¿El nombre de su madre?

—Julie. Murió hace poco —añadió Bailey. Los ojos se le inundaron de lágrimas—. De cáncer.

—Lo lamento. ¿El nombre de su padre?

—Gregory. Nos abandonó cuando yo era una niña.

El doctor le hizo más preguntas: sobre su cumpleaños, el 14 de febrero, había nacido el día de San Valentín; su escuela primaria, Kennedy; su mejor amiga cuando era niña, Meredith; y el nombre de una mascota que hubiera tenido de pequeña, no había tenido ninguna.

—Perfecto —dijo el doctor—. ¿Qué es lo último que recuerda de antes de recobrar el conocimiento esta mañana?

Logan se apresuró a responder.

—Que conducía.

—No. —Ella negó con la cabeza, pero torció el gesto al sentir una punzada de dolor—. No es así.

—Pero antes has dicho…

—Lo sé. —Bailey se llevó la mano a la cabeza y pasó los dedos sobre el vendaje, como si eso pudiera ayudarla a recordar—. Me equivoqué. No iba en coche. Esa canción se me había quedado grabada en la mente… Había llovido. Durante varios días. Pero al fin había dejado de llover. Yo estaba con *Tony*.

—¿Quién es *Tony*? —preguntó el médico.

—El perro. Él... Habíamos ido a dar un paseo. Estaba muy excitado. No paraba de corretear de un lado a otro. Ambos habíamos permanecido encerrados en casa varios días.

—Debido a la lluvia. —El médico asintió con la cabeza y miró a Logan—. El fin de semana pasado no paró de llover.

—Sí. Empezó el domingo y no cesó hasta primeras horas del miércoles.

—Señora Abbott, ¿recuerda el día antes de que empezara a llover?

Ella reflexionó unos momentos.

—Sí, el sábado. —Miró a Logan—. Planté unas flores en el jardín delantero. Unas balsaminas. Azules y blancas.

—Deben de ser muy bonitas. —El doctor anotó los comentarios de ella en su historial—. ¿Qué cenaron esa noche?

—Una lampuga. La asamos a la parrilla en el jardín. Pensamos que sería la última oportunidad que tendríamos de cenar fuera antes de que llegaran las lluvias.

El doctor miró a Logan con gesto interrogante.

—¿Describe los hechos del sábado, doce de abril?

Logan asintió con la cabeza.

—Exacto.

—¿Recuerda alguna otra cosa?

Bailey rebuscó en su memoria, pero no recordaba nada más.

—Sólo eso. Lo siguiente que recuerdo es haberme despertado aquí.

El doctor asintió y anotó algo en su historial, luego la miró de nuevo.

—¿Y desde que se ha despertado? ¿Recuerda algo?

—Creo que todo. Logan, la enfermera, que me disgusté, cómo me sentía, lo que pensé. —Bailey notó que las manos le temblaban y las enlazó sobre su regazo—. ¿Qué me ocurre, doctor Bauer?

—Nada grave. Ni permanente. Ha sufrido una lesión cerebral traumática, señora Abbott. En su caso, leve. La amnesia en este tipo de lesiones es muy frecuente. De hecho, se denomina pérdida traumática de memoria. En su caso, se trata de una amnesia retrógrada. Significa que no recuerda los hechos ocurridos inmediatamente antes del accidente.

—¿Ni los hechos ocurridos tres días antes? —inquirió Logan.

—No es raro. Seguro que ha oído hablar de personas que recobran el conocimiento en el hospital sin saber quiénes son ni dónde están. Sucede a menudo. La buena noticia en su caso, señora Abbott, es que la amnesia retrógrada suele durar poco tiempo.

Bailey sintió que se le saltaban las lágrimas y pestañeó para reprimirlas.

—¿Qué significa eso, doctor Bauer?

—Soy neurólogo, no Dios, pero hay un par de métodos para determinar cuándo recobrará la memoria, y ambos están relacionados con la lesión, su gravedad y el tiempo que ha permanecido inconsciente. La suya, señora Abbott, ha sido leve, y ha permanecido inconsciente unos tres días. Calculo que recobrará la memoria entre dentro de un par de días y una semana. Quizás hoy mismo.

—¿Tan pronto? —Bailey miró a su marido, eufórica—. ¿Has oído, Logan?

Pero él la miró con gesto extraño, como si no lo hubiera oído. Como si sus pensamientos se hubiera alejado de esta habitación.

Ella arrugó un poco el ceño.

—¿Logan?

Él la miró y su expresión cambió.

—Sí. Es una gran noticia.

—Una advertencia —prosiguió el doctor—. Si el recuerdo no ha quedado grabado en la memoria, no hay nada que recuperar.

—No comprendo —dijo ella.

—En el caso de pérdida traumática de memoria, no ha perdido los recuerdos. Todos los eventos de esos tres días siguen almacenados en su cerebro. Ahora mismo, no puede recuperarlos.

—¿Pero?

—A veces, en este tipo de lesiones, el cerebro no consigue almacenar un recuerdo.

—¿Eso qué significa? —preguntó ella.

—Que no puedes recuperar lo que no está almacenado —terció Logan con gesto pensativo.

—Exacto. Quizá nunca recuerde el accidente, los momentos previos o posteriores a él.

—Nunca —repitió ella, sintiendo un nudo en la boca del estómago.

—Es una posibilidad. Si su cerebro no ha asimilado esos recuerdos.

Henry había muerto. Alguien había disparado contra él.

Era preciso que recordara.

Bailey sintió de nuevo la angustiosa sensación que había experimentado antes.

—¿Qué ocurre, cielo?

Miró a Logan.

—Nada.

Él sostuvo su mirada un momento; ella observó en sus ojos la sombra de la duda. Preocupación.

Logan se volvió hacia el médico.

—¿Qué hacemos ahora? —preguntó.

—Quiero que su esposa se quede aquí otra noche. En observación. Y para que descanse. Nada de estrés. —El doctor sonrió con gesto tranquilizador—. Se pondrá bien, señora Abbott. No trate de forzar la memoria. Deje que su cerebro se recupere de la lesión, no hay prisa.

Pero ella tenía prisa, pensó Bailey al tiempo que el médico salía de la habitación. Sentía la urgencia en lo más profundo de su ser.

24

Sábado, 19 de abril

16:25

Bailey estuvo todo el día sumida en un estado de duermevela. Había insistido en que Logan atendiera los asuntos de la finca y de su negocio; aparte del ir y venir de las enfermeras y la actividad fuera de su habitación, todo había estado tranquilo. Cada vez que se había despertado, había repasado los días previos a su accidente, confiando en que algo estimulara su memoria. Pero sólo había conseguido agravar su dolor de cabeza.

—Bailey, cariño, ¿estás despierta?

Logan estaba en la puerta. Recién duchado y vestido con una muda de ropa limpia. Sostenía un ramo de delicadas rosas amarillas. A ella se le llenaron los ojos de lágrimas. En parte deseaba taparse la cabeza con la sábana para ocultarse de él y de todo lo demás hasta que recobrara la memoria.

Pero ¿luego qué?

—Sí —respondió con una sonrisa forzada—. Qué flores tan hermosas.

—Tú eres hermosa.

Se acercó a la cama, depositó el jarrón en la mesita junto a ella, se inclinó y la besó.

—¿Has descansado?

—Un poco.

Parecía tan alto, de pie junto a su cama, mirándola. Ella se sentía muy pequeña. Vulnerable. Él ladeó la cabeza y la miró con gesto preocupado.

—¿Qué ocurre?

—Me duele la cabeza.

—Llamaré a la enfermera.

—No. Me dará algo que hará que me sienta atontada. No quiero seguir sintiéndome así.

Él acercó la silla y se sentó.

—Tengo que decirte algo.

—Sobre True.

Él frunció el ceño.

—No, Bailey. ¿Por qué has imaginado…? Sobre nosotros. Tú y yo. —Tomó su mano—. Nuestros sueños.

Los sueños de ambos.

Bailey se dio cuenta de que no los recordaba. Si Logan y ella los habían tenido, ahora residían junto a sus pesadillas.

Él se inclinó más; tenía los ojos húmedos.

—Se trata de algo maravilloso.

—¿Maravilloso? —repitió ella, emocionada.

—Vamos a tener un hijo.

Ella lo miró pasmada.

—¿Qué has…?

—Un hijo. —Él tomó su mano y entrelazó los dedos con los suyos—. Estamos embarazados. Es un milagro que no lo perdieras. La caída… —La emoción le impidió continuar y se aclaró la garganta—. Podíamos haberlo perdido. —Se inclinó sobre ella y apoyó suavemente la mejilla en su vientre.

Ella observó su cabeza mientras los pensamientos se agolpaban en su mente. *¿Un hijo? ¿Iba a tener un hijo?*

—Pero ¿cómo…? Quiero decir, no lo sabía antes del accidente, ¿verdad?

Él levantó la cabeza y la miró a los ojos.

—Ninguno de los dos lo sabíamos.

—Entonces, ¿cómo…?

—En el hospital te hicieron una prueba de embarazo. Es el protocolo cuando ingresa una paciente en edad de tener hijos.

Ella trató de asimilarlo.

—¿Y dio… positiva?

—Estás de cinco semanas, Bailey.

La preocupación sobre lo que ella recordaba y no recordaba perdió importancia. Su confusión se disipó, dando paso a una sensación de asombro y de profunda motivación como jamás había experimentado en su vida.

Ella lo miró a los ojos.

—¿Es verdad?

—Sí.

—Vamos a tener un hijo —dijo ella, llevándose las manos al vientre. Imaginó la vida que latía allí, una parte de ella y de este hombre. Logan. Su marido.

Una familia. Lo que ella siempre había anhelado.

Lo que nunca había tenido.

Hasta ahora.

De pronto experimentó un intenso afán protector, un sentimiento feroz, primigenio. Esto lo era *todo*. Levantó la mano y acarició la mejilla de Logan, complaciéndole el tacto de su piel recién afeitada.

Bailey sonrió. Al hacerlo se dio cuenta de que era la primera vez que sonreía desde que se había despertado.

—Voy a ser madre. Vamos a ser padres.

—Así es. —Él se inclinó y la besó—. Te quiero.

—Yo también te quiero.

Las palabras brotaron de sus labios de forma espontánea, aportándole claridad emocional. Junto con el recuerdo de que lo amaba con todos sus sentidos, hasta los tuétanos. Era como si acabara de salir del coma en el que había estado.

Todo cuanto había sentido carecía de importancia. Logan era su marido. Iban a ser padres, iban a criar juntos a su hijo. Si había alguien en quien debía confiar, era él.

Una enfermera entró con su carrito.

—Debo comprobar sus constantes vitales, señora Abbott. —La mujer se puso a charlar de cosas intrascendentes mientras le tomaba la temperatura, la tensión y el pulso, al parecer sin percatarse de que Logan y ella no dejaban de mirarse arrobados.

Cuando terminó y alcanzó la puerta, se detuvo.

—Por cierto, ha venido un policía para hablar con usted, señora Abbott. El jefe Williams, del departamento de policía de Wholesome.

25

Billy Ray esperaba junto a la habitación 410. Dentro, Bailey Abbott estaba despierta y era capaz de comunicarse. Por fin. En cuanto se había enterado del accidente, se había apresurado a venir a verla.

Los hospitales no le gustaban. Era policía, de una pequeña población, sí, pero eso no significaba que no tuviera que atender asuntos muy desagradables. Víctimas de accidentes. Reyertas. Borrachos que yacían en el charco de sus propios vómitos.

Pero los hospitales le daban yuyu. A saber por qué.

Había llegado justo cuando la enfermera se disponía a entrar en la habitación. La mujer le había cerrado la puerta en las narices, sin dejarse impresionar por sus credenciales o su insistencia. Billy Ray no sabía qué había hecho para cabrearla.

Abbott, pensó. Seguramente Logan había ordenado a la enfermera que le diera largas.

En sus labios se dibujó una sonrisa. Por más que lo intentaran, no podrían impedir que hablara con ella. Después de tres largos años, esta era su oportunidad de atrapar a Abbott.

Lo conseguiré, amor mío. Le haré pagar por lo que hizo.

True.

Billy Ray no se permitía pensar en ella con frecuencia, ni recrearse en lo que pudo haber sido. Pero cuando la recordaba, su imagen suscitaba en él un sentimiento al mismo tiempo tierno y amargo.

Tierno. Y amargo. Él se centraba en lo amargo. O trataba de hacerlo. Era algo a lo que podía aferrarse. Sin que le hiriera o atormentara.

Pensó de nuevo en este momento. Henry Rodríguez, asesinado de un tiro. La guapa y flamante esposa de Logan, cubierta de sangre.

Demasiada para que procediera sólo de la herida que se había hecho en la cabeza.

Billy Ray miró de nuevo el reloj. Y pensó en True. En su imaginación, retrocedió en el tiempo. Recordó la fecha en que se habían conocido. Y el momento en que él se había percatado de que ella lo necesitaba desesperadamente.

Esa mañana había salido a patrullar. Circulaba con las ventanillas bajadas, disfrutando de la brisa que penetraba a través de ellas. Le recordaba cuando era un niño e iba montado en el coche patrulla con su tío Nat, sintiéndose feliz y contento. No había sido muy feliz en su infancia, pero esos paseos en el coche patrulla con su tío ofrecían un marcado contraste con otros recuerdos más dolorosos.

Solían circular por los serpenteantes caminos vecinales, charlando sobre el mundo, la vida, a veces en silencio. Se sentía seguro con su tío Nat. Era natural que hubiera decidido seguir sus pasos y hacerse policía.

De repente había visto a una mujer sentada junto a la carrera, con la cabeza entre las manos. Él había conectado la sirena, había reducido la marcha y se había detenido en el arcén, junto a ella. La mujer tenía el pelo largo y rubio y lo llevaba recogido en una coleta; lucía un chándal de color rosa fuerte y negro.

—¿Se siente bien, señora?

Ella alzó la cabeza y él la reconoció. Era la joven esposa de Logan Abbott.

Dios, era guapísima. De una belleza que quitaba el aliento. En ese momento, sin embargo, estaba pálida como un fantasma.

—¿Señora Abbott? Soy el agente Williams, ¿se acuerda de mí? Billy Ray. Nos conocimos en la tienda Stop and Shop.

Ella asintió con la cabeza.

—Sí, lo recuerdo.

Su voz era como un soplo primaveral. Dulce y melodiosa. Un sonido que hizo que Billy Ray se sintiera bien.

—¿Puedo ayudarla en algo?

—Sí, por favor. No me encuentro bien.

Él cogió una botella de agua de la nevera portátil que estaba en el suelo del coche patrulla.

—Aquí tiene, señora.

Destapó la botella y se la entregó. Cuando ella la tomó, observó que la mano le temblaba.

Ella inclinó la cabeza hacia atrás y bebió. Billy Ray observó la delicada curva de su cuello y apartó la vista, turbado.

—Gracias —dijo ella, sosteniendo la botella casi vacía.

—De nada, señora Abbott. Si ha terminado, me llevaré la botella.

—Sí, he terminado. —Ella se la dio—. Llámeme True, por favor.

Unos ojos azules. Claros e inocentes como el cielo estival.

—De acuerdo, True. —Su nombre era como una poesía y él deseó volver a pronunciarlo. Pero resistió la tentación y dejó la botella vacía en la nevera portátil. Luego le tendió la mano—. ¿Tiene fuerzas para levantarse?

Ella asintió y le ofreció su mano menuda. Él la tomó con gesto protector y la ayudó a levantarse.

—Me siento como nueva —dijo ella con tono jovial—, gracias a usted, mi caballero de radiante armadura.

Él sonrió.

—Parece un poco mareada. Suba al coche. La llevaré a su casa.

Ella dudó unos instantes, como si no se atreviera.

—Estoy bien. De veras.

—Abbott Farm está a más de dos kilómetros.

—A Logan no le gustará.

—¿Perdón?

—No le gustará que usted me acompañe a casa. Es un poco celoso.

—Soy policía, True, e insisto en llevarla a su casa.

Después de ayudarla a montarse en el coche, Billy Ray se sentó al volante.

—Abróchese el cinturón de seguridad.

Ella obedeció y él enfiló de nuevo la carretera.

—¿Qué le ha pasado?

—Salí a correr. No pretendía alejarme mucho y de pronto me sentí mareada. Pensé que iba a desmayarme.

—¿No llevaba una botella de agua?

—No.

—¿Ni el teléfono móvil?

Ella negó con la cabeza.

—Quería estar sola un rato. Para poner en orden mis ideas. ¿Comprende? —Ella lo miró con expresión esperanzada en sus bonitos ojos azules.

Él sintió que se le formaba un nudo en la garganta.

—Desde luego.

—Debe de pensar que soy una tonta.

—En absoluto. En todo caso, imprudente.

Ella se rió.

—Eso suena mucho mejor, pero no es cierto. Tan sólo quería... alejarme. Soy una tonta —dijo de nuevo.

Llegaron a la verja de Abbot Farm, con su vistoso logotipo. Estaba abierta y Billy Ray entró con el coche. Avanzó por el sendero hasta llegar a la bifurcación: a la derecha estaban la cuadra y las instalaciones de entrenamiento; a la izquierda la casa.

—¿La casa o la cuadra? —preguntó.

—La cuadra.

Al cabo de unos momentos, él se detuvo. En ese preciso instante Logan salió de la cuadra; tenía un aspecto imponente con su pantalón y sus botas de montar.

True se bajó apresuradamente del coche y corrió hacia él; Billy Ray la siguió más despacio. El hecho de ver la forma en que Abbott la abrazaba le sacó de sus casillas.

—True, cariño, ¿estás bien?

—Sí. —A ella le temblaba un poco la voz—. El agente Williams me rescató junto a la carretera.

—¿De veras? —Abbott se volvió hacia él—. En tal caso, estoy en deuda contigo, Billy Ray.

Le ofreció la mano. El policía la tomó. Tuvo la sensación de que Logan la retenía con fuerza unos instantes antes de soltarla.

—Es mi deber.

—¿Qué te ha pasado, cariño?

—Salí a correr y me sentí mareada. Temí que fuera a desmayarme y me senté. En ese momento apareció el agente Williams.

—¿Por qué no me llamaste?

—Olvidé llevarme el móvil.

Billy Ray tomó nota de la mentira. Ella le había dicho que se lo había dejado en casa adrede. ¿Por qué había mentido a su marido?

Logan arrugó el ceño.

—Ha sido una imprudencia, True. Ya hablamos de eso. —Se volvió hacia Billy Ray—. Siempre se deja el móvil.

—Es verdad. —La sonrisa de ella parecía forzada—. Lo siento, Logan.

Billy Ray intervino.

—Lo que es una imprudencia, señora Abbott, es que salga a hacer ejercicio con este calor sin llevarse una botella de agua. Acuérdese del agua y todo irá bien.

—Quizá debería impedir que salga sin mí. —Logan la estrechó contra sí—. De esta forma, me aseguraría de que no sufriera ningún percance.

Billy creyó observar que ella se estremecía. *¿Qué pasa aquí?*, se preguntó preocupado.

—Si no necesitan nada más de mí, volveré a mi trabajo.

—¡Espere! —dijo True.

Billy Ray se detuvo y la miró.

—Le traeré una botella de agua. Para reponer la que me dio.

Él sonrió, pensando que era una de las mujeres más encantadoras que jamás había conocido.

—No es necesario, señora Abbott. Siempre llevo una nevera portátil en el coche, por si acaso.

—Gracias por tu ayuda, Billy Ray —dijo Logan, sonriendo—. Saluda a tu tío Nat de mi parte.

Cuando arrancó, el policía miró en el retrovisor. La pareja seguía tal como los había dejado, Logan estrechándola contra sí, ella forzando una sonrisa.

De pronto experimentó un deseo casi irrefrenable. De retroceder, coger a True Abbott y llevársela de allí. De salvarla.

Pero no podía hacerlo. El dinero, el poder y la influencia se habían impuesto. Como sucedía siempre.

—Ya puede entrar, agente.

Él pestañeó. La enfermera estaba en la puerta, observándolo con gesto hosco.

Él se esforzó en sonreír afablemente. Esa mujer estaba en la inopia, no sabía cómo era Abbott. Al igual que todos, sólo veía lo que él quería que viese.

Billy Ray hizo a True una promesa en silencio y entró. Le costara lo que le costara, incluso su vida, conseguiría que Logan Abbott pagara por lo que había hecho.

26

Bailey alzó la vista cuando Billy Ray entró en la habitación. Sintió una crispación en la boca del estómago y se encogió contra las almohadas. No estaba preparada para esto. Era demasiado pronto.

Logan le tomó la mano, apretándosela. Se inclinó sobre ella y le murmuró al oído:

—Tranquilízate, cariño. Todo irá bien.

El policía se detuvo a los pies de la cama. La intensidad de su mirada la turbó. Él miró a Bailey y luego a Logan.

—Me alegra comprobar que se ha despertado, señora Abbott.

Ella no podía articular palabra y Logan preguntó:

—¿Qué quieres, Billy Ray?

El policía lo miró con desdén.

—Danos un par de minutos.

—¿A solas? —Logan esbozó una media sonrisa—. Eso no va a suceder, Williams.

—Como jefe del departamento de policía de Wholesome, tengo derecho a interrogar a tu esposa en relación con los hechos acaecidos el miércoles, dieciséis de abril.

—Y yo a negarme a apartarme de su lado.

—No quisiera tener que recurrir a medidas extremas.

—Yo tampoco.

—Basta, por favor. Da lo mismo, porque en cualquier caso no recuerdo nada.

Billy Ray miró a Bailey estupefacto.

—¿Qué ha dicho?

—Mi esposa sufre amnesia traumática —dijo Logan—. No recuerda nada de lo ocurrido.

El policía parecía como si le hubiesen propinado un puñetazo en el vientre. Se volvió hacia Bailey.

—¿Es cierto, señora Abbott?

Ella asintió con la cabeza. El mentón le temblaba un poco.

—Bailey, señora Abbott, ingresó en el hospital cubierta de sangre.

—Estaba herida. Mi cabeza…

—Llena de sangre.

—Ya se lo he explicado —terció Logan.

—¿Recuerda cómo se la hizo?

—¿La herida en la cabeza?

—Sí, pero no lo que le ha explicado su marido. Ni lo que imagina que sucedió. Quiero que me relate lo que recuerda sobre el evento.

—No. Lo último que recuerdo es lo sucedido tres días antes del accidente.

—¿Tres días? —Billy Ray sofocó un resoplido de incredulidad.

—¡Es cierto! —Bailey miró a Logan y luego al policía—. Lo siento.

—Henry Rodríguez ha muerto, ¿se lo ha dicho su marido?

—Sí —murmuró ella.

—¿Le ha dicho que lo asesinaron?

—¡Williams! Ya basta…

—Apuesto a que le ha dicho que había sido un accidente de caza.

—Pues claro, porque es lo que el detective de la oficina del *sheriff* de Saint Tammany me dijo a mí.

—A pesar de que no es época de caza. ¿No te parece extraño?

A Bailey le dolía la cabeza. Quería que los dos la dejaran tranquila. *Por favor…, por favor…, basta.*

—No. En mi finca hay un letrero que dice que está prohibido cazar e invadir la propiedad, pero ello no impide que la gente haga caso omiso de esa prohibición. Hace un mes, encontré los restos de un ciervo que habían arrojado al riachuelo. La semana pasada, Henry encontró un cerdo herido no lejos de su cabaña.

—Y tú denunciaste ambos hechos a la oficina del *sheriff.*

—Por supuesto. Precisamente por esto.

Por favor… me duele la cabeza…

—De acuerdo, Abbott. Una estrategia muy hábil. También lo es la amnesia de tu esposa.

—¿Qué insinúas? ¿Que mi mujer finge tener amnesia? ¡Habla con su médico, gilipollas!

—Lo haré, te lo aseguro. Pero ahora…

—¡Basta! —exclamó ella—. ¡Me duele la cabeza! Es lo único que sé.

Los dos hombres se detuvieron y la miraron. Ella pestañeó, viéndolos a ambos con nitidez, su mente llena de pensamientos sombríos. Turbadores. Bailey se estremeció y volvió la cara.

—Estoy cansada —dijo con voz trémula—. Por favor, váyase.

—Señora Abbott, si consigue recordar algo…

—La entrevista ha terminado, Williams. —Logan se apartó de la cama, se acercó a la puerta y la abrió—. Vete.

Billy Ray parecía tener ganas de discutir. Pero en vez de ello, dijo:

—Tú y yo, Abbott. En el pasillo. Ahora.

27

La puerta se cerró tras ellos. Billy Ray se encaró con Logan.

—¿Qué patraña es esta, Abbott? —preguntó en voz baja—. ¿Pretendes que me crea lo de la amnesia?

—No es una patraña. Lamento que te hayas llevado un chasco.

—Disculpa, pero no te creo.

—Me da lo mismo que me creas o no. Habla con el doctor Bauer. Él te dará los detalles.

—Lo haré. Cuenta con ello.

—Deja de comportarte como un niño, Billy Ray. Esto no es una competición en el patio del colegio.

El policía sonrió.

—Eso significaría que esto es un juego. Te aseguro que no lo es.

—Pues claro que sí. —Logan se acercó tanto que Billy Ray sintió su aliento en la cara y vio la furia y determinación que traslucían sus ojos—. Estás jugando a un juego muy peligroso con mi esposa y mi vida. Si crees que voy a permitir que destruyas lo que tengo, vas a llevarte una gran sorpresa.

—Te equivocas, Abbott. Nada de lo que hagas puede sorprenderme. Ya no. —Billy Ray sonrió—. Disculpa, tengo que ir a hablar con el neurólogo.

Por suerte, el neurólogo acababa de pasar visita cuando Billy Ray se encontró con él.

—¿Doctor Bauer? Soy Williams, jefe del departamento de policía de Wholesome. ¿Puede dedicarme unos minutos?

El médico miró su reloj y asintió,

—Supongo que se trata de Bailey Abbott.

—¿Cómo lo ha adivinado?

—Hace un rato lo vi junto a la puerta de su habitación.

—Ya. —Billy Ray se aclaró la garganta, sintiéndose como un estúpido—. Entiendo que ha diagnosticado que la señora Abbott padece amnesia.

—Así es. —El doctor señaló una sala de espera que en esos momentos estaba vacía—. Sentémonos ahí.

Después de sentarse Bauer retomó el hilo de la conversación:

—La señora Abbott padece una amnesia relacionada con una lesión traumática cerebral.

—Básicamente, un golpe en la cabeza.

—¿Básicamente? —El neurólogo arqueó las cejas—. Mucha gente muere a causa de este tipo de «golpe en la cabeza».

—De acuerdo, es una lesión grave.

Bauer vaciló unos instantes, como si estuviera irritado. Luego continuó:

—Se denomina PMT…

—¿Qué significa?

—Pérdida traumática de memoria. Existen dos tipos. Retrógrada y anterógrada. En el caso de amnesia retrógrada, el paciente pierde en parte la memoria de los eventos previos a la lesión, en el caso de la anterógrada, de los eventos posteriores a la lesión.

—¿Y la señora Abbott padece amnesia retrógrada?

—Ese es mi diagnóstico.

—¿Puede explicarme el proceso que le ha llevado a ello?

El neurólogo sonrió levemente.

—La señora Abbott sufrió un fuerte golpe en la cabeza. Permaneció inconsciente durante unas setenta y dos horas y no recuerda los hechos previos al accidente. Es muy sencillo, jefe Williams.

Una actitud condescendiente. Típica de un médico. Pero lo que el doctor Bauer no comprendía era que las cosas nunca eran tan sencillas. No cuando estaba implicado Logan Abbott.

—¿Recobrará la memoria?

—En su caso, casi con toda seguridad. Ha sufrido un traumatismo cerebral leve, lo cual no le resta gravedad, pero indica un pronóstico bueno a largo plazo. Y significa que recobrará la memoria.

Billy Ray tomó nota.

—¿Cuanto más leve es el trauma, más rápidamente se recupera la persona de la pérdida de memoria?

—Así es. En el caso de la señora Abbott, la recuperación de la memoria será relativamente rápida. Un día. Quizás una semana.

—¿Cómo se produce? ¿Un día se despertará y comprobará que ha recobrado la memoria?

—Eso ocurre en las películas. En la vida real, la pérdida de memoria se hace progresivamente más corta y suele regresar de forma fragmentada, estimulada por una especie de llave de la memoria,

—¿Como por ejemplo?

—Una palabra o una frase. Un sonido o una imagen. En realidad, jefe Williams, los recuerdos no regresan. Están allí todo el tiempo. El paciente simplemente no consigue acceder a ellos.

Tras asimilar las palabras del médico, Billy Ray preguntó:

—¿Podría estar la señora Abbott fingiendo?

—¿Cómo dice?

—¿Podría la señora Abbott fingir que no recuerda nada de lo sucedido?

El médico se mostró sorprendido.

—¿Por qué iba a hacerlo?

—La pregunta es muy simple, doctor. ¿Podría haberle engañado?

La expresión del médico pasó de la paciencia a la irritación.

—Jefe Williams, tengo más de veinte años de experiencia en el ámbito de la pérdida de memoria. Y durante ese tiempo ninguno de mis pacientes ha fingido un caso de amnesia.

—Que usted sepa.

El doctor se sonrojó de ira.

—¿Por qué iba la señora Abbott a fingir que no recuerda nada?

—Esto es una investigación policial, doctor Bauer. Un hombre ha muerto. Dígamelo usted.

—Supongo que es posible que alguien finja amnesia. Pero le resultaría muy difícil engañar a un experto.

—¿Por qué?

—Permita que le haga una pregunta, jefe Wiilliams. Usted es un policía profesional, ¿no? —Billy Ray asintió con la cabeza y el doctor Bauer prosiguió—: Como tal, ¿podría un delincuente engañarlo con facilidad?

—Difícilmente.

—Ahí tiene la respuesta. —El médico consultó su reloj—. Si no tiene más preguntas que hacerme, es el cumpleaños de mi esposa y hemos reservado mesa en un restaurante.

—Sólo un par de preguntas más. Hace unos momentos, dijo que la amnesia de Bailey Abbott estaba causada por su caída. ¿Es posible que este tipo de amnesia pueda estar causada por otra cosa?

—Desde luego. Puede estar provocada por hechos muy emotivos, estresantes o traumáticos. Lo vemos con frecuencia en soldados con síndrome de estrés postraumático. En víctimas de crímenes, accidentes graves y demás.

Billy Ray miró al doctor al tiempo que esa información reverberaba a través de él. Como si hubiera pulsado un resorte en su mente.

—¿Y se denomina igual?

—Sí. Aunque ese tipo de pérdida traumática de memoria debe ser tratada por un psiquiatra.

—¿Debido a que es un trastorno emocional, no físico?

—Exacto. La pérdida de memoria es una forma de autoprotección. El evento, sea cual sea, es demasiado doloroso para que el yo consciente lo asimile. De modo que la psique lo oculta.

—Pero está allí.

—Sí.

Decidir no recordar, pensó Billy Ray. Consciente o no, no creía que Bailey hiciera eso.

A fin de cuentas, ¿cómo puedes reconocer que te has casado con un monstruo?

—¿Existe alguna posibilidad de que la amnesia de la señora Abbott esté inducida por el estrés en lugar de por una lesión?

Bauer lo miró sorprendido.

—Desde luego. Sin embargo, mi opinión profesional es que no.

—¿Por qué?

—Porque todas las piezas encajan. El accidente. La fuerza y ubicación de la lesión. La cantidad de tiempo que permaneció inconsciente, sus reacciones a la escala de coma Glasgow, el hecho de que, aunque existe una contusión en el tejido cerebral, no ha sangrado ni se ha hinchado. —El neurólogo se levantó y le tendió la mano—. Le deseo suerte en su investigación.

El policía la aceptó.

—Gracias por su tiempo.

El médico echó a andar hacia el ascensor, pero Billy Ray lo detuvo.

—Una última pregunta. ¿Ha tenido alguna vez un paciente con amnesia que fuera también sospechoso en haber cometido un crimen?

—Esa pregunta no me parece pertinente.

—Eso es lo de menos, doctor Bauer.

La expresión del médico se endureció con evidente antipatía. A Billy Ray le daba lo mismo si le caía mal, tenía que cumplir con su deber.

—No —contestó el médico—. No que yo sepa.

—¿Y un testigo de un crimen?

—De nuevo, no que yo sepa.

—Gracias, doctor Bauer.

—Jefe Williams.

Ahora fue Billy Ray quien se detuvo y se volvió.

—El tiempo está de su parte. Tenga paciencia, la señora Abbott recobrará la memoria.

Pero Billy Ray había aguardado pacientemente durante tres exasperantes años. Su paciencia se había agotado.

Salió del hospital y se dirigió a su coche patrulla. Se montó en él, encendió el motor y permaneció ahí sentado, mientras los pensamientos se agitaban en su mente. Trató de apartar de su mente cosas demasiado dolorosas. Había dedicado toda su vida a ello. Cosas como el sonido de la ira de su padre. O el olor a whisky y sudor, y lo que a menudo ocurría acompañado por una mezcla de ambas cosas.

Metió la marcha atrás y salió del aparcamiento. ¿Por qué no trataba de olvidar también esos recuerdos que le resultaban de una dulzura insoportable? Unos recuerdos tan puros que le causaban un dolor mil veces más brutal que los ataques de furia del borracho de su padre.

Recuerdos de True.

No, se dijo. Era una mujer dulce y encantadora. Pero los recuerdos que guardaba de ella eran agridulces. No era capaz de apartarla de sus pensamientos. De pensar en ella día y noche, de soñar con ella. Supo que ella lo necesitaba. Que estaba en peligro.

Billy Ray se lamentaba de no haber hecho más, de no haberse mostrado más insistente. De no habérsela llevado lejos. Ahora aún estaría viva. A salvo.

Pero no había insistido lo suficiente, no se la había llevado lejos. Por tanto, lo único que podía hacer ahora era tratar de subsanar sus antiguos errores.

Algo terrible había sucedido en ese bosque, algo demasiado doloroso para que Bailey Abbott lo recordara. Y él estaba empeñado en averiguar qué era.

28

Domingo, 20 de abril

11:15

Los domingos por la mañana Billy Ray se levantaba más tarde que de costumbre. Asistía al servicio de las nueve y media en la Primera Iglesia Bautista y luego iba a tomar un copioso desayuno en el restaurante de Faye, que siempre le reservaba un lugar en la barra; él siempre dejaba a la camarera una generosa propina y antes de marcharse siempre se detenía junto a media docena de mesas para saludar a amigos y conocidos. Hoy no había sido una excepción.

Al salir de su casa se puso sus gafas de sol. Era un soleado día de primavera e iba hacer calor, pensó mientras se dirigía hacia su coche patrulla. Al sentarse al volante una voz preguntó a través de la radio del coche:

—¿Está ahí, jefe?

—Diez-cuatro, Robin —contestó él—. ¿Qué ocurre?

—Acaba de llamar Travis Jenkins. Está preocupado por su hija menor, Dixie.

—¿Le ha sucedido algo?

—Salió hace dos noches y no ha regresado a casa, y Jo-Jo, del Dairy Freeze, le dijo que había visto el Mustang de Dixie aparcado en The Landing. Lo vio ayer, cuando se dirigía a su trabajo, y también cuando regresó a casa. A Travis le chocó. Llamó a las amigas con las que Dixie había salido el viernes por la noche, Katie Walton y Lea Johnson, pero no habían vuelto a verla desde entonces.

—Voy para allá. Dile a Earl que se reúna allí conmigo.

The Landing era un garito situado justo dentro del perímetro urbano de Wholesome. Un local frecuentado por jornaleros y gente de las fincas de ganado equino, por los humildes y los poderosos. Ofrecían cerveza fría y música *country*, una potente combinación al cabo de una larga y calurosa jornada al sol.

Billy Ray lo sabía bien; no pasaba una noche de sábado que no recibiera al menos una llamada para que fuera a poner fin a una reyerta.

Imaginaba lo que había sucedido. Dixie era una joven alocada a la que le gustaban los hombres más de lo debido. Probablemente se había enrollado con un tipo sin pensar que su padre se preocuparía al ver que no regresaba.

Al llegar, Billy Ray comprobó que Earl se le había adelantado. Earl Stroup, el agente más joven del departamento de policía de Wholesome, se había graduado de Covington High hacía dos años y medio. Alto y desgarbado, el joven de veintiún años aún no había terminado de desarrollarse.

Billy Ray detuvo el coche patrulla junto al de Earl. En efecto, el viejo Mustang rojo de Dixie Jenkins se hallaba en una esquina del aparcamiento de The Landing.

Earl se reunió con él y se dirigieron hacia el coche. En primer lugar se acercaron al lado del copiloto. Billy Ray miró dentro. Las llaves estaban en el contacto, la puerta del conductor entreabierta.

Sintió que se le encogía el corazón. Era demasiado pronto para otro caso parecido. El último había ocurrido en enero. Hacía menos de tres meses.

Earl lo miró.

—Dixie dejó las llaves en el contacto.

—Sí.

—Y su teléfono móvil está en el asiento.

Earl tenía la costumbre de señalar lo obvio. Por lo general, a Billy Ray no le molestaba, pero en estos momentos le sacó de quicio.

—¿Por qué lo habrá hecho?

El jefe de policía no respondió; rodeó el coche y se acercó al lado del conductor.

—Fíjate, la puerta no está cerrada.

Earl la miró unos momentos con cara de estúpido y su pálido rostro palideció aún más. Sus numerosas pecas ofrecían un acusado contraste con la blancura de su piel.

—Mierda —dijo—. Como el caso de Amanda LaPier. Y la otra.

Otras dos mujeres, salvo que uno contara a True. La mayoría de la gente no lo hacía, porque tenían miedo, pero Billy Ray había oído los rumores.

Se volvió hacia Earl.

—Escucha, Stroup, eres un agente del departamento de policía de Wholesome. Si vas a trabajar en este caso, más vale que lo tengas presente.

—Sí, señor.

—No debes hablar de esto con nadie.

—Sí, señor.

El joven parecía aterrorizado. Billy Ray recordaba que en cierta ocasión, tiempo atrás, él también se había sentido así. Hasta que su tío le había largado el mismo sermón.

—Esta es una población pequeña, y la gente habla. Hacen preguntas. Limítate a mantener la boca cerrada y a cumplir con tu obligación. Nada de eso te concierne.

—Sí, señor.

—Bien, ve a buscar unos guantes para mí y para ti. Si no tienes, yo tengo un par de repuesto en mi guantera. Y tráeme mi cámara, que está también allí.

Al cabo de unos momentos, con los guantes y la cámara colgando de una correa alrededor del cuello, Billy Ray examinó el panel de la puerta del lado del conductor.

—Puede que esto no sea nada, Earl. Pero dado que es un escenario muy similar a los otros, debemos tomar todas las precauciones. —Señaló la puerta—. ¿Cuándo llegaste te fijaste si esa puerta estaba abierta?

—No sé si estaba abierta, pero no la toqué. No toqué nada. Esperé a que usted llegara.

—Esto no significa que Dixie no se fuera a casa de alguien. Es aficionada a la cerveza y no precisamente tímida, ¿me entiendes?

Earl asintió con la cabeza y Billy Ray abrió la puerta. No se sostuvo abierta y estuvo a punto de volver a cerrarse, pero el la empujó hasta que permaneció abierta. Luego se apoyó en el vehículo. Olía a tabaco y a perfume barato. El cenicero estaba lleno de colillas, todas con el filtro del cigarrillo manchado de carmín.

Examinó el suelo del coche. Una lata vacía de Rockstar, una bebida energética, una bolsa de Sonic Drive-In y un par de botellas de agua. Otra Rockstar en el portavasos. En el asiento trasero, una muda y unas zapatillas deportivas.

A continuación se dirigió hacia el lado del copiloto y examinó el teléfono móvil. Daba la impresión de que la joven lo había arrojado sobre el asiento. Billy Ray se preguntó a quién había llamado por última vez; si estaba hablando por el móvil cuando el agresor se había acercado y le había propuesto que se fuera con él.

Se volvió para mirar a Stroup.

—Voy a documentar el estado del vehículo y su contenido. Quiero que observes todos mis movimientos, para que en caso necesario puedas verificar mis acciones ante un tribunal.

Stroup abrió la boca, pero volvió a cerrarla, como si hubiera comprendido que era preferible abstenerse de decir lo que iba a decir. Mejor, pensó Billy Ray. Porque no tenía ganas de justificar sus acciones ni hacer el papel de maestro.

Empezó a tomar fotografías. Cuando terminó con el interior del coche, examinó de nuevo el exterior, esta vez más a fondo.

—Conviene ser concienzudo, Earl. Estoy convencido de que Dixie aparecerá por aquí con resaca y las bragas que llevaba anoche, pero en caso de que no lo haga, tendremos esto.

Earl asintió con la cabeza.

—¿Qué cree que ha sucedido?

—¿A ti qué te parece?

—Que Dixie se disponía a regresar a casa.

—Bien. ¿Qué más?

—Que estaba borracha como una cuba.

Billy Ray se mostró de nuevo de acuerdo.

—Se monta en el coche, mete la llave en el contacto, pero no arranca.

—¿Por qué?

—No lo sé. —Earl arrugó el ceño—. He estado pensando. Los motivos pueden ser varios.

—Cierto. Esto es lo que pienso yo. Alguien la llama o se acerca y da unos golpecitos en la ventanilla. Puede que sea una de sus amigas, pero lo más probable es que se trate de un hombre.

—Tiene sentido.

—El tipo le propone continuar la fiesta con él…

—Y ella, como es natural, acepta.

—Exacto. De modo que se baja del Mustang y se monta en el coche del tipo.

—Nuestro sujeto desconocido.

—Veo que has hecho los deberes, Earl.

—Miro la televisión, jefe. *CSI*.

Billy Ray pasó por alto el comentario.

—Dixie está tan borracha, que ni siquiera recuerda que se ha dejado las llaves en el contacto.

—Estará metida en algún sitio, durmiendo la mona. O de juerga todavía.

—Ese es el escenario número uno.

—¿Y el número dos?

—Empieza de la misma forma —respondió Billy Ray—. Alguien que ella conoce le indica que se acerque a su vehículo. Pero esta vez la obliga a montarse en él.

—No he observado signos de pelea —dice Earl, arrugando el ceño—. Debió de verla mucha gente.

Billy Ray asintió con la cabeza.

—A menos que Dixie fuera la última en abandonar el local.

—Los últimos en marcharse siempre son el barman y las camareras.

—Exacto, Earl. Quiero que averigües quién estuvo trabajando en el local el viernes por la noche, quién servía. Lo mejor es que llames a Joe.

—Sí, señor.

—Joe controla perfectamente su negocio. Imagino que el viernes se pasaría por el bar, para ver cómo iba todo. En particular, la caja. En tal caso, pregúntale si vio a Dixie.

—¿Qué debo decirle?

—La verdad, pero nada más. Que Travis quiere averiguar el paradero de Dixie y que el coche de la chica está en el aparcamiento del bar. ¿Sabrás hacerlo? —Earl asintió y Billy Ray continuó—: Dile que quiero ver las cintas de su cámara de seguridad. Si sabe algo, toma nota. ¿Has traído tu bloc de notas?

—Y un bolígrafo. —El agente se tocó el bolsillo de la camisa y sonrió satisfecho.

—Muy bien. Llámame en cuanto hayas terminado.

—¿Qué va a hacer usted?

—Iré a hablar con Travis. Procuraré tranquilizarlo. Para entonces, ya habré hablado contigo.

Earl asintió y se encaminó hacia su vehículo, pero se detuvo y se volvió hacia Billy Ray.

—¿Cree que este caso es como los otros? Estudié en el colegio con Dixie. Ella iba a la clase de mi hermana, a veces salían juntas.

—No lo creo, Earl. En estos momentos Dixie debe de estar durmiendo la mona, convencida de que ha conocido a su príncipe azul.
Pero debemos asegurarnos de que no es otra cosa.

Billy Ray observó al joven montarse en su coche patrulla y partir
antes de regresar junto a su vehículo. Se subió en el Ford y, tras vacilar
unos momentos, arrancó. Le fastidiaba haber mentido a Earl, pero no
era necesario que el joven supiera aún lo que pensaba. Ni él ni nadie
más. Cada cosa a su tiempo. Una prueba tras otra.

Tenía que construir el caso. Atrapar al cabrón.

29

12:45

Travis Jenkins era un hombre duro. Un hombre que no podía permitirse el lujo de andarse con ceremonias o sentimentalismos. Había criado a tres hijos sin una esposa mientras ganaba lo justo para vivir haciendo lo que fuera que alguien necesitara que hiciera. Limpiando establos y reparando cercas, pintando cuadras y transportando pienso para animales.

Pero estaba asustado. Tenía los ojos llenos de lágrimas. Unas lágrimas que a Billy Ray se le clavaron en el corazón como un cuchillo. Acusándolo. *¿No podía haber hecho algo más? ¿No podía haber puesto fin a esto antes de que le ocurriera algo a Dixie?*

—Siéntate, Travis —dijo—. No sabemos nada, salvo que dejó su coche en el aparcamiento del Landing.

—Tiene pasión por ese coche. Es su bebé. ¿Por qué iba a abandonarlo de esa forma, con las llaves en el contacto?

—Ya sabes cómo es Dixie, le gusta el tequila y seguramente se tomó varias copas. No pensaba con claridad. Pero necesito que tú pienses con claridad, Travis. ¿Qué más puedes decirme sobre la noche del viernes?

—No mucho. Fue como todas las noches. Dixie me dijo que iba a salir. Iba a reunirse con sus amigos.

—¿Discutisteis?

—Discutimos siempre. Tú lo sabes, Billy Ray. He criado a otros dos hijos, pero mi Dixie siempre ha hecho lo que le ha dado la gana.

—¿Te dijo el nombre de alguien con quien había quedado citada?

—Un par de amigas suyas. Ya conoces a Katie, la hija de John Walton. Y Lea Johnson.

—¿La hija mayor de Steve?

—Sí.

—¿Mencionó a algún hombre? ¿Salía con alguien con quien mantenía una relación sentimental?

Travis negó con la cabeza.

—¿Te dijo si se había peleado con alguien?

—Sólo con su hermana.

—Patsy.

—Sí. —Los ojos de Travis volvieron a humedecerse—. Por tratar de hacerle de madre. De conducirla por el buen camino. Ahora… —El hombre no pudo terminar la frase.

Billy Ray le dio una palmada en el hombro.

—No pierdas la calma, Travis. Resolveremos el asunto, ¿de acuerdo?

El hombre se aclaró la garganta y asintió.

—Iré a hablar con Patsy, quizá sepa algo.

—Ya la he llamado. No sabe nada de Dixie.

—Pero quizá sepa algo y no se haya dado cuenta. Luego hablaré con las personas que estaban en The Landing y la vieron. Como he dicho, resolveremos el asunto.

Travis trató de recobrar la compostura.

—¿Y si regresa a casa? ¿Qué debo hacer?

—Abrazarla. Luego llámame.

El hombre se tocó el ala de su sombrero de *cowboy*.

—Le daré una buena zurra, eso es lo que haré.

Quizá lo hiciera, pensó Billy Ray mientras se encaminaba hacia su coche patrulla, pero sólo después de haberla abrazado.

Al acercarse oyó el sonido de la radio a través de la ventanilla abierta del vehículo. Metió la mano y tomó el receptor.

—El jefe Williams.

—Billy Ray, soy yo, Earl.

—Diez-cuatro, agente Stroup.

Durante una fracción de segundo, el otro hombre enmudeció. Como si estuviera sorprendido. Billy Ray se montó en el coche.

—¿Has conseguido esa lista?

—Sí. He hablado con Joe. Me ha dicho que el vídeo de seguridad está a nuestra disposición. Ricky, Elaine y Annie servían a los clientes, Bubba T estaba en la puerta. Ricky abrió a las once. ¿Quiere que vaya a interrogarlo?

—Yo lo haré.

—¿Qué quiere que haga, Billy Ray?

—Hace más de un año que me ascendieron. Creo que deberías llamarme jefe.

Su ayudante calló, sorprendido.

—Por supuesto, Billy…, jefe. No pretendía faltarle al respeto.

—Lo sé, Earl. No lo he interpretado de ese modo. Pero conviene que me trates con más formalidad. Dada la situación.

—Sí, señor.

—Mientras yo regreso a The Landing, llama a los chicos de la oficina del *sheriff*. Averigua si tienen alguna novedad sobre Henry Rodríguez.

—¿Les digo lo de Dixie?

—Ni se te ocurra. ¿Para que esos sabelotodos se entrometan en el tema? Es lo último que necesitamos. Además, todavía no hay nada que decir. —Billy Ray se detuvo un momento mientras pensaba en lo que había que hacer a continuación—. Cuando hayas hablado con ellos, llama al laboratorio para averiguar si tienen los resultados de las muestras de sangre que les envié. Y mantenme informado.

30

Billy Ray estaba sentado en el bar The Landing. Joe Cooper no contrataba a jóvenes para que dirigieran su negocio. No necesitaba hacerlo. Había mucha gente en Wholesome que necesitaba un empleo bien remunerado. Profesionales con experiencia, como le había explicado al jefe de policía en cierta ocasión. En lugar de colocar a chicas jóvenes y bonitas detrás de la barra —el principal atractivo del local—, hacía que sirvieran en las mesas.

Ricky St. James había cumplido treinta y cinco años por las mismas fechas que Billy Ray. Tenía una familia que mantener. Ni él ni los otros empleados tenían ocasión de meter la mano en la caja ni ofrecer copas gratis a sus amigos.

—Háblame sobre la noche del viernes, Ricky. ¿A qué hora llegó Dixie?

Ricky se apoyó en la barra. Parecía cansado. Había preparado café para ambos y había depositado frente a Billy Ray una taza de la que brotaban unas volutas de humo que se elevaban hacia el techo.

—Sobre las nueve. En todo caso, es cuando recuerdo haberla visto.

—¿Es la hora a la que Dixie acostumbra llegar?

Ricky asintió con la cabeza y bebió un trago de café.

—El ambiente no empieza a caldearse hasta esa hora. Y Dixie es una de las chicas que se queda hasta que cerramos.

—¿Y el viernes?

—No. La banda aún tocaba cuando se marchó.

—¿Se fue con alguien?

—No que yo viera. Quizás el vídeo de seguridad demuestre que estoy equivocado.

Ricky bebió otro trago de café. Billy Ray notó que la mano no le temblaba.

—¿Mientras estuvo aquí pasó un rato con algún tío?

—De nuevo, no me fijé. Los viernes por la noche son una locura. —Se detuvo como para rebuscar en su memoria—. En cierto momento la vi bailar con sus amigas.

—¿Sus nombres?

—Katie Walton y Lea Johnson.

—¿Son sus mejores amigas?

—Eso creo. Vienen juntas casi todas las noches.

—¿Vino algún cliente nuevo esa noche? ¿Alguien que no conocieras?

—No. —Ricky apuró su taza y volvió a llenarla—. Debería hablar con Bubba T. Aquí no entra nadie a quien él no haya dado el visto bueno.

—¿Vino alguien que te sorprendiera ver por aquí?

—¿A qué se refiere?

—Personas de la comunidad que conoces, pero que no suelen venir con frecuencia. O nunca. Y que de pronto se presentan.

El joven arrugó un poco el ceño.

—Ahora que lo pienso, me sorprendió ver a uno de los Abbott...

—¿Logan Abbott?

Billy Ray percibió el tono excitado de su voz y por el gesto de extrañeza con que Ricky lo miró comprendió que el barman también se había dado cuenta.

—No, su hermana. Raine.

—¿Raine estuvo aquí el viernes por la noche? ¿Estás seguro? Ricky asintió con la cabeza.

—Con ese entrenador extranjero tan relamido. August no sé qué... Billy Ray comprendió que August no le caía bien a Ricky.

—¿Pérez?

—Sí. Vinieron juntos.

—Ya. —Billy Ray se llevó la taza a los labios—. ¿Te chocó?

—Sí. Acabaron peleándose.

—Algunas personas no saben beber.

—Exacto.

—¿Se marcharon juntos?

—Sí. —Ricky tomó la taza, pero volvió a dejarla en el mostrador—. Los eché del local y de pronto volvieron a hacer las paces.

—¿Y tú te convertiste en el malo de la película?

—Sí.

—Pero ¿Logan Abbott no vino? —Al darse cuenta que el barman le observaba extrañado por la pregunta, Billy Ray se apresuró a añadir—: ¿No vino en busca de la chalada de su hermana?

Ricky negó con la cabeza.

—Logan Abbott no ha puesto los pies aquí desde…, desde que su primera esposa se largó. Solían venir de vez en cuando a bailar. —El joven se llevó de nuevo la taza a los labios, pero no bebió—. Además, he oído decir que pasó toda la noche en el hospital. Su nueva mujer había sufrido un accidente al caerse del caballo.

La coartada perfecta.

O la forma perfecta de pillarlo en una mentira. Sólo tendrían que comprobar las llamadas hechas desde el teléfono móvil o las imágenes del vídeo de seguridad del hospital. El problema era que a estas alturas el juez denegaría la solicitud de una orden de registro. Lo que significaba descartar la prueba del teléfono móvil. Pero quizá lograra convencer a los del hospital para que le dejaran ver el vídeo de seguridad.

Billy Ray se centró de nuevo en la entrevista que le hacía al barman.

—¿Recuerdas algo referente a Dixie esa noche? ¿Algo que te llamara la atención?

Ricky reflexionó unos momentos.

—Sólo que cuando nos marchamos vi su Mustang en el aparcamiento.

—¿No te chocó?

—No. No era la primera vez…, ya me entiende.

—¿Ni siquiera cuando viste que ayer seguía allí?

—No.

—¿Te acercaste para echar un vistazo al coche, miraste dentro?

Ricky negó con la cabeza.

—Como he dicho, no era la primera vez. Aunque no recuerdo que Dixie lo dejara aquí tanto tiempo como esta vez.

Billy Ray asintió y se levantó.

—Joe ha dicho que podía echar un vistazo al vídeo de seguridad del viernes por la noche. Si no te importa, lo haré ahora.

—Desde luego. Le llevaré a su despacho para que lo mire.

31

El doctor Bauer había dado a Bailey el alta. En estos momentos, cuando se aproximaron a la finca, ella pidió a Logan que bajara las ventanillas.

—Quiero oler el aire —dijo—. Entonces sabré que casi he llegado a casa.

La cálida y perfumada brisa penetró en el coche, agitando su cabello. La joven la aspiró, deleitándose con ella y dejando que eliminara el característico olor a hospital.

El neurólogo le había advertido que no esperara milagros al principio. Había sufrido un traumatismo cerebral, necesitaba tiempo para reponerse. Le había asegurado que recobraría la memoria de lo ocurrido, pero le había aconsejado que no la forzara.

«Deje que el proceso siga su curso, señora Abbot»

Para él era fácil decirlo, pensó ella. No había perdido un retazo de su vida; no vivía en un estado permanente de ansiedad. Como si la acechara una terrible sorpresa, una sorpresa que ella no podía predecir ni evitar.

Llegaron a la verja de hierro forjado y entraron en la finca.

—Bienvenida a casa, Bailey.

Curiosamente, ni siquiera su memoria la había preparado para contemplar el hermoso espectáculo. Las verdes y ondulantes colinas, el cielo azul, la cerca pintada de blanco y las azaleas, cuajadas de flores rosas, blancas y fucsias. Los caballos, cuyo hermoso pelaje castaño oscuro relucía al sol.

Bailey dejó que la magia la envolviera mientras el recuerdo de su aséptica habitación en el hospital se desvanecía.

Al cabo de unos momentos divisaron la cuadra y la pista de entrenamiento. *Jo-Jo* y *Max*, el labrador de color chocolate y el corgi salieron a recibirlos. Al no ver a *Tony*, Bailey preguntó a Logan por él.

—Está perfectamente —respondió su marido, apretándole la mano—. Está con Stephanie.

Al cabo de un momento apareció Paul, seguido por August.

—¿Quieres que nos detengamos?

Ella negó con la cabeza.

—Aún no estoy preparada.

Los hombres les observaron pasar de largo y les saludaron con la mano.

—Estaban preocupados por ti. Todos lo estaban.

—¿Incluso Raine?

Él sonrió.

—Veo que te sientes mejor.

—Huracán Raine… —comentó ella.

—Truenos y relámpagos —apostilló él, y ambos se rieron.

—¿Lo saben? —preguntó ella.

—¿Los detalles del accidente?

Ella negó con la cabeza.

—Lo del bebé.

—No. No lo sabe nadie, salvo tú, yo y el personal médico.

—Te lo agradezco.

Llegaron a la segunda verja y la atravesaron con el coche lentamente. Al cabo de unos momentos, ella se bajó del vehículo y se detuvo unos instantes, asimilando lo que la rodeaba con todos sus cinco sentidos. Como si estos acabaran de despertarse. El olor de la tierra y las plantas, el sol que caldeaba su piel. El susurro de las hojas y el canto de los pájaros. El murmullo de la fuente.

—Mi hogar —dijo, extendiendo la mano.

—Nuestro hogar —respondió él, tomándola.

—Quiero volver a contemplarlo todo. Para saber que lo recuerdo. ¿Te parece raro?

Él sonrió.

—Me parece magnífico.

Recorrieron todas las habitaciones, una tras otra, la cocina de estilo rústico y la sala de estar, el salón y el estudio de Logan. Bailey se detuvo delante del retrato de la madre de él.

—Eres igual que ella.

—Eso fue lo que dijiste la primera vez que lo viste.

—Lo sé. —Ella se volvió hacia él y sonrió—. Lo dije en serio.

Él se rió y subieron juntos la escalera, cogidos de la mano. Al entrar en el dormitorio, Bailey se detuvo, con la vista fija en la cama.

La cama que compartían. Marido y mujer. Recordó cómo se sentía allí, entre los brazos de él. Abrigada y protegida. Se llevó una mano al vientre, a la vida que crecía dentro de ella.

—¿En qué piensas?

—En nosotros. Haciendo el amor, creando a este bebé. Aquí. En esta cama.

Las lágrimas afloraron a sus ojos y se sintió un poco estúpida. Se volvió rápidamente y se dirigió hacia la puerta de la terraza. Salió a ella y contempló el bosque más allá del muro que rodeaba la propiedad.

Su accidente. Henry, asesinado de un tiro. La emoción la embargó.

Él la siguió y la estrechó contra su pecho.

—Para darte calor —murmuró, apoyando la barbilla en la cabeza de ella.

Aquí era donde ella había visto a Henry por primera vez. Lo recordó caminando por el sendero, acompañado por *Tony*, que tan pronto se lanzaba a la carrera como regresaba al cabo de unos momentos junto al anciano.

Henry, con su rostro cubierto de cicatrices y sus ojos bondadosos. Su sonrisa espontánea y su sabiduría infantil. Con un corazón tan grande como el firmamento.

Su amigo. Asesinado de un tiro.

Muerto, pensó ella, abrumada por esa amarga verdad. Se llevó una mano a la boca.

—No, es imposible. Henry no, él… No puedo… —Bailey rompió a llorar, emitiendo unos desgarradores sollozos de desesperación.

Logan hizo que se volviera entre sus brazos y la estrechó contra su pecho.

—Lo siento, cariño —murmuró una y otra vez, acariciándole la espalda—. Lo siento.

Ella lloró hasta que los ojos le escocían y la garganta le dolía, hasta que no tuvo fuerzas para seguir llorando.

—Le echaré mucho de menos… Hace un momento, pensaba en lo maravilloso que era recordar. Lo maravilloso que era experimentarlo todo. Pero ahora…, esto…, preferiría no recordar nada. —Bailey inclinó la cabeza hacia atrás para mirarlo—. Es muy doloroso, Logan.

Él tomó su rostro y le enjugó las lágrimas con los pulgares.

—Ojalá pudiera eliminar tu dolor.

—Pero no puedes. Nadie puede.

—Acuéstate un rato. Estás cansada. ¿Quieres que te traiga una taza de té? ¿Y una revista?

—El jardín —dijo ella—. Necesito el sol.

Él la ayudó a instalarse en una de las tumbonas. Le preocupaba que tuviera frío, de modo que le llevó una manta junto con sus gafas de sol, el iPhone y una revista.

—Tengo que resolver un par de asuntos —dijo él—. En el estudio. He estado ausente durante…

—Vete. No estoy enferma. Y no soy de cristal. Como es evidente, teniendo en cuenta el golpe que me di en la cabeza.

Él no sonrió y ella prosiguió:

—Estoy bien. De veras.

Logan se inclinó y la besó.

—Estaré en el estudio, contestando los correos electrónicos. Llámame si necesitas algo. Lo que sea. ¿Me lo prometes?

Ella asintió, pero él seguía sin moverse.

—Deja de preocuparte por mí. Vete… —Ella hizo un ademán indicándole que se fuera—. No podré dormirme si te quedas ahí mirándome.

Él se marchó. Bailey reclinó la cabeza en el respaldo de la silla y cerró los ojos, dejando que sus pensamientos flotaran a la deriva, como las vaporosas nubes en el cielo.

Un ruido seco rompió el plácido día. *Un disparo.* Ella abrió los ojos, asustada. Bajó la vista y miró sus manos, apoyadas en el regazo.

Sofocó un grito de terror. Sangre. ¿De dónde había salido tanta sangre?

—Por fin te encuentro.

Al alzar la cabeza Bailey sintió una punzada de dolor. Raine estaba junto a la puerta del jardín, sosteniendo un jarrón lleno de flores.

—Cielo santo, Bailey, ¿qué te ocurre?

—Estaba soñando. Creí… ¿Has oído un disparo hace unos momentos?

Raine palideció. El jarrón cayó al suelo, haciéndose añicos al estrellarse contra el suelo de ladrillo.

—¿Dónde está Logan?

—En su estudio… Raine, ¿qué…?

Pero antes de que Bailey pudiera concluir la frase, su cuñada entró apresuradamente en la casa llamando a Logan.

De pronto ella comprendió el motivo. No. Él no podía…, no lo haría. Aterrorizada, se levantó rápidamente y echó a correr detrás de Raine. Pasó volando a través de la cocina y al llegar al vestíbulo se detuvo en seco. Se sujetó a la balaustrada de la escalera, mareada, sintiendo un martilleo en las sienes.

Logan, vivo e ileso, su hermana, abrazada a él, temblando. Él la miró perplejo.

—No pasa nada, Raine —dijo, dándole unas palmaditas en la espalda y apartándose para mirarla a los ojos—. ¿A qué viene esto? Estoy bien.

—Bailey dijo que había oído un disparo.

—Es cierto. —Bailey se acercó a él—. Me había quedado dormida y el sonido me despertó.

—¿Cuándo?

—Hace un momento. Poco antes de que apareciera Raine.

—Yo no he oído nada. —Logan miró a su hermana—. ¿Y tú?

Raine negó con la cabeza.

—Pero tenía puesta la radio.

—Llamaré a la cuadra, para preguntar si han oído algo. —Él sacó el móvil y marcó—. Hola, Paul… Sí, está perfectamente. Oye, Bailey estaba en el jardín y creyó oír un disparo. ¿Habéis oído algo en la cuadra? —Se detuvo, escuchando, y asintió—. Es lo que me temo. En todo caso, sonó cerca de la casa. —Se detuvo para escuchar lo que decía el otro—. De acuerdo. Pero primero trataré de obtener más información de ella. Gracias.

—¿Oyó el disparo? —preguntó Bailey.

—No, pero no le extraña que tú lo oyeras. Teniendo en cuenta lo ocurrido recientemente.

Henry.

—Paul va a llamar a la oficina del *sheriff*, pero le he dicho que antes quiero que me des tantos detalles como puedas.

—El sonido me despertó, abrí los ojos y…

Vi sangre. Mucha sangre.

—¿Qué?

Ella se llevó una mano a la cabeza.

—No me encuentro bien. La cabeza me duele mucho.

Él se apresuró hacia ella y la ayudó a sentarse en la escalera.

—Respira hondo, cielo. No pasa nada. Tranquilízate.

Él miró a su hermana.

—Trae un paño húmedo para aplicárselo en la nuca.

Al cabo de unos momentos, Raine regresó con el paño húmedo y Logan se lo aplicó en la nuca.

—Así, respira hondo —le ordenó—. Inspira por la nariz y saca el aire por la boca.

Bailey obedeció y al cabo de unos segundos el dolor remitió junto con la sensación de mareo. Se quitó el paño húmedo del cuello.

—Ya me siento mejor. Gracias.

—Deja de darnos estos sustos —dijo Raine—. No podría soportar ni uno más.

En la mente de Bailey apareció de nuevo la mancha roja.

—Logan, yo… —No podía articular las palabras y se aclaró la garganta—. Creo haber recordado algo. O… —Se mordió el labio y miró a su marido y a Raine—. O puede que estuviera soñando.

Él tomó su mano y enlazó los dedos con los suyos.

—Cuéntanoslo todo.

—Abrí los ojos y vi… sangre. En las manos y mis vaqueros.

—¿Algo más?

—No. Luego vi a Raine…

—A la que diste un susto de muerte…

Logan no hizo caso de su hermana y se acuclilló delante de Bailey.

—Estabas soñando —dijo.

—¿Tú crees?

—Te conté en el hospital lo que le había ocurrido a Henry y te afectó mucho poco antes de quedarte dormida.

—Pero la sangre…

—¿Recuerdas lo que dijo Billy Ray? Que estabas cubierta de sangre. Está claro que lo has imaginado.

Debía de ser eso. Seguro.

En esto se oyó la puerta de un coche cerrarse de un portazo frente a la fachada de la casa. Bailey se sobresaltó. Observó que Raine también se había sobresaltado. Debía de tener los nervios a flor de piel como ella.

Su cuñada se acercó a la puerta.

—Quizá me oíste cerrar la puerta del coche y te asustaste, como nos acaba de ocurrir ahora a las dos. —Raine miró a través de la ventana junto a la puerta y se volvió hacia Logan—. Tenemos visita. Tu persona favorita.

32

—Hola, Billy Ray —dijo Raine, abriendo la puerta unos centímetros—. Qué sorpresa tan agradable.

—No te canses, Raine. He venido para hablar con Logan y con Bailey.

—No creo que quieran hablar contigo. —Se volvió para mirar a su hermano sonriendo—. ¿Me equivoco?

Sin esperar respuesta, Raine se volvió de nuevo hacia Billy Ray.

—Mi hermano dice que te vayas a hacer puñetas.

—Ya basta, Raine —dijo Logan, acercándose.

—¿Después de todos los problemas que ha causado a nuestra familia? Se merece eso y más.

Logan abrió la puerta del todo.

—Este no es buen momento, Williams.

—Ya lo supongo, pero he venido de todos modos. Quería ver cómo estaba tu esposa. Si se ha recuperado.

Billy Ray miró a Bailey y sonrió.

—Veo que el médico le ha dado el alta. Lo cual es una buena noticia.

—Lo es, desde luego —dijo Logan—. Ahora, si nos disculpas…

Pero el policía pasó junto a él y entró en el vestíbulo.

—¿Cómo está su memoria? ¿Ha empezado a recobrarla, señora Abbott?

Sangre. En sus manos y su regazo.

¿Un sueño? ¿O un recuerdo?

Logan respondió por ella.

—Aún es pronto. Tú serás el primero al que llamaremos.

Bailey arrugó un poco el ceño. Estaba claro que Logan no quería que Billy Ray supiera lo del disparo o la sangre. ¿Porque quizá fuera producto de la imaginación de ella? ¿O por otro motivo?

—Bailey iba a subir a descansar. Me temo que tendrás que volver otro...

—Tengo novedades.

Ella miró a Logan y al policía.

—¿Novedades?

—Con respecto a la sangre de Henry.

Rojo. En todas partes. En sus manos y sus vaqueros.

—He recibido el informe del laboratorio. Yo tenía razón. No toda la sangre era suya, señora Abbott.

Bailey sintió que se apoderaba de ella una sensación muy extraña. Un escalofrío que comenzó en la parte superior de su cabeza y descendió hasta sus pies.

—La sangre pertenece a un varón. Es del mismo tipo que la del viejo Henry.

—Dios mío —dijo Raine. Estaba inmóvil, pálida como un espectro.

—Supones que pertenece a Henry —dijo Logan—. El análisis del ADN puede llevar semanas. O meses.

Billy Ray sonrió con desdén.

—Pero la serología básica es un proceso muy rápido.

Bailey miró a Logan.

—No puedo... ¿Crees que...? ¿Crees que vi cómo alguien... disparaba contra Henry?

—No sólo debió verlo —terció el jefe de policía—. De otro modo, ¿cómo se explica que estuviera cubierta de sangre?

—¡Cállate, Billy Ray! No puedes estar seguro de que la sangre fuera la de Henry.

—¿De quién iba a ser sino? —Bailey se levantó; las piernas le temblaban tanto que temió caerse. Se agarró a la balaustrada para recobrar el equilibrio—. Seguro que era suya... ¿Cómo es posible que yo estuviera cubierta con la sangre de Henry?

—Eso es justamente lo que me pregunto yo, señora Abbott.

—Ya le he dicho que no lo recuerdo.

—¿Cuándo lo vio vivo por última vez?

Henry. Vivo. Ella se llevó una mano a la cabeza, tocándose el vendaje que cubría su herida.

—No recuerdo..., debió de ser... hace poco. Hablamos sobre True.

Las palabras aterrizaron con un clamoroso silencio. Los tres se volvieron hacia Bailey.

Logan extendió una mano hacia la joven.

—¿Qué has dicho?

Ella lo miró. El corazón le retumbaba en el pecho. Las sienes le martilleaban.

—Nada. No he dicho nada… —La vista se le nubló—. Ha sido un error. No sé por qué lo he dicho.

—Por supuesto que lo sabe —dijo Billy Ray—. Dígame, ¿cuándo fue la última vez que lo vio?

—Era mi amigo. —Las lágrimas rodaron por sus mejillas y Bailey se llevó una mano a la boca. Siempre se había preguntado por qué hacía eso la gente, y ahora lo sabía. Para reprimir los sonidos de su sufrimiento, como si el hecho de contenerlos aliviara el dolor—. No lo recuerdo.

Logan se acercó para estrecharla contra sí.

—Cariño, lo siento mucho…

Ella lo apartó.

—No me toques. Tú debías de saberlo. Toda esa sangre…, tú lo sabías…, de otro modo…

—No quería disgustarte.

—Ahora comprende por qué es importante que hable conmigo —dijo Billy Ray, avanzando un paso hacia ella—. ¿Quién sabe lo que él le dirá o no le dirá?

—¡Hijo de perra! —Logan se abalanzó sobre el policía y lo derribó contra la mesa de la entrada. Una lámpara cayó al suelo y se hizo añicos.

Raine se apresuró a apartar a su hermano.

—¡No lo hagas! ¡Él quiere que lo golpees!

Bailey los miró.

«¿Quién sabe lo que el le dirá o no le dirá?»

«Pregúntele sobre True.»

Pregúntele.

Sobre True.

True. ¿Qué le ocurrió a True?

—¡Basta! —gritó. Una punzada de dolor le atravesó el cráneo, pero no se detuvo—. ¡Dejadme en paz! ¡Los dos!

Bailey dio media vuelta, subió apresuradamente la escalera y se encerró en su habitación. Una vez allí, el dolor cayó sobre ella con toda la fuerza.

33

17:10

Billy Ray observó a Bailey subir la escalera; sus palabras reverberaban en su mente. Le había pedido que la dejara en paz, que se fuera. El policía tenía la sensación de que no podía respirar. Como si de lo más profundo de su ser emanara algo, como un chorro de helio llenando un globo hasta hacerlo estallar. Como si su piel estuviera a punto de reventar.

—Hijo de perra.

Billy Ray miró a Logan.

—Déjala en paz. ¿Me oyes? ¡Déjanos tranquilos!

El policía no respondió. Dio media vuelta para marcharse, pero Logan lo detuvo sujetándolo del brazo.

—Es mi mujer, y está embarazada de mi hijo. Juro por Dios que haré lo que sea para proteger a los míos.

Soltó a Billy Ray.

—Ahora vete de mi casa —le espetó.

El jefe de policía se dirigió hacia su coche patrulla medio corriendo, medio tropezando. Sentía náuseas. Si vomitaba delante de Abbott, éste comprendería que era un asunto personal.

«*No sigas, Billy Ray.*»

«*Quiero que me dejes en paz.*»

Arrancó y partió a toda velocidad, levantando una nube de grava mientras bajaba por el sendero. Pasó frente a la cuadra, atravesó la verja principal y enfiló la carretera. Al cabo de unos minutos detuvo el coche en el arcén. Se bajó, se acercó tambaleándose al borde de la carretera y se puso a vomitar.

Vomitó hasta que creyó que ya no le quedaba nada dentro. Estaba vacío. Completamente vacío.

Regresó al vehículo y se sentó al volante. La imagen del angustiado semblante de Bailey Abbott le atormentaba. Como el de True. Una expresión de temor. De sentirse perdida. Tan vulnerable que le desgarraba el corazón.

True. Estaba allí, habitaba en su mente, tan real que estaba seguro de que, de haber podido hallar el medio de penetrar en su propia cabeza, habría podido abrazarla.

Ella le incitaba a que lo intentara. A que abriera la puerta y entrara. Para estar con ella.

Billy Ray bajó la vista y observó sus manos. No dejaban de temblar. Estaba cansado de luchar contra los recuerdos y los sentimientos, de enterrarlos en lo más hondo de su ser, tan hondo que ocupaban su misma médula. Para impedir que afloraran. Estaba cansado, muy cansado.

De modo que había desistido, y ella le había abierto la puerta. Al verla sintió que las piernas le flaqueaban.

—¿Qué haces aquí, Billy Ray?

Ella miró sobre su hombro, como para cerciorarse de que no lo acompañaba nadie.

—He venido a ver cómo estás, True. Para asegurarme de que estás bien.

Ella sonrió con gesto tenso.

—Estoy bien. ¿Por qué no iba a estarlo?

¿Se mofaba de él? ¿O pretendía que él se lo dijera con todas las letras?

—¿Puedo pasar?

—No creo que sea buena idea. A Logan no le gustaría.

—Pero está fuera de la ciudad.

—¿Cómo lo sabes?

Él no quería incomodarla.

—Es una población pequeña, todo el mundo lo sabe todo.

—No puedes pasar. Logan es mi marido, y si algo le disgusta, evito hacerlo. Por respeto a él.

No era de extrañar que él estuviera tan enamorado de ella.

—¿Podemos hablar aquí fuera?

Tras dudar unos instantes, ella asintió.

—Supongo que sí. —Salió al porche y cerró la puerta tras ella—. ¿Qué quieres?

—Te quiero a ti, True

—No puedes seguir así, Billy Ray…

—¡No, espera! Sé algunas cosas sobre esta familia y conviene que tú…

—No. —Ella alzó una mano para silenciarlo; era evidente que estaba disgustada—. Lo sé todo sobre esta familia, sé la desgracia que…

—¿Y sobre Logan? Es una mala persona, True. Debes creerme. La mujer que desapareció no fue la única. Hace cinco años…

—No. —Ella sacudió la cabeza—. Amo a Logan. Es incapaz de hacerme daño, ni a mí ni a nadie.

—Por favor, True. Escúchame.

—Lo siento, pero no puedo. Ya conocerás a alguien. A una chica que te convenga.

Él no respondió y ella le apretó la mano.

—Déjame tranquila. Si no lo haces, tendré que hacer algo al respecto.

—Quiero salvarte, True.

—Lo sé, Billy Ray —respondió ella; su rostro reflejaba una profunda tristeza—. Eres un hombre bueno y encantador. Pero debes creerme. No necesito que me salves.

Un camión pasó de largo. El conductor hizo sonar el claxon para saludar a Billy Ray. Este regresó al presente. Se dio cuenta de que había llorado y se enjugó los ojos y se enderezó. No podía salvar a True. No pudo hacerlo entonces y menos ahora.

Pero podía salvar a Bailey. Y al hijo que llevaba en su vientre. No era demasiado tarde para ellos. Se abrochó el cinturón de seguridad y arrancó, enfilando de nuevo la carretera. Aunque le costara la vida, conseguiría que Logan Abbott no volviera a lastimar a ninguna mujer.

34

Stephanie Rodríguez estaba sentada en su pequeño porche, sosteniendo una bebida en la mano, contemplando el prado y el día que comenzaba a declinar. Una escena idílica. Las tres yeguas pastaban; la suya, *Molly*, de color castaño, se detenía de vez en cuando para volverse hacia ella y relinchaba suavemente.

El animal se había percatado de lo disgustada que estaba su ama. Los caballos eran animales increíbles. Sensibles. Capaces de expresar diversas emociones. De una entrega total.

Si Stephanie se hubiera dejado consolar, *Molly* habría podido hacerlo. Pero no quería sentirse mejor. Las lágrimas le nublaban los ojos y se llevó el vaso a los labios para beber un trago. El alcohol le abrasó la garganta, pero no le importó.

El tío Henry había muerto. Un idiota le había disparado por la espalda con un rifle, seguramente atiborrado de cerveza.

Bebió otro trago, consciente de su furia. Maldijo al cazador furtivo que lo había matado. Pero también a sí misma. ¿Por qué había permitido que Henry siguiera viviendo allí solo? Habría podido convencerlo para que se viniera a vivir con ella, en su granja.

A decir verdad, ni siquiera lo había intentado. Le había preguntado si quería venir a vivir con ella, en lugar de insistir en ello. Y se convenció de que el anciano no corría ningún peligro. En tanto ella estuviera pendiente de él, todo iría bien.

Pero no había sido así. El tío Henry había muerto.

Y ella se había quedado sola.

Oyó que el teléfono sonaba en la casa. Dejó que la llamada fuera al buzón de voz; no tenía ganas de oír más condolencias ni las inevitables preguntas. Las llamadas habían sido incesantes. La gente llamaba por simpatía y por curiosidad.

Una de las personas que la había llamado le había contado lo del accidente de Bailey. Su amnesia. El hecho había ocurrido el mismo día en que alguien había matado al tío Henry de un disparo. Un vecino le había preguntado lo que todos se morían de ganas de saber: ¿qué había sucedido realmente en el bosque?

El sonido de unos neumáticos sobre el sendero de grava interrumpió sus reflexiones. Era un coche patrulla de Wholesome.

Billy Ray.

Tiempo atrás ella le habría saludado con la mano y le habría esperado, o habría corrido a su encuentro. Se habría arrojado en sus brazos. Stephanie cerró los ojos y apartó los recuerdos de esa época. No podía modificar el pasado. Estaba tan segura de ello como de que *podía* controlar el presente, y la persona en la que se convertiría.

Billy Ray ya no podía lastimarla. Porque ella no le concedería ese poder, y sería ella quien marcaría la pauta durante los próximos minutos.

Cuando él se detuvo, Stephanie se levantó y le observó apearse del coche y dirigirse hacia ella.

—Billy Ray —dijo cuando él llegó al pie de los escalones del porche y la miró.

—Hola, Steph.

—¿Qué te trae por aquí?

—He venido para asegurarme de que estás bien.

—Ver para creer. Estoy perfectamente. Ya puedes marcharte.

Él se echó el sombrero hacia atrás para verla mejor.

—Lamento mucho lo de Henry.

Ella sintió que las lágrimas afloraban a sus ojos y las maldijo. No quería llorar delante de este hombre. Nunca más.

—¿Por qué has venido, Billy Ray?

—Te llamé. No conteste.

—Porque sabía que eras tú. —Cruzó los brazos—. ¿Qué quieres? Si es otra de tus chorradas, no tengo tiempo para escucharla.

—Es una visita oficial del jefe de policía. Si eso te parece una «chorrada...»

Ella arqueó una ceja.

—«Wholesome Village, setecientos habitantes.»

—Este lugar solía gustarte, Steph.

—También me gustaban los potitos.

Billy Ray apretó los labios. Ella se dio cuenta de que había hecho mella en él.

—He venido para hablar de Bailey Abbott.

—Qué sorpresa.

—No quiero pelearme contigo.

Por supuesto que no. Él nunca había creído que mereciese la pena pelearse por ella.

—¿Cuándo la viste por última vez?

—Hace poco más de una semana. Justo antes del diluvio.

—El viernes.

Ella reflexionó unos instantes.

—Exacto.

—¿Aquí?

—Sí.

—¿Cuál fue el motivo de su visita?

—¿El motivo de…? ¿En serio? ¿Es necesario que me lo preguntes? —Stephanie emitió un respingo de incredulidad—. Somos amigas. Lo sabes. Es obvio.

—Y las amigas hablan.

—Desde luego.

—¿De qué hablasteis ese día?

—¡Eso no te incumbe!

Él se sonrojó un poco.

—¿Sabes que sufrió un accidente?

—Sí. Es imposible evitar que un cotilleo tan suculento no se propague como la pólvora.

—Iba a caballo. Una rama la golpeó en la sien. —Al ver que Stephanie se sorprendía, Billy Ray añadió—: No te cuadra, ¿verdad?

—Me extraña tratándose de Bailey. Es muy cauta.

—Tengo entendido que no le gusta montar. Los caballos la aterrorizan.

Lo dijo con una sonrisita de satisfacción. Era natural, pensó ella. Billy Ray se jactaba de saberlo todo sobre el hombre que más odiaba en el mundo.

—Por supuesto que le gusta montar. Siento decepcionarte, pero Bailey es una amazona más que competente. Tan sólo le falta un poco de práctica. —Ella sonrió levemente al observar su sorpresa—. Y los caballos no la aterrorizan. Ya no.

—Mientes.

Ella se sonrojó.

—No tengo costumbre de mentir.

—¿Logan lo sabía?

Billy Ray siempre se las ingeniaba para llevar la conversación al tema de Logan.

—No. Bailey quería darle una sorpresa el día de su cumpleaños. Es una de las cosas de las que hablamos ese viernes.

Stephanie observó su consternación. Estaba claro que esta noticia le obligaba a reescribir el infame guión que había compuesto en su cabeza.

—Bailey no recuerda nada de lo sucedido. ¿No te parece raro?

—No insistas.

—Hay otros detalles sobre el accidente, ¿quieres oírlos?

Sí, pero no quiero que me los cuentes tú, pensó ella.

—Llamaré a Logan. Soy amiga de la familia, no tengo que fiarme de los cotilleos.

—Esto no son cotilleos. Es un informe policial.

—Que me imagino que habrás redactado tú mismo. No quiero oírlo.

—Tiene que ver con tu tío.

Al oír eso, ella se detuvo.

—¿Con el tío Henry?

—Cuando encontraron a Bailey, estaba llena de sangre. No toda era suya.

Stephanie sintió como si le hubieran propinado un puñetazo en el estómago.

—Dios mío.

—¿De qué hablasteis hace una semana, aparte de sus clases de equitación?

—Somos amigas, Billy Ray. Hablamos de muchas cosas.

—Es lo que hacen las amigas, ¿no? Hablar de todo. De sus maridos, de los problemas que quizá tengan en su matrimonio, de sus preocupaciones...

—Eres un cretino.

Ella se volvió para entrar en la casa, pero antes de que pudiera hacerlo él subió los escalones del porche y la agarró del brazo.

—¿Te habló de Logan? ¿Estaba preocupada por algo?

—No, estaba feliz. Eufórica. Quítame la mano de encima.

Pero él la sujetó con fuerza.

—Mientes.

—¡Estás obsesionado! —le espetó ella, soltándose—. Ella no es True. No necesita que la «salves».

—¿Es una buena amazona?

—Ya te lo he dicho, más que competente.

—¿Lo suficiente como para galopar a través del bosque?

Ella no podía imaginarlo.

—No estoy dentro de su cabeza.

—Yo necesito que lo estés.

—Por lo que más quieras, Billy Ray…

—Necesito que hables con ella, Steph. Que averigües la verdad. Ella asegura que ha perdido la memoria. Pero ¿no será una artimaña porque tiene miedo? Tú puedes hablar con ella. Bailey se fía de ti…

—En efecto, se fía de mí. Por eso me niego a hacerlo, Billy Ray.

—Estaba cubierta con la sangre de Henry, Steph. ¿Qué crees que significa eso?

Él la estaba manipulando. Como hacía siempre. Manejándola a su antojo. Pulsando su fibra sensible.

Si tuviera algo tangible, no habría venido aquí.

—Vete.

—Escúchame.

Ella abrió la puerta con mosquitera, la atravesó y se volvió hacia él.

—No quiero seguir escuchándote.

Cerró la puerta y echó el cerrojo. Billy Ray permaneció unos momentos en el porche, indeciso, y luego se marchó. Cuando ella oyó el sonido de los neumáticos en el sendero de grava, se sentó en el suelo.

Y se vino abajo.

35

08:30

Billy Ray había iniciado oficialmente su jornada a las ocho menos cinco. Extraoficialmente, había estado trabajado durante buena parte de la noche. En su despacho, revisando cada informe, cada prueba de los tres misterios más notorios que se habían producido en Wholesome. Como solía hacer cuando no podía conciliar el sueño.

Anoche había añadido otras dos fotografías a su diagrama cronológico: la de Dixie Johnson y la de Henry Rodríguez.

Pese a lo trágico de ambos casos, se alegraba de contar con ellos. Sangre fresca significaba más pruebas y testigos. Le ofrecía la oportunidad de avanzar en sus pesquisas.

Pero por más que le disgustaba reconocerlo, necesitaba ayuda. La oficina del *sheriff* disponía de los recursos y de la influencia necesaria para agilizar las cosas. Abbott no se atrevería a ponerse chulo con ellos. Lo único que tenía que hacer era conseguir que intervinieran en el caso.

La oficina del *sheriff*, situada en Slidell, a sesenta y cinco kilómetros al sur y al este de Wholesome, consistía en un moderno complejo que comprendía un nuevo laboratorio forense que iba a inaugurarse a finales de este año.

Billy Ray se esforzaba por reprimir la envidia que sentía cada vez que entraba en ese edificio. La sensación de que tal vez había cometido un error al permanecer en el departamento de policía de Wholesome. Pero había tenido sus razones para hacerlo y había tomado la decisión que había creído más acertada, y ahora era demasiado tarde para dar marcha atrás.

En el vestíbulo vio a Rumsfeld y a Carlson, los dos detectives que trabajaban en el caso Rodríguez, y los llamó cuando se disponían a tomar el ascensor.

—Me alegro de haberos pillado —dijo, acercándose a ellos.

Parecían cansados, y no precisamente contentos de verlo.

—¿Qué podemos hacer por ti, Williams?

—Confiaba en poder hablar con vosotros un minuto.

Rumsfeld miró su reloj.

—Un minuto.

Su actitud cabreó a Billy Ray, pero se contuvo.

—Ayer practicaron la autopsia a Rodríguez. ¿Los resultados han revelado alguna novedad?

—No ha habido sorpresas. Ha confirmado lo que sospechábamos.

—¿Que un cazador confundió a Rodríguez con un ciervo y lo mató?

—Todo encaja. La ubicación del cadáver. La trayectoria de la bala. Un disparo. El tirador utilizó un rifle, un Remington 700. La bala produjo un pequeño orificio al entrar y uno mucho más grande al salir, como suelen hacer los proyectiles calibre trescientos ocho.

Billy Ray frunció los labios mientras reflexionaba. Una bala calibre 308 había penetrado en la víctima, se había expandido y había causado un destrozo tremendo al salir.

—El setecientos también es conocido como el rifle de un francotirador, ¿no?

Rumsfeld lo miró sorprendido.

—¿Insinúas que alguien disparó adrede contra el ingenuo y buenazo de Henry Rodríguez?

—Es una idea.

—Esta mañana entregaremos el cadáver a la familia. Y ahora, si nos disculpas, Williams, tenemos otra media docena de casos que atender.

—El de Rodríguez es un homicidio.

—¿Perdón?

—Tanto si el homicidio fue accidental como si no, no deja de ser un asesinato.

—Eso ya lo sabemos. Y no tenemos intención de cerrar este caso. Pero de momento, esto es lo que hay.

La puerta del ascensor se abrió y los dos detectives salieron. Billy Ray colocó la mano para impedir que las puertas se cerraran.

—¿Sabéis que hace tres días encontraron a la esposa de Abbott inconsciente y cubierta de sangre?

Billy Ray había logrado captar la atención de los detectives y prosiguió:

—Sí, Bailey Abbott. La mujer de Logan Abbott, fue hallada el mismo día, en el bosque donde dispararon contra Rodríguez, inconsciente y cubierta de sangre.

—¿Por qué no nos informasteis?

—El caso pertenece a mi jurisdicción. No había motivos. Hasta ahora.

—¿Por qué ahora?

—Según la versión oficial, Bailey Abbott fue a dar un paseo a caballo, una rama la golpeó en la cabeza y cayó de su montura. El caballo regresa a la cuadra sin la jinete; se organiza una partida de rescate. Abbott encuentra a su esposa inconsciente, la traslada al hospital. Entretanto, otros miembros de la partida de rescate encuentran a Rodríguez y se ponen en contacto con vosotros.

Rumsfeld soltó un largo resoplido. Miró a su compañero y luego a Billy Ray.

—¿Quién te informó a ti?

—Eso no importa. El caso es que ambos disponemos de unas piezas del puzzle.

—¿La has entrevistado?

—Lo intenté. Pero al parecer sufre PMT.

—En cristiano.

—Pérdida traumática de memoria.

—Has dicho «al parecer». ¿Por qué?

—Resulta muy oportuno, ¿no crees?

—¿Ingresó en al hospital?

—Sí.

—¿Y un médico confirmó su amnesia?

Los estaba perdiendo.

—Sí.

—Entonces mantennos informados. La amnesia pasará y si ella sabe algo…

—Está claro que sí.

Carlson soltó un bufido.

—Algo pertinente al caso, Williams.

—Creo que puede tener un motivo para no recordar.

Rumsfeld lo miró con recelo.

—¿Qué motivo?

—Proteger a alguien a quien quiere.

—Sigue.

—Cuando la hallaron, la señora Abbott estaba cubierta de sangre. Envié unas muestras de su ropa al laboratorio. He recibido los resultados preliminares. Encontraron dos tipos de sangre. El suyo y el de Henry Rodríguez. Ahora bien, sé que eso no demuestra que la sangre perteneciera a Rodríguez, pero sería mucha casualidad.

»Al menos —continuó Billy Ray—, hacedle una visita. Quizá vio a la persona que disparó contra el anciano. Quizá su amnesia está causada por el trauma de presenciar el hecho, no por el golpe que recibió en la cabeza.

Parecía como si les estuviera rogando, y Billy Ray se enojó consigo mismo.

Pero estaba dispuesto a hacerlo por True. Haría cualquier cosa por ella.

—¿Cuándo hablaste con ella por última vez? —preguntó Carlson.

—Traté de hablar con la señora Abbott ayer por la tarde. Pero su marido me echó de su casa.

—Qué interesante. —Rumsfeld se frotó la barbilla—. ¿Encontraron alguna vez a su primera esposa?

—No. Desapareció sin dejar rastro.

—Estuve presente en una de las entrevistas que le hicieron en esa época. La historia de Abbott no me cuadró nunca.

Billy Ray procuró disimular su satisfacción.

—Ni a muchas personas en Wholesome. Aún comentan el tema.

Los dos detectives de la oficina del *sheriff* cruzaron una mirada. Rumsfeld asintió.

—Gracias por la información, Williams. Iremos a visitar a la señora Abbott.

—Otro detalle. Abbott no le quita ojo. Tuve la impresión de que ella dice sólo lo que él desea oír.

El detective arqueó una ceja y Billy Ray confió en no haberse pasado de la raya.

—Sólo quería que conocierais todos los datos.

—Te lo agradecemos, Williams. Te devolveremos el favor.

Lo había hecho bien, pensó Billy Ray al tiempo que experimentaba un profundo alivio. Sonrió a los detectives.

—Cuento con ello.

Echó a andar hacia la salida, pero los detectives lo llamaron. Se detuvo y dio media vuelta.

—¿Sí?

—Hemos oído decir que ha desaparecido otra mujer en Wholesome.

Las malas noticias se propagaban como la pólvora.

—No es oficial. Aún confiamos en que esté metida en algún sitio con alguien. De todos modos, he empezado a investigar el caso. El vídeo de seguridad no ha revelado nada importante, de modo que estamos entrevistando a todas las personas que estuvieron en el bar esa noche.

—Aquí nos tienes, Williams. Llámanos si nos necesitas.

36

09:45 de la mañana

Bailey estaba debajo del chorro de agua caliente en la ducha, dejando que el agua se deslizara sobre ella. Logan se había levantado hacía unas horas. Ella se había despertado y había pensado en levantarse con él, pero había vuelto a quedarse dormida.

Quería disculparse con él esta mañana. Por su arrebato de mal genio, por subir precipitadamente la escalera y encerrarse en el dormitorio. No entendía qué le había ocurrido. Su persistente dolor de cabeza, la disputa entre Logan y Billy Ray, el recuerdo de Henry, sus manos manchadas de sangre del anciano... No había podido soportarlo. Pero no debió salir de la habitación de esa forma, dando un portazo. Era propio de una adolescente.

Quizá fuera cosa de sus hormonas. Había oído decir a otras mujeres que cuando estaban embarazadas sufrían altibajos emocionales, y su conducta de anoche había sido debida justamente a eso.

Bailey cerró el grifo de la ducha, tomó una toalla y salió. Mientras se secaba, se vio reflejada en el espejo y se detuvo. ¿Tenía un aspecto distinto?, se preguntó, mirándose de perfil. Era demasiado pronto para que se notara, pero de repente se sintió... embarazada.

Apoyó la mano en su vientre, que aún no estaba abultado. Un bebé. Iba a ser madre. Experimentaba un intenso afán de proteger a esta criatura. Ya no se trataba sólo de Logan y ella. No se trataba sólo de sus vidas, de proteger su historia de amor.

«No pude proteger a los otros. Ni siquiera a True.»

Eso era lo que Logan le había dicho la noche en que se habían peleado y él se había emborrachado. ¿A qué se refería al decir que no había podido proteger a True? Ella lo había abandonado. Él mismo se lo había contado. Pero esa frase sugería que era posible que pensara que True había muerto.

Rojo. Por todas partes. En sus manos y sus vaqueros.

Sintió un escalofrío y se envolvió en la toalla. No. Él no pensaba eso. De haberlo hecho, habría removido cielo y tierra para dar con el asesino de True.

Bailey terminó de vestirse y se peinó procurando cubrir el vendaje con su cabello. A continuación, bajó la escalera para reunirse con Logan.

Lo encontró en la cocina, vestido y dispuesto para marcharse.

—¿Ya te vas? —preguntó ella, cariacontecida.

—Me quedaré contigo mientras desayunas. Luego debo irme.

Bailey no pudo ocultar su decepción.

—¿Adónde vas?

Él dudó unos instantes antes de responder.

—A la oficina del *sheriff*.

Ella sintió como si le hubiera echado un jarro de agua fría.

—¿Por qué?

—Por lo de Henry, según me han dicho.

—Iré contigo.

—Ni hablar. De hecho, me preguntaron por ti y les dije que te estabas recobrando de tu accidente.

—¿Querían hablar conmigo?

—No tiene importancia. Les expliqué lo de tu amnesia y les sugerí que hablaran con el doctor Bauer.

Era evidente que no quería que ella hablara con los agentes. ¿Lo hacía para protegerla? ¿O para proteger a otra persona?

Quizá quería protegerse él mismo.

Ella meneó un poco la cabeza, preguntándose a qué venían esos pensamientos, tratando de apartarlos de su mente.

—Gracias. ¿Has desayunado?

—Sí. ¿Te preparo algo?

—Yo lo haré. Me apetece un bol de cereales.

Ella era consciente de que él la observaba mientras se preparaba el desayuno. Parecía como si calculara cada paso que daba, como si midiera cada uno de sus movimientos. Hacía que se sintiera incómoda. Se le ocurrió preguntarle por qué lo hacía o pedirle que dejara de hacerlo, pero no quería enojarlo.

Se volvió hacia él. Ambos dijeron el nombre del otro de forma simultánea.

—Logan…

—Bailey…

Se detuvieron, riendo, y dijeron al unísono:

—Siento lo de…

Se detuvieron de nuevo.

—Adelante —dijo él.

—No, tú.

Él se acercó a ella y tomó sus manos.

—Siento haberme comportado anoche como un cretino con Billy Ray.

—Yo siento haberme comportado como una adolescente malcriada. No debí marcharme y dejaros plantados.

—La culpa es mía. Además, tú tienes una excusa legítima. —Él le acarició el vendaje con ternura—. ¿Cómo está tu cabeza esta mañana?

—Me duele menos. Digamos que un mazo de caucho ha sustituido al martillo de ayer.

Él se inclinó y la besó.

—¿Te has tomado algo para el dolor?

Antes de que ella pudiera responder, el sonido del teléfono móvil de Logan indicó que había recibido un mensaje de texto.

—Debo irme. He quedado con mi abogado.

—¿Con tu abogado? ¿Dónde?

—En la oficina del *sheriff*.

Ella pestañeó, confundida.

—No comprendo… Has dicho que ibas sólo a responder a unas preguntas sobre Henry. ¿Por qué necesitas a tu abogado?

—Porque algunos creen que oculto algo.

Billy Ray.

Y su propia esposa.

¿Por qué pensaba ella en eso justamente ahora? Había visto y oído los argumentos de Billy Ray, que carecían de una base sólida.

Él le tocó suavemente la frente.

—¿Por qué arrugas el entrecejo?

Ella no se había percatado y relajó su expresión.

—Preferiría que no tuvieras que irte.

—Lo sé. Yo también. —Él la besó de nuevo, lenta y prolongadamente. Luego emitió un gruñido de contrariedad y se apartó—. Debo irme.

—De acuerdo.

Él se encaminó hacia la puerta, pero de pronto se detuvo y se volvió.

—No significa nada.

—¿El qué?

—Que haya pedido a mi abogado que me acompañe.

Pero para ella significaba que algo no iba bien.

—Llámame cuando hayas terminado —dijo, enlazando las manos.

Él se lo prometió. Después de verlo partir, Bailey recalentó sus cereales. Aunque ya no le apetecían, se esforzó en comérselos.

Había algo que no cesaba de darle vueltas en la cabeza, atormentándola como una astilla o la picadura de un bicho.

¿Qué sucedió el día de su accidente? ¿Los dos días anteriores? ¿Por qué no lo recordaba?

El doctor Bauer le había explicado que era debido al golpe que se había dado en la cabeza. No tenía motivos para no creerlo, sin embargo tenía la angustiosa sensación…, una sensación de que había pasado algo terrible y siniestro que no la abandonaba.

Bailey se levantó y dejó el bol vacío en el fregadero. Se esforzó en desterrar esos pensamientos. Era la pérdida de memoria lo que hacía que se sintiera así. La enorme laguna donde habían quedado sepultados esos tres días. Enjuagó el bol y lo metió en el lavavajillas. Se le ocurrió ir a ver al doctor Bauer. Le preguntaría por qué se sentía así, si la mayoría de sus pacientes se sentían como ella.

En esto sonó el timbre de la puerta. Bailey se secó las manos y fue a abrir. En la puerta había dos hombres, vestidos con chaquetas informales y corbatas, uno joven y el otro de mediana edad,

Bailey no abrió la puerta y el hombre de mediana edad le mostró una placa.

—¿Señora Abbott? Somos los detectives Rumsfeld y Carlson, de la oficina del *sheriff* de Tammany.

Ella abrió la puerta un palmo.

—Debe de tratarse de un error. Mi marido ha salido ya para la oficina del *sheriff*.

—No es ningún error, señora. ¿Podemos pasar? Queremos hacerle unas preguntas.

—Pensé que mi marido ya les había dicho que… —Bailey se detuvo, comprendiendo que ellos sabían muy bien lo que hacían—. Entiendo —dijo, apartándose para dejarlos pasar—. A él le interrogan allí, y a mí aquí.

—Sí, señora —respondió el detective de más edad—. ¿Podemos sentarnos?

—Desde luego. Pasen. —Bailey los condujo a la sala de estar, con sus ventanales que daban al jardín. El sol entraba a raudales por ellos, caldeando la estancia.

Los detectives se sentaron frente a ella. La intensidad de sus miradas hacía que se sintiera incómoda.

—Tenemos entendido que el miércoles sufrió usted un accidente.

—Así es. —Bailey se llevó instintivamente la mano al vendaje—. Montaba a caballo. Me caí y me di un golpe en la cabeza.

—¿Cómo sucedió? ¿Qué provocó la caída?

—No lo recuerdo. De hecho, no recuerdo nada. —Ella miró a los dos detectives—. Pero supongo que eso ya lo saben. ¿Me equivoco?

Ninguno de ellos respondió. El de mediana edad echó un vistazo a su bloc de notas y luego la miró a ella.

—Padece pérdida traumática de memoria.

—En efecto —respondió ella—. Retrógrada. Eso es lo que dijo el neurólogo.

—¿Cómo se llama?

—Doctor Bauer.

—¿Nombre de pila?

Ella tuvo la impresión de que los detectives ya lo sabían. Estaban mejor informados que ella, puesto que no lo sabía. Les dijo que lo ignoraba.

—Supongo que no debe de ser difícil obtener ese dato.

—Desde luego. —El detective consultó de nuevo sus notas—. ¿Qué significa exactamente «amnesia retrógrada»?

—Creo, detective Rumsfeld, que el doctor Bauer puede explicárselo mejor que yo.

Bailey percibió algo en la expresión del detective que le produjo un escalofrío. Este hombre no era su amigo.

—Se lo preguntaré al doctor Bauer, pero ahora quiero que me responda usted.

—Significa que el golpe que recibí en la cabeza ha afectado mi memoria.

—¿Y es así?

Ella sostuvo la mirada del detective sin pestañear.

—Sí. Es lo que dijo el doctor Bauer.

—Pero ¿sólo con respecto a ese breve espacio de tiempo?

—Eso parece. Como he dicho, cuando me desperté no recordé lo que había sucedido. Lo último que recuerdo con claridad es prepararme para ir a dar un paseo. El miércoles pasado, después de la lluvia.

—¿A algún sitio en particular?

—¿Qué?

—El paseo, ¿adónde había decidido ir?

Henry, pensó ella. Nadie le había hecho esa pregunta hasta ahora. Sintió otro escalofrío.

—¿Le ocurre algo?

—Nada, yo… —Ella se detuvo y enlazó las manos sobre su regazo—. Acabo de recordar que iba a ver a Henry. Y ahora está…

—Muerto.

Ella asintió con la cabeza, pestañeando para reprimir las lágrimas.

—¿Lo vio ese día?

—No me acuerdo.

—No hay motivo para que no se encontrara con él, ¿verdad?

¿Había algún motivo? La laguna en su memoria gritaba «¡sí!», pero Bailey meneó la cabeza y respondió:

—No lo creo.

—¿Fue la última vez que lo vio con vida? ¿De qué hablaron?

Ella no tenía una respuesta, y al cabo de un momento el detective prosiguió.

—Lo cierto, señora Abbott, es que sé algo sobre la pérdida traumática de memoria —dijo—. Como puede imaginar, muchos delincuentes padecen «amnesia».

—Yo no soy una delincuente.

—No he dicho que usted lo fuera.

El detective puso sutil énfasis en la palabra «usted». Insinuando que podía serlo otra persona. Una persona cercana a ella.

Logan.

Rumsfeld continuó.

—Entiendo que una pérdida traumática de memoria puede estar causada por un trauma físico, pero también por un trauma psicológico. Por ejemplo, una experiencia tan dolorosa o angustiosa que el subconsciente la reprime.

Un trauma psicológico. ¿Podía ser esa la causa de su amnesia?

—¿Qué opina, señora Abbott? —El detective la miró a los ojos—. ¿Qué pudo ser tan traumático que su subconsciente lo reprimió?

Bailey lo miró. El corazón le latía con furia y tenía la boca seca.

—Henry —respondió—. El hecho de encontrarlo. Mi ropa estaba manchada con su sangre.

—¿Qué más?

—No lo sé. —Bailey se estrujó las manos—. ¿No bastaría con eso?

—Dígamelo usted. ¿Algo que usted querría negar con cada fibra de su ser, señora Abbott? ¿Qué podría ser?

—No entiendo a qué se refiere, detective. No recuerdo nada más. Sólo la sangre de Henry.

El detective se lanzó sobre este último comentario.

—¿De modo que recuerda algo? —le preguntó.

—Sí…, no…

El otro detective intervino en la conversación.

—Está pálida, señora Abbott. ¿Quiere que le traiga un vaso de agua?

Ella lo miró, agradecida.

—Sí, gracias.

Rumsfeld continuó:

—Hace un momento dijo que no recordaba nada.

—Yo no…, quiero decir… Ayer me desperté de la siesta y… creí oír un disparo, y cuando bajé la vista vi… sangre.

El detective arrugó el ceño.

—¿Estaba manchada de sangre?

—No en ese momento. —Bailey se llevó una mano al vendaje que llevaba en la cabeza, que estaba a punto de estallarle, pero luego la bajó—. Quizá lo soñé o lo recordé, no lo sé. Pregúnteselo a Logan. O a mi cuñada. Los dos estaban presentes.

Carlson le trajo un vaso de agua. Ella se lo llevó a sus labios con mano temblorosa. Bebió unos sorbos y miró al joven detective.

—Gracias.

El detective se acuclilló frente a ella.

—Lamento que la hayamos importunado —dijo con tono afable—. Sé que apreciaba a Henry Rodríguez, señora Abbott. Estoy seguro de que querrá que demos con su asesino.

—Por supuesto —contestó ella—. Yo apreciaba mucho a Henry.

—Quizá vio a la persona que disparó contra él. Quizás oyó algo importante. Una pista que puede ayudarnos a encontrar al asesino.

—El detective le entregó su tarjeta—. ¿Me llamará si recuerda algo? Lo que sea, incluso algo que crea que no está relacionado con el caso.

—Lo haré.

Carlson se levantó y Rumsfeld hizo lo propio.

—Gracias, señora Abbott. No la molestaremos más de momento.

Bailey asintió en silencio y los acompañó a la puerta, sosteniendo el vaso de agua. Los detectives se montaron en el coche y partieron. La verdad que encerraban las palabras del más joven reverberaba en su cabeza.

Quizás ella había visto u oído algo importante. Algo que pudiera conducirlos al asesino de Henry.

Bailey decidió no hacer caso de la advertencia del doctor Bauer. No podía quedarse cruzada de brazos esperando recobrar la memoria de lo sucedido. Tenía que recuperar esos recuerdos ahora.

37

Bailey subió apresuradamente a su dormitorio. Tenía un plan. El doctor Bauer le había dicho que cualquier estímulo, una imagen, un olor o un sonido, podía hacer que recobrara la memoria. Lo último que ella recordaba era haberse dirigido a casa de Henry. Pensó que el mejor lugar por donde empezar era la cabaña del anciano. Si esta no estimulaba su memoria, se centraría en el bosque que la rodeaba.

El lugar donde alguien había matado a Henry de un tiro. Donde lo había encontrado ella.

Bailey se puso unos vaqueros y una camisa de batista de manga larga, unos calcetines y unas botas. Lo ideal habría sido ir allí caminando a fin de estimular su memoria, pero no se sentía lo bastante fuerte.

Bajó la escalera y salió. Calculaba que Logan no regresaría hasta dentro de una hora. Sabía que él no aprobaría su plan, y no quería darle la oportunidad de obligarla a desistir.

Puso en marcha el Range Rover y partió. A medida que se aproximaba a la cabaña de Henry, su sensación de angustia se intensificó. Su instinto le decía que diera media vuelta.

Pero no tenía sentido. ¿Cómo podía ocultarse de lo que ya sabía?

Al parecer, con gran facilidad.

Pero no estaba dispuesta a seguir haciéndolo. Dado que ya había vivido esa experiencia, fuera la que fuera, podía hacerlo de nuevo.

Al cabo de un rato divisó la cabaña. Era de estilo cajún, tal como la recordaba; lo único nuevo era la cinta de color amarillo chillón que rodeaba la entrada.

Al verla, sintió un nudo en el estómago.

Henry. Muerto. De un tiro en la espalda.

Su amigo. Asesinado.

Bailey reprimió un sollozo. El dulce y encantador Henry. De todas las personas que ella conocía, era el que menos merecía morir de esa forma.

Se dirigió sin vacilar hacia la cabaña. Se detuvo frente a ella y apagó el motor. Se bajó del vehículo. Procuró serenarse, poner en claro sus ideas.

Tres pequeños pasos. La cinta amarillo chillón con que la policía había acordonado la casa. El breve recorrido a través del porche hasta la puerta de entrada.

Recuerda, Bailey. Recuérdalo todo. Arranca la tirita.

Cerró los ojos y esperó un momento a que el recuerdo regresara a su memoria. Para evitar tener que entrar en la casa. O peor aún, visitar el lugar donde se había derramado la sangre de Henry.

Pero no lo consiguió.

Tras un profundo suspiro, se encaminó hacia la puerta y entró. Por primera vez se preguntó si había vulnerado la ley entrando en la casa. Pero al mismo tiempo se dijo que, aunque así fuera, no cambiaba nada. Tenía que hacerlo.

En la casa, que consistía en tres habitaciones, reinaba un extraño silencio. Su desolación parecía gritarle, como una obscenidad. Ella ansiaba romper ese silencio. Saludar al ocupante de la casa. Estuvo a punto de hacerlo, pero se contuvo. Ya no volvería a hacerlo nunca.

Bailey cerró la puerta tras ella y entró en la sala de estar. Se fijó enseguida en las fotos enmarcadas que había visto la vez anterior.

Se acercó a ellas, examinándolas de nuevo. Así era como se había enterado de que Logan tenía un hermano. Aquí, al contemplar estas fotografías. Recordó la impresión que le había causado. La sensación de haber sido traicionada.

Henry había formado parte de esta familia desde el principio. Lo sabía todo sobre ellos. Todos sus secretos.

Sabía dónde estaban encerrados todos los cadáveres.

Ese pensamiento hizo que Bailey se detuviera unos instantes, desconcertada. No, era August quien le había dicho eso. Con el fin de disgustarla. Henry era un hombre bondadoso. Sabio dentro de su ingenuidad, un libro abierto. No tenía secretos ni subterfugios.

En la sala de estar no había nada que estimulara su memoria, ni tampoco en la cocina. Bailey se dirigió hacia el dormitorio. La puerta estaba entornada. Cuando se disponía a entrar, se detuvo, estupefacta.

Stephanie estaba acostada en la cama de Henry, en posición fetal debajo de la manta. Tan sólo asomaba su cabeza, y temblaba como si llorara en silencio o se estremeciera.

En el suelo, junto a la cama, había unas fotografías y lo que parecía ser unas cartas.

Bailey se quedó de piedra, sin saber qué hacer. Stephanie y ella eran amigas, lo decente era ofrecerle consuelo. ¿O no? Stephanie no habría venido aquí si hubiera deseado la compañía de otras personas.

Ella no podía dejarla de esta forma.

Bailey avanzó un paso, a punto de decir el nombre de su amiga, pero se detuvo al percibir un olor. Arrugó la nariz. ¿Qué era? Lo había percibido hacía poco, en otro lugar...

Trementina. En el estudio de Raine.

La persona acostada en la cama de Henry no era Stephanie, sino Raine.

A Bailey se le debió escapàr una exclamación de asombro, porque su cuñada se incorporó; tenía los ojos hinchados y el rostro encendido por haber llorado.

—¿Qué haces aquí?

Bailey retrocedió un paso.

—Discúlpame. No sabía...

—¿Por qué me haces esto?

Bailey sacudió la cabeza.

—He venido aquí con la esperanza de estimular mi memoria. No sabía que estuvieras aquí. Lamento tu pérdida.

Su cuñada la miró con los ojos vidriosos y enrojecidos.

—Tú tienes la culpa.

Bailey meneó la cabeza.

—Estás disgustada.

—Todo iba bien hasta que apareciste.

No era cierto. Hacía mucho que nada «iba bien» en esta familia. Pero Bailey se abstuvo de corregir a su cuñada.

—Ya me voy, Raine. No pretendía molestarte.

—Ella lo amaba —dijo Raine—. Por eso él la mató.

Bailey sintió que la sangre se le helaba en las venas. Se detuvo y se volvió.

—¿Qué has dicho?

—Vete de aquí.

Bailey sacudió la cabeza.

—Has dicho que él la mató. Porque ella lo amaba. ¿A quién te refieres?

—A nadie. A nada. —Raine volvió a tumbarse hecha un ovillo, encerrada en su tristeza—. He perdido a todas las personas a las que quería.

A Bailey se le ocurrió que su cuñada la estaba manipulando, al menos en parte. Lanzando afirmaciones provocadoras y negándose luego a abundar en ellas. Pero su alteración emocional no era fingida.

—Tienes todavía a Logan. A tus amigos. A Paul y…

—Somos veneno… Esta familia…, asesinato…, adulterio…, no es de extrañar que Roane… —De pronto alzó la vista y miró a Bailey; sus ojos oscuros reflejaban angustia—. Él lo sabía. ¡Debía de saberlo!

Bailey se acuclilló junto a la cama. No sabía cómo tranquilizarla, si debía tratar de hacerlo o llamar a Paul o a Logan.

—¿A qué te refieres? Por favor, deja que te ayude.

Las lágrimas de Raine dieron paso a unos sollozos desgarradores.

—Nadie puede ayudarme. ¿No lo entiendes?

—No —respondió Bailey con voz trémula—. Las cosas nunca son tan terribles como parecen. Te prometo…

Raine se incorporó de nuevo y la miró con el rostro contraído en una máscara de odio e ira. Sorprendida, Bailey cayó hacia atrás, aterrizando sobre su trasero.

—Somos veneno —le espetó su cuñada—. Corre. ¡Vete! ¡No te quiero aquí!

Bailey se levantó tambaleándose, tropezando con las fotos desperdigadas por el suelo.

—Lo siento —dijo—. Deja que yo…

—¡No las toques!

Bailey se volvió hacia ella.

—Por favor, deja que te ayude.

Raine la miró. Su furia empezaba a remitir, dando paso a la desesperación.

—Déjame… sola. —Se tumbó de nuevo, tapándose con la manta hasta la barbilla, hecha un ovillo—. Por favor… vete.

Bailey no sabía qué hacer. Temía dejarla y que Raine, llevada de su desesperación, cometiera una locura. Como su hermano.

Pero Raine no la quería a su lado. Necesitaba a Logan. O a Paul. Ellos conseguirían hacerla reaccionar.

Bailey dio media vuelta y echó a correr hacia su coche.

38

Lunes, 21 de abril

12:50

Bailey puso en marcha su coche y partió a toda velocidad por el sendero de grava. Sujetaba el volante con tal fuerza que los dedos se le durmieron. Los puntos que tenía en la cabeza le producían un dolor indecible. No cesaba de ver en su mente la imagen de la angustia y la furia de Raine.

Y de oír sus palabras.

«*Somos veneno… Esta familia…, asesinato, adulterio… Ella lo amaba. Por eso él la mató.*»

Bailey estuvo a punto de perder el control al tomar la última curva del sendero. Enderezó el vehículo y levantó un poco el pie del acelerador. *Cálmate, Bailey.* No ayudaría a Raine si se pegaba un trompazo con el coche. Ni a su marido.

Logan no podía perder a su hermana. Había perdido a demasiados seres queridos.

Bailey llegó a Abbott Farm y atravesó la verja de hierro forjado. Paul estaba en la entrada de la cuadra, hablando con August y uno de los mozos. Ella se detuvo y bajó su ventanilla.

—¡Paul!

Al oír su tono angustiado, el jefe de cuadras se acercó apresuradamente.

—¡Raine está en casa de Henry! —dijo Bailey—. Está histérica, dice cosas sin sentido…

—Logan está en casa. Dile que voy para allá.

Bailey no se entretuvo respondiendo. Dos minutos más tarde divisó la casa y atravesó a toda velocidad la verja abierta. Se detuvo tan bruscamente, que el cinturón de seguridad le golpeó en el pecho. Logan y Stephanie. Se hallaban entre sus respectivos vehículos, abrazados.

En cuanto la vieron se separaron con gesto de culpabilidad. La expresión de Logan mudó, dando paso a la preocupación. Corrió hacia ella, abrió la puerta del coche y la ayudó a bajarse.

—Cielo santo, Bailey, ¿qué ocurre?

Durante unos momentos, ella no pudo articular palabra.

—Fui a casa de Henry… Vi a…

—¿A casa del tío Henry? —preguntó Stephanie con voz más aguda de lo habitual—. ¿Has recordado algo?

Bailey negó con la cabeza.

—Raine… —dijo respirando hondo— está allí. Está histérica. Temo que intente…

Pero no terminó la frase. No era necesario; Logan comprendió a qué se refería. Se dirigió hacia el Porsche.

—Se lo he dicho a Paul —dijo Bailey—. Va para allá.

Logan se volvió y dijo a Stephanie.

—Cuida de ella, por favor. Empiezo a creer que no puedo perderte de vista ni un momento.

Las dos mujeres lo vieron partir y Stephanie se volvió luego hacia Bailey.

—Lo creas o no, Raine tiene un sentido de autopreservación muy acusado. No le ocurrirá nada.

Debe de tenerlo, pensó Bailey. De lo contrario, no habría podido sobrevivir en esta familia.

De pronto se llevó la mano al vientre en un gesto protector. Stephanie lo captó y la miró preocupada.

—¿Estás bien?

—Sí, sólo un poco cansada.

Stephanie se aclaró la garganta.

—Vi tu expresión cuando llegaste. Espero que no pienses nada malo. Logan y yo somos amigos desde hace mucho tiempo.

—Me sorprendió, eso es todo.

—Nos cruzamos en la carretera y…

—No le he dado ninguna importancia.

—Me dijo lo mucho que lamentaba la muerte del Henry.

—Yo también lo lamento, Steph. —Bailey tomó sus manos y se las apretó—. Le echo de menos. Siento mucho no haberte llamado…

—Y yo no haberte llamado a ti. ¿Te duele mucho la cabeza debido al golpe que te diste?

Bailey se tocó instintivamente el vendaje. De repente se dio cuenta de que la cabeza estaba a punto de estallarle de dolor.

—No tanto como ayer, pero debería tomar un Tylenol.

Stephanie arrugó el ceño, perpleja.

—¿No te han recetado nada más fuerte?

—No, mi estado…

Bailey se detuvo. Stephanie la miró desconcertada.

Tras dudar unos momentos, Bailey sonrió. No pudo evitarlo.

—Estoy embarazada, Steph.

Durante una fracción de segundo, su amiga la miró atónita. Como si no pudiera articular palabra. Luego exclamó de alegría y la abrazó. Bailey le devolvió el abrazo. Al cabo de unos momentos, ambas rompieron a llorar.

—Me alegro mucho por ti.

—Hemos decidido no decir nada de momento…

—No diré una palabra.

—Lamento mucho lo de Henry…

—Y yo lo de tu accidente. Debí llamarte…

—No. Debí llamarte yo a ti.

Stephanie se apartó, enjugándose las lágrimas de las mejillas.

—Tengo la impresión de que no hago más que llorar. Debo controlarme.

—Lo harás. Date tiempo.

Lo que fuera que Stephanie iba a decir quedó interrumpido por la aparición de *Tony*, que entró a la carrera por la puerta trasera, agitando las orejas y la lengua.

—¡*Tony*! —exclamó Bailey, arrodillándose en el suelo para saludarlo. El perro se abalanzó sobre ella, arrojándola hacia atrás. A continuación la cubrió de besos y de baba.

Bailey se rió y al fin consiguió levantarse. El perro correteó alrededor de ella tres veces y salió en pos de una mariposa.

—Qué sorpresa —comentó Stephanie.

Bailey se rió de nuevo, limpiándose las mejillas con la manga.

—Le he echado de menos.

—Confiaba en que dijeras eso. Quería pedirte que te quedaras con él.

—¿Para siempre?

Esta vez fue Stephanie quien se rió.

—Abbott Farm es su casa. Se sentirá más feliz aquí contigo, a menos que tú no…

—Desde luego. Por supuesto que me quedaré con él. —Bailey la tomó del brazo—. De veras, lo he echado mucho de menos.

—Perfecto.

Se encaminaron hacia la puerta de la cocina, seguidas por *Tony*. Bailey sirvió dos vasos de agua y se sentaron a la mesa. El sol penetraba desde el jardín, creando unas zonas iluminadas en la superficie de la vieja mesa de ciprés. Bailey deslizó los dedos sobre una de ellas, deleitándose con el calor.

—Me han dicho que no recuerdas nada de lo que sucedió —comentó Stephanie.

—Supongo que te lo ha dicho Billy Ray.

—Sí, él fue el primero en contármelo. Pero ahora todo Wholesome me habla de ello. ¿Es verdad?

Bailey asintió con la cabeza y Stephanie prosiguió:

—Billy Ray me dijo que…, que tenías los vaqueros manchados de sangre del tío Henry.

—A mí también me lo dijo.

Stephanie se inclinó hacia delante.

—¿Crees que viste lo que ocurrió?

—No lo sé.

—Pero es posible que lo vieras. —Stephanie alargó los brazos y tomó las manos de Bailey—. Quizá vieras a la persona que disparó.

—Es posible, Steph, pero no lo creo. —Observó las manos enlazadas de ambas y luego alzó los ojos y los fijó en los de su amiga—. Por eso fui hoy allí. Para intentar recordar.

—Bailey… —Stephanie dudó unos instantes antes de proseguir—: El día del accidente hablé contigo.

—¿De veras?

—Te llamé para pedirte que te pasaras por casa de Henry y comprobaras si estaba bien. Me dijiste que te disponías a salir para ir al médico.

Bailey no pudo ocultar su emoción.

—¿Te dije el nombre del médico o por qué iba a verlo?

Stephanie negó con la cabeza.

—Yo estaba trabajando, de modo que sólo pudimos hablar un par de minutos. Me prometiste pasar por la cabaña después de ver al médico y llamarme más tarde.

—¿A qué hora hablamos?

—Debían de ser las diez de la mañana.

Una cronología de los hechos, pensó Bailey. Quizás eso le permitiera descifrar lo sucedido.

—¿No volvimos a hablar?

—No. —Stephanie le soltó las manos y apoyó las suyas en el regazo—. Me chocó…, pensé que quizás el médico te había dado una mala noticia, o que habías olvidado llamarme. Luego estuve ocupada con las clases de equitación. Al cabo de un rato vino a verme el *sheriff*.

Bailey rebuscó en su memoria, pero no recordaba nada.

—La policía me entregará mañana el cadáver —dijo Stephanie—. El miércoles celebraremos el funeral.

Vida. Muerte. El ciclo se había completado en una semana.

—Supongo que asistirás.

—Desde luego.¿Puedo hacerte una pregunta?

—Claro.

—Hace un rato, Raine… dijo unas cosas tremendas sobre la familia. Dijo que él la mató porque ella lo amaba. ¿A qué se refería?

—No creo que se refiriera a Logan, si es lo que te preocupa.

—Entonces, ¿a quién, Steph?

—No estoy autorizada a revelar…

—¿Se refería al padre de Logan?

La expresión en el rostro de Stephanie era más que elocuente. Bailey se inclinó hacia delante y tomó sus manos.

—Dímelo.

—Ya te he dicho que no estoy autorizada a revelar…

—No hay ninguna fotografía de él y de Logan, ni de él con nadie más, y Logan no habla nunca de su padre.

Steph parecía consternada, indecisa. Bailey le apretó las manos.

—Por favor.

—De acuerdo. —La joven suspiró profundamente—. Prefiero que sea Logan quien te lo cuente todo. Pero la versión abreviada es que el padre de Logan mató a su mujer.

Bailey se quedó de piedra.

—Pero ella se ahogó… Un momento, ¿estás diciendo que… él la tiró por la borda?

Era justamente lo que insinuaba Stephanie, pero se negó a abundar en el tema. Al cabo de unos minutos, Bailey la acompañó hasta la camioneta. Stephanie se sentó al volante y se volvió hacia su amiga.

—Habla con Logan.

—Lo haré. No es de extrañar que no haya querido contármelo. Pero en cierto sentido me siento aliviada. Ahora todo tiene sentido, al menos algunas cosas. Entre ellas, el comportamiento de Raine.

—¿Puedo decirte algo que se me ha ocurrido, Bailey?

—Claro.

—Quizá te parezca una locura, pero... me pregunto si no fue el mismo Billy Ray quien mató a mi tío.

Bailey la miró estupefacta.

—Ya te dije que era una locura.

—Pero ¿por qué iba a hacerlo?

—Una muerte acaecida en la finca de los Abbott pondría de nuevo el foco sobre Logan. Habría una investigación. Y Billy Ray tendría motivos para registrar la finca.

«Abbott Farm. Allí es donde están enterrados todos los cadáveres.»

—¿Crees que estoy chiflada?

Bailey la miró a los ojos.

—No. Por raro que parezca, a Billy Ray lo creo capaz de todo.

39

Bailey miró el reloj de la cocina. Hacía cuatro o cinco horas que Logan había ido a ver cómo estaba Raine. Se preguntó qué ocurría en la cabaña, si Paul estaba con él. Si Logan necesitaba que ella fuera.

Era extraño que tardara tanto en regresar.

Empezó a pasearse de un lado a otro, nerviosa. Por enésima vez. Durante las últimas horas había oscilado entre no cesar de moverse y permanecer inmóvil. Tenía la mirada ausente. *Tony* presentía su agitación y la observaba, emitiendo unos gruñidos guturales.

«Me pregunto si no fue Billy Ray quien mató a mi tío».

La idea le produjo náuseas. El mero hecho de que lo creyera posible. Billy Ray había dicho que haría cualquier cosa con tal de tener acceso a Abbott Farm, y el asesinato se enmarcaba en esa categoría.

Bailey dejó de pasearse de un lado a otro. Había hablado con Stephanie el día del accidente. Se disponía a salir para ir a ver al médico. En Covington. Logan no había comentado que ella estuviera indispuesta, aparte de la herida que había sufrido y su embarazo.

Era lógico que fuera a ver al médico. Sin duda no había tenido la regla y había decidido ir a verlo para que le hiciera la prueba de embarazo. O para confirmar los resultados de la prueba que ella misma había realizado en casa.

Bailey tomó su teléfono móvil y consultó el calendario. En efecto, estaba anotado allí. La doctora Ann Saunders. Miércoles, 16 de abril, a las diez y media de la mañana. Buscó en Internet el nombre de la doctora y confirmó sus sospechas. La doctora Ann Saunders era ginecóloga.

Había sabido que estaba embarazada antes del accidente.

Pero Logan no.

Cuando se hizo la inquietante pregunta de «por qué», Bailey se dijo que seguramente había pensado en decírselo después de que la doctora se lo confirmara. Había querido estar completamente segura antes de comunicárselo. Para protegerlo contra el desengaño que Logan se habría llevado en caso de no ser cierto.

Miró el calendario electrónico. *Pistas sobre los hechos acaecidos el día antes del accidente. Allí, ante sus ojos.*

Por supuesto. Su teléfono móvil y su bolso. Su coche. La ropa que llevaba ese día.

¿Cómo no se le había ocurrido antes? Bailey examinó el calendario de su *smartphone*. Una cita posterior con la doctora Saunders.

No había mucho más. El cumpleaños de su amiga Marilyn. Una cena a la que Logan y ella no habían podido acudir. Al no hallar nada más en el calendario, pasó a las imágenes más recientes de la cámara. Una foto tras otra de *Tony*, flores, la campiña. ¿Por qué había tomado tantas?

Se guardó el móvil en el bolsillo, fue en busca de su bolso y volcó todo el contenido en la mesa de la cocina. Nunca había sido una persona organizada. Recibos, notas, listas de la compra, metidos en alguno de los bolsillos del bolso o simplemente sueltos en su interior.

Empezó a examinarlo todo con manos temblorosas.

Tony anunció la llegada de Logan, y Bailey corrió a su encuentro, impaciente por contarle lo que había recordado y lo que Stephanie le había contado. Cuando vio su rostro, su euforia se desvaneció. Cansancio. Desesperación. Parecía como si soportara el peso del mundo y de todos sus habitantes.

Bailey lo abrazó. No podía evitar pensar en su padre, y lo que Stephanie le había contado sobre. Le estrechó con fuerza contra sí. Él apoyó la cabeza sobre la suya; a medida que transcurrían los segundos, la tensión parecía disiparse de su cuerpo.

—Conseguí que se calmara —dijo él por fin con tono quedo—. La convencí para que me dejara llevarla a su casa. —Suspiró de cansancio—. Le di un sedante. Esperé a que se durmiera. Pero…

—¿Qué?

—Temía marcharme. Dejarla sola. —Logan sacó del bolsillo unos tubos de tranquilizantes—. Ocúltalos en algún sitio. No quise dejarlos allí.

Temía que Raine ingiriera adrede una sobredosis. Bailey tomó los tubos y se los guardó en el bolsillo, luego alzó la vista y lo miró.

—Se pondrá bien, Logan. Su dolor remitirá y logrará superarlo.

—Yo no estoy tan… Amenazó con matarse. Lo ha hecho en otras ocasiones, pero esta vez… —Él calló y tomó el rostro de ella entre sus manos—. Lamento haberte traído a esta desdichada familia. Haberte implicado en nuestras tragedias.

—Yo no lo lamento. —Ella escrutó sus ojos y repitió, recalcando las palabras—: No lo lamento. Debemos procurar que tu familia recupere la alegría. Tú y yo. —Le tomó la mano y la apoyó en el vientre—. Nuestro bebé.

Los ojos de él se humedecieron.

—Antes éramos felices. Incluso Raine. Era divertida, chistosa. —Logan se detuvo—. Cuando murió nuestra madre…, y luego Roane…, cambió.

Bailey tomó su mano, enlazó los dedos con los suyos y lo condujo a la sala de estar. Él se dejó caer en el sofá y sepultó la cara en las manos.

Ella se acurrucó junto a él, restregándole la espalda rítmicamente. Dándole tiempo. Tratando de demostrarle su amor.

—Debo decirte algo —dijo él al cabo de unos minutos—. No lo hice antes porque…

Iba a hablarle de su padre. Ahora, cuando hacía poco que Stephanie y ella habían hablado del tema. ¿Era posible que Steph le hubiera llamado?

—Es sobre mi padre. Y mi madre. Es terrible.

Bailey entrelazó su mano con la suya.

—Nada de lo que puedas decirme hará que deje de amarte.

Él no estaba seguro. Ella lo vio en sus ojos. Pero Logan prosiguió:

—La pasión de mi madre eran los caballos. La de mi padre, navegar. Teníamos un velero, un Hunter de once metros de eslora, atracado en el puerto de South Shore en Nueva Orleans. —Se detuvo y se puso de pie—. Necesito un trago.

Ella le observó servirse una copa de vino tinto. No se reunió con ella en el sofá, sino que se quedó de pie, absorto en algo referente al pasado.

—Solíamos pasar los fines de semana allí, a veces varios días. Yo ya era mayor y me permitían llevar a un amigo.

—Paul.

—Siempre me lo llevaba a él. Cuando le tocaba a Raine, se llevaba a Stephanie. Fue una época maravillosa, mágica, hasta…

Él se detuvo. Los segundos transcurrían lentamente.

Por fin, como si le costara un esfuerzo articular las palabras, dijo:

—… ese viaje. Esa noche.

La noche que se ahogó su madre.

—Mis padres habían bebido mucho. Algo iba mal, no sabíamos de qué se trataba, pero sentimos la tensión durante todo el fin de semana. Esa noche les oímos discutir. Hasta muy tarde. Raine se asustó tanto que se acostó en el camarote de proa que ocupábamos Paul y yo. Ella solía dormir en una cabina situada en otra zona del barco.

—Siguieron discutiendo en cubierta. No dejaban de gritar. Él la acusó de tener una aventura sentimental. De haberse enamorado de otra persona.

—¿De quién?

Él meneó la cabeza y Bailey no sabía si era porque lo ignoraba o porque no quería decírselo.

—Esa fue la última vez que oímos la voz de nuestra madre.

—No comprendo.

—Cuando nos despertamos a la mañana siguiente, había desaparecido. —Logan sostuvo la copa de vino entre las palmas de sus manos, con delicadeza, como si temiera estrujarla y partirla sin querer—. Mi padre dijo que la había dejado en cubierta, sola, y había bajado a acostarse.

Logan guardó silencio durante tanto rato que Bailey se preguntó si reanudaría su relato. Por fin prosiguió:

—Mi padre envió un mensaje por radio a la Guardia Costera. La buscaron.

—¿Lograron encontrarla? —preguntó ella. Las palabras sonaban secas.

—Una semana más tarde. En la playa del Parque Estatal de Fontainebleau, en Mandeville.

Bailey apoyó una mano en su vientre.

—La policía interrogó a mi padre. Dijo que estaba tan borracho que perdió el conocimiento. Que no sabía si mi madre había bajado a acostarse. —Logan bebió un trago de vino—. Tardaron seis años en reunir las pruebas suficientes para imputarlo por la muerte de mi madre. Paul y yo declaramos contra él en el juicio.

—Dios mío, Logan. Lo siento mucho.

Él continuó como si no la hubiera oído.

—El jurado tardó menos de una hora en llegar a un veredicto. Lo declararon culpable.

—¿Lo era? —preguntó ella—. ¿Tu padre dijo que había sido un accidente o…?

—No modificó su versión en ningún momento. Insistió en que la había dejado en cubierta. Que el mar estaba en calma. Habíamos echado el ancla. Nos suplicó que le creyéramos.

—Pero no le creísteis.

—No. Los cuatro sabíamos que él la había matado. Raine me culpa a mí. Roane también lo hizo.

—¡No! —Bailey se levantó—. ¿Cómo ibas…?

—Era el mayor. Debí subir para comprobar cómo estaba mi madre. O haber intervenido para que dejaran de pelearse. Tenía el deber de intervenir.

—Eras un niño. A veces los padres se pelean.

—Tenía quince años. Casi dieciséis. Y no, otros padres no se pelean como lo hacían los nuestros.

De pronto Bailey comprendió lo que significaba eso.

—¿Tu padre vive aún?

—No. Se ahorcó en la prisión. Y un año más tarde, Roane se ahorcó en el viejo granero.

Bailey no sabía qué responder, qué decir. El mero hecho de imaginar lo que él había sufrido, el hombre que conocía y al que amaba, le produjo un dolor casi insoportable. Suponía lo que esa tragedia había significado para él. Y para Raine.

—Esta noche… Jamás pensé que nuestro padre la había acusado a ella de lo ocurrido. Jamás. Me he enterado esta noche.

—¿A qué te refieres?

—Mi madre mantenía una relación sentimental. Estaba enamorada de Henry.

—Cielo santo.

—Raine encontró unas cartas que se habían escrito. Pero hay más. Según el contenido de las cartas, Raine y Roane eran…

—Hijos de Henry, no de tu padre.

—Sí.

Ella se acercó a él y tomó su rostro entre las palmas de sus manos.

—Esto no cambia nada. Ella sigue siendo tu hermana. Vuestra madre os quería…, era humana. Como todos. Nuestra nueva vida comienza ahora. Tú, el bebé y yo.

Él cubrió sus manos con las suyas, la besó y luego la besó de nuevo.

—Gracias.

Se miraron a los ojos, hasta que las tripas de ella empezaron a protestar, interrumpiendo la idílica escena de amor.

—Deduzco que no has comido nada —dijo él.

—Te esperaba a ti.

—¿Quieres que vayamos a comer algo a Faye's?

—Estupendo.

—¿Te importa que me duche antes?

—Claro que no.

Bailey subió la escalera tras él, seguida por *Tony*. Mientras Logan se duchaba, ella miró de nuevo las fotos del perro que tenía en el móvil. Le produjo una sensación extraña examinar las fotografías que sabía que había tomado, pero que no recordaba haberlo hecho.

Qué raro, pensó ladeando la cabeza. Unas imágenes de *Tony* haciendo de *Tony*. Las flores silvestres. Más azaleas.

De repente… Un zapato rojo. Semioculto en el barro. Incongruente entre las ramas, la tierra empapada y los retoños primaverales.

Bailey se quedó mirándolo, sintiendo un escalofrío que le recorría los brazos y la columna vertebral.

Entonces lo recordó.

40

20:05

Como hacía la mayoría de noches entre semana, Billy Ray había cenado de la bandeja de comida lista para llevar que había comprado, se había bebido una cerveza —Abita Amber, la mejor del mundo, según él—, y se había dirigido a su despacho.

En estos momentos estaba allí. Analizando. Preguntándose. Su mayor logro. Y su fracaso más estrepitoso. Todas las piezas del puzzle que había hallado y colocado en su lugar, y sin embargo era el único capaz de ver el cuadro que formaban.

Logan Abbott.

Dixie Jenkins parecía mirarlo con gesto acusador, como preguntándole por qué había dejado que le ocurriera esto.

Unos golpes en la puerta de entrada interrumpieron sus reflexiones. Se acercó a la ventana junto a la puerta y miró a través de ella al tiempo que se llevaba la mano derecha a la pistola.

Tucker Law. Héroe del equipo de fútbol del instituto local con fama de pendenciero. Detrás de él estaban sus padres, con expresión preocupada.

Billy Ray abrió la puerta.

—Hola, Tucker —dijo, volviéndose luego hacia los padres del joven—. Martin, Betty, qué sorpresa.

—Tucker tiene algo que decirte.

Billy Ray miró al joven de diecisiete años.

—¿Es cierto, Tucker?

—Sí, señor.

—Tiene cierta información sobre Dixie —dijo Martin.

—Pasad —dijo Billy Ray, apartándose para que entraran—. Sentaos.

Los tres se sentaron. El jefe de policía tomó un bloc de notas y un bolígrafo y se sentó delante del chico.

—¿Qué quieres decirme, Tucker?

El joven se aclaró la garganta.

—El viernes por la noche pasé en coche frente a The Landing. Era tarde. Iba con Louis Moore, habíamos salido de caza.

—¿De noche?

—Sí, señor. Nutrias.

—Querrás decir caimanes.

Tucker miró a su padre y asintió con la cabeza.

—Sí, señor.

Era ilegal, un hecho que Billy Ray pasó por alto. Los *reality shows* de televisión prácticamente habían abierto la veda.

—Cuando dices que era tarde, ¿qué hora era?

—Las dos o las tres de la mañana. Es decir, la madrugada del sábado. Acababa de dejar a Louis en su casa.

—Especifica, ¿las dos o las tres?

El chico pensó un momento.

—Pasadas las dos, pero aún no eran las tres. Recuerdo que lo pensé. Hice mis cálculos. Sobre cuántas horas podría dormir antes de levantarme para ir a trabajar.

—Sigue.

—Vi a Dixie, su Mustang. En el aparcamiento del Landing.

Billy Ray se esforzó en asimilarlo lentamente.

—¿La viste a ella? ¿O sólo su Mustang?

—Primero sólo vi su Mustang. Es un buga impresionante. Necesita unos arreglos, pero…

Billy Ray le interrumpió, impaciente.

—Sí, sí. Continúa, Tucker.

—Entonces vi a Dixie. Hablaba con alguien que estaba en una camioneta junto a ella.

—¿Te fijaste qué tipo de camioneta era? —preguntó Billy Ray, incapaz de ocultar su excitación.

—Una Ford F-150. Reluciente. De color negra.

Logan Abbott tenía una camioneta F-150 negra.

—¿Luego qué ocurrió?

—Ella se subió a la camioneta. —El chico se estrujó las manos, que tenía apoyadas en las rodillas—. No le di importancia hasta que mis padres…

—Le dijimos que Dixie había desaparecido —terció Betty Law.

Billy Ray procuró disimular su entusiasmo.

—¿Se lo has contado a alguien?

—No, señor. Se lo dije a mis padres y vinimos directamente aquí.

—Has hecho bien, Tucker. —El agente miró a los padres del chico—. No cuentes esta historia a nadie. Este puede ser el golpe de suerte que esperábamos. En tal caso, no queremos que el criminal sepa que le seguimos la pista. ¿Entendido, Tucker?

—Sí, señor.

El policía lo miró a los ojos.

—Hablo en serio. Si me entero de que te has ido de la lengua, te meto en la cárcel.

—¿En la cárcel? —repitió Martin Law—. ¿Por qué?

—Por cazar caimanes en época de veda. La ley lo prohíbe, al margen de lo que podáis pensar al ver *Los cazadores del pantano*.

—¡Pero te hemos facilitado esta información! ¿Así nos lo pagas?

—Lo hago para asegurarme de que el chico mantenga la boca cerrada. Si lo haces, no tendré en cuenta la infracción.

Tucker asintió con la cabeza.

—Descuide, no diré nada. Pero ¿y Louis?

—Hablaré también con él. Para que confirme tu historia y la cronología de los hechos. —Billy cerró su bloc y se levantó—. ¿Puedo contar también con vuestro silencio, Martin? ¿Betty? Ni una palabra a nadie.

El hombre miró a su esposa, que asintió, y de nuevo a Billy Ray.

—Puedes contar con nosotros. Queremos que atrapes a ese canalla, sea quien sea.

Sea quien sea no, pensó Billy Ray al cabo de unos momentos, mientras observaba a los tres partir en el coche. Logan Abbott.

Por fin.

41

03:15

Bailey se incorporó en la cama y gritó. Era una pesadilla, pensó, tratando de calmarse. Nada más.

Se volvió hacia Logan, sorprendida de no haberlo despertado. No lo había despertado porque no estaba acostado junto a ella. Bailey pasó la mano sobre el lado de la cama que ocupaba él, sintiendo el frescor de la sábana.

Habían cenado en Faye's. Ella había comido un poco, pero principalmente había paseado la comida por su plato. Apenas había despegado los labios. Cuando Logan le había preguntado a qué venía ese cambio de humor, ella le había dicho que estaba cansada. Que le dolía la cabeza.

El zapato rojo. Asomando a través de su sepultura en el barro.

El retazo de un recuerdo no significaba nada. Sin duda existía una explicación lógica, que ella conocía, pero no recordaba.

Bailey se tapó con las mantas hasta la barbilla, recordando los ladridos de *Tony*. El zapato. El susto que se había llevado cuando Henry había aparecido en los límites del bosque. El anciano había oído al cachorro y se había acercado a ver qué ocurría.

«¿Qué tiene ahí, señorita True?»

Ella le había dicho que no era nada y le había pedido que le indicara la forma de regresar al sendero. Él había hecho mucho más que eso, la había acompañado a pie hasta la misma verja de la finca. Pero no antes de que ella hubiera tomado un par de fotografías del zapato.

El recuerdo concluía allí.

No sigas así, Bailey. Enseña a Logan la fotografía. Cuéntale lo que recuerdas. Pregúntale lo que deseas preguntarle.

Sin duda era lo que debería hacer. ¿Por qué le costaba tanto centrarse? ¿Conservar la calma y la lucidez? ¿Debido a su pérdida de memoria? ¿A su estado y a los cambios hormonales? ¿Una mezcla de ambas cosas?

Alargó la mano para tomar su teléfono móvil, que estaba en la mesita de noche. La pantalla estaba iluminada y miró la hora. Las tres y cuarto. Era muy tarde para que Logan estuviera levantado trabajando o haciendo otra cosa.

Quizás había ido al baño.

—Logan —dijo ella, bajito—. ¿Estás allí?

Silencio. Ni siquiera se oía la cola de *Tony* tamborileando sobre el suelo de tarima. Bailey se levantó de la cama. Desnuda, recogió los vaqueros y la camisa del suelo, las prendas que había llevado ayer, y se los puso.

—¡Logan! —lo llamó de nuevo al salir al pasillo.

Nada. Encendió la luz. Vio que había luz encendida en la cocina y otra que se filtraba debajo de la puerta del despacho de su marido. Estaba trabajando. Sin duda con *Tony* tumbado a sus pies. Sonrió y meneó la cabeza. Probablemente se había preparado una taza de café. No era de extrañar que no pudiera pegar ojo.

Después de ir al baño, bajó la escalera. El suelo tenía un tacto fresco bajo sus pies. Llamó con los nudillos a la puerta, que estaba cerrada, y la abrió. La frase de saludo se extinguió en sus labios.

Logan no estaba allí.

Bailey se enojó consigo misma al sentir el escalofrío de angustia que le recorrió el cuerpo. Se comportaba como una tonta.

—¡Logan! —lo llamó, dirigiéndose hacia la cocina.

Estaba tan desierta como el despacho. Fue a mirar en el jardín, luego recorrió el resto de la planta baja.

Bailey subió de nuevo la escalera con el corazón retumbándole en el pecho.

No había rastro de su marido. ¿Adónde había ido? ¿Por qué se había marchado de esa forma?

Como había hecho el padre de ella, en plena noche.

El pánico hizo presa en ella. El garaje. Su coche estaría allí, se dijo.

Bailey bajó la escalera apresuradamente y se dirigió al cuarto trastero. Tomó la linterna que Logan guardaba allí y se calzó las botas de agua. Salió a la oscuridad de la noche. No se veía la luna, ni las estrellas, ocultas por las nubes. Soplaba un viento frío y se estremeció, lamentando no haber cogido también una chaqueta, pero no quería volver a por ella.

Encendió la linterna. El haz de luz traspasó la oscuridad mientras se apresuraba hacia el garaje.

El Porsche de Logan estaba allí. Al igual que el Range Rover y la camioneta de él. ¿Dónde se había metido? ¿Había ido a dar un paseo en una noche como esta? ¿Oscura como boca de lobo? ¿Había salido a caballo? ¿Había sido capaz de poner a uno de sus caballos en peligro de forma tan absurda…?

Los caballos. La cuadra. Por supuesto.

Bailey se dirigió apresuradamente hacia el lugar junto al garaje donde Logan solía aparcar el carro eléctrico de golf, el vehículo que utilizaba para recorrer las diversas residencias y las cuadras que había en la finca. El vehículo no estaba allí.

Se le escapó una exclamación, mezcla de alivio y de contrariedad. La cuadra. Logan estaría allí. Le había dicho que uno de los caballos había tenido un cólico. Y se habría llevado a *Tony*.

Se comportaba como una idiota.

Se volvió para regresar a la casa, pero cuando la luz de la linterna iluminó la verja del jardín se detuvo. Un recuerdo apareció en su memoria con toda nitidez.

Logan y ella, en este mismo lugar. Bailey había corrido a su encuentro para contarle lo que *Tony* y ella habían descubierto.

Él, mirándola como si se hubiera vuelto loca.

—¿*Tony* encontró *qué*?

—Un zapato. De mujer, de tacón alto. Rojo vivo.

—Ya.

—Junto al estanque —dijo ella.

—¿Qué hacías allí?

—Ya te lo he dicho, fui a ver a Henry. *Tony* se escapó y fui en su busca.

—Bailey, cielo, ha sido una imprudencia. Podrías haberte extraviado. Algunas zonas son pantanosas, podrías haberte caído… Está lleno de serpientes.

La mera idea de las serpientes hizo que ella se sintiera mareada.

—Aparte de las serpientes, no entiendes lo que te digo. Cuando por fin encontré a *Tony*, vi que estaba desenterrando algo. Resultó ser un zapato.

—¿Lo has traído?

—No. Pero tomé una fotografía de él.

—¿En serio? —Al ver que ella no le devolvía la sonrisa, él añadió—: Está bien, enséñamela.

Ella le mostró la foto. Después de contemplarla unos momentos
él le dio el teléfono móvil.

—De acuerdo.

—Entonces apareció Henry. Me acompañó de regreso aquí.

—Tienes razón, debió de ser toda una aventura. —Él abrió la
verja para salir—. ¿Y *Tony* se quedó con él?

—Sí. Espera… —Ella le tocó el brazo, deteniéndolo—. ¿Qué hacemos?

—¿Con respecto a *Tony*?

—No. Me refiero al zapato.

—No veo por qué tenemos que hacer nada.

—Pero… ¿cómo llegó hasta allí?

—Los chicos van con frecuencia a bañarse en el estanque. Parece
que está lejos, pero no está tan alejado de los límites de la propiedad
y de Hay Hollow Road.

—No era el zapato de un chico. Pertenecía a una mujer.

—Cuando digo «chicos», me refiero a chicos y chicas. Suelen ir
allí a darse el lote. En cierta ocasión alguien perdió allí los zapatos y se
fue sin ellos.

Sonaba lógico.

—Supongo que podría ocurrir.

—Te prometo que ocurrió. Entremos en casa. Te serviré una copa
de vino.

Pero Bailey recordó que se había quedado rezagada, dándole
vueltas.

—¿Cómo pudo una mujer calzada con esos tacones llegar hasta allí?

Él se volvió.

—¿Qué?

—Como has dicho, es un terreno pantanoso e irregular. La chica
no se atrevería a quitarse los zapatos y caminar descalza debido a las
serpientes.

—Quizás el hombre que la acompañaba la transportó en brazos.

Una imagen irrumpió de pronto en la mente de Bailey, de una
víctima transportada en brazos por su agresor.

Logan regresó junto a ella y tomó sus manos.

—Las tienes frías —dijo frotándoselas entre las suyas—. Esto te ha afectado mucho.

—Sí. En Wholesome han desaparecido dos mujeres, Logan.

Él escrutó sus ojos.

—¿Hablas en serio?

—Desde luego.

—¿Piensas que *Tony* desenterró el zapato de una de esas mujeres?

—Probablemente no. Pero es posible.

—¿En nuestra finca?

—¿Por qué no? Podría ocurrirle a cualquiera. ¿Y si fuera cierto y nosotros no hiciéramos nada?

—Mira, he vivido aquí toda mi vida y he visto lo que te he descrito centenares de veces. Yo mismo solía participar antes en esas «actividades». El terreno está ahora pantanoso porque es primavera y ha llovido mucho. En verano, está seco y es un lugar precioso. Pero si quieres que se lo contemos a la policía...

—Sí, Logan. Me sentiría mucho mejor.

—Entonces lo haremos. —Él apoyó la frente en la suya—. Ha oscurecido. Mañana por la mañana iremos allí, recogeremos el zapato y se lo llevaremos a Billy Ray.

Bailey pestañeó. El recuerdo se evaporó. La linterna que sostenía en la mano iluminaba la oscuridad de la noche. El sendero desierto.

Ella le había hablado a Logan del zapato. Había una explicación lógica. Y habían zanjado el tema.

La sensación de alivio era tan intensa como un narcótico. ¿Por qué no iba a reunirse con él en la cuadra, para mostrarle su apoyo?, pensó. Demostrarle que formaban un equipo y que podían compartirlo todo. Incluso atender a un caballo enfermo en plena noche.

Bailey echó a andar hacia la cuadra, sin apartarse del sendero, manteniendo el haz de la linterna dirigido a sus pies. Una extraña sensación se apoderó de ella mientras caminaba, la sensación de estar sola en un mundo extraño. Los gigantescos pinos y la frondosa maleza que bordeaban el sendero parecían acorralarla. Los sonidos de la noche, el zumbido de los insectos y el murmullo de un animal oculto en los matorrales. Algo pasó volando junto a su cabeza y sintió que el corazón le daba un vuelco. Un murciélago, pensó, estremeciéndose.

Su instinto le decía que echara a correr. La razón le impedía hacerlo. No podía arriesgarse a sufrir otra caída. De modo que siguió avanzando, lentamente, con cautela.

Al cabo de un trecho, el sendero se abría a un cuidado césped y unos prados vallados. De vez en cuando unas lámparas solares arrojaban un grato resplandor sobre el oscuro sendero. La cuadra se hallaba a pocos metros. La entrada estaba iluminada por una pequeña pero acogedora luz. El carro eléctrico de golf estaba aparcado frente a ella.

Bailey se apresuró hacia la cuadra, atravesó la puerta y se detuvo, invadida por una sensación de temor. La cuadra estaba a oscuras. Los animales dormían. En el otro extremo se veía una débil luz, un tenue resplandor que se filtraba debajo de una puerta.

Vete, Bailey. Márchate enseguida de aquí.

Pensó en su amplia y cálida cama. Los cerrojos en las puertas. Tenía la piel de gallina y se frotó los brazos.

—¿Logan? —dijo.

Uno de los caballos relinchó suavemente. Otro asomó la cabeza en su compartimento, intrigado por el ruido.

Bailey apagó la linterna y se dirigió hacia la puerta cerrada y el débil resplandor que se filtraba debajo de ella. Se dio cuenta de que avanzaba a hurtadillas, como un ratón, o un ladrón. No sabía por qué, y aunque se dijo que debía detenerse, no lo hizo.

Cuando alcanzó la puerta, oprimió la oreja contra ella. Oyó movimiento. Algo que se abría y cerraba. Un zumbido rítmico. Como de una lavadora o una secadora.

Sintiendo que la sangre le martilleaba en las sienes, alargó la mano hacia el pomo. Antes de que pudiera asirlo, la puerta se abrió. Bailey retrocedió de un salto al tiempo que emitía un grito de sorpresa.

Paul parecía tan asombrado de verla como ella de verlo a él.

—¿Bailey? —dijo, sujetándola del brazo para evitar que perdiera el equilibrio—. ¿Qué haces aquí?

Ella miró la puerta abierta que había detrás de él.

—He venido en busca de Logan.

—¿Logan? —Paul extendió el brazo y cerró la puerta a su espalda—. Es más de medianoche.

—Lo sé. Me desperté y vi que no estaba.

—¿Por qué pensaste que estaría aquí?

—No estaba en casa y el carro de golf no estaba en el garaje, de modo que supuse que había venido aquí.

—Yo he cogido esta noche el carro de golf. Tenía que hacer unas cosas.

Ella miró de nuevo sobre su hombro. Paul tenía su despacho en el otro extremo de la cuadra; ¿qué había venido a hacer aquí a estas horas?

—La colada, el inventario del forraje —dijo él, como si le leyera el pensamiento—. El día no tiene suficientes horas.

—Logan me dijo que uno de los caballos había tenido un cólico. Ese fue otro de los motivos por el que pensé que estaría aquí... —Al observar la expresión perpleja de Paul, Bailey se detuvo y se mordió el labio inferior—. Me siento como una tonta.

—No tienes por qué. —Tras dudar unos instantes, añadió—: Logan padece insomnio. No sería extraño que una noche se le ocurriera venir aquí. Pero esta noche no ha venido.

—¿Me ayudarás?, Paul. Quiero ayudarlo, pero no sé cómo.

—¿Ayudarlo en qué sentido? ¿A resolver su problema de insomnio? A ella le chocó su tono irritado y lo miró desconcertada.

—A que confíe en que no lo abandonaré. Que estoy a salvo de cualquier fantasma que teme que aparezca y me aleje de su lado.

—Lo siento, no puedo hacerlo.

—¿Por qué? —Ella extendió la mano para tocarlo, pero él se apartó bruscamente. Ella se sonrojó—. Entiendo. No quieres ayudarme porque crees que es mentira. Crees que yo también lo abandonaré. Que desapareceré.

—No he dicho eso.

—No era necesario. Si ves a Logan, dile que vine a ver si estaba aquí.

—No he oído un coche, ¿cómo has venido?

—He venido andando.

—¿Andando? ¿A estas horas de la noche, con la cabeza todavía vendada debido a tu accidente?

Ella se ruborizó y le mostró la linterna.

—Soy precavida. He venido preparada.

—Algunas cosas no se pueden prever.

—¿Como el murciélago que pasó volando junto a mi cabeza? Paul no sonrió.

—Te llevaré a tu casa. —Cuando ella empezó a protestar, añadió—: No conviene que Logan regrese y vea que no estás. Se llevaría un susto de muerte.

—De acuerdo. Sería demasiado que los dos nos lleváramos un susto de muerte la misma noche, incluso para esta familia.

—Apagaré la secadora antes de irnos.

Paul entró en el cuarto situado al fondo, cerrando de nuevo la puerta a su espalda. A Bailey le chocó. Parecía como si no quisiera que viera lo que había dentro.

—¿Qué hay en ese cuarto? —preguntó cuando él regresó.

Paul la miró sorprendido.

—Es un almacén donde guardamos el forraje, las medicinas y los suplementos vitamínicos. Y donde está la lavandería. ¿Por qué?

—Por nada, simple curiosidad.

—¿Quieres verlo?

Él abrió la puerta, pero ella lo detuvo.

—De veras, sólo tenía curiosidad.

Él asintió, cerró la puerta y la aseguró con el candado.

—Lo tengo siempre cerrado debido a los medicamentos. Aunque los suplementos vitamínicos también son importantes. No conviene que desaparezcan.

Echaron a andar hacia la puerta de la cuadra.

—¿Bailey?

Él se detuvo y ella lo miró extrañada.

—Ha desaparecido otra mujer. ¿Lo sabías?

—No —respondió ella con voz entrecortada—. ¿Cuándo?

—Cuando estabas en el hospital. Se llamaba Dixie.

—¿Se *llamaba*?

—Se *llama* —rectificó él—. La última vez que la vieron fue en un bar local. Sólo quería que tú... Conviene que seas prudente, eso es todo.

Ella tragó saliva.

—Tienes razón. Gracias.

Al cabo de unos momentos se montaron en el carro de golf. El vehículo arrancó en silencio.

—Lamento lo que ocurrió antes —dijo él—. Cuando me negué a ayudarte con Logan. Pero no puedo inducirle a que confíe en que no lo abandonarás nunca. No después de lo de True.

—¿Qué crees que le sucedió realmente?

—Pienso lo mismo que Logan. —Toparon con un bache y Bailey se sujetó al salpicadero para no caerse del asiento.

—Lo siento —murmuró él—. Ella mantenía una relación sentimental y lo abandonó. Todo cuadra.

—No lo creo. Todo el mundo la quería.

—No entiendo.

—Nadie imaginó que pudiera ocurrir. Nadie... imaginó que ella fuera capaz de eso.

Toparon con otro bache y la sacudida hizo que ella cayera contra él. Se apresuró a apartarse.

—Logan tiene problemas de insomnio desde que True se marchó, ¿verdad?

Paul se volvió hacia ella y luego fijó de nuevo la vista en el sendero.

—Deberías preguntárselo a él, Bailey.

—Lo sé, pero él... —Ella observó sus manos y frotó distraídamente una mancha de óxido que tenía en los dedos—. Es duro. Cuando le pregunto esas cosas..., se encierra en sí mismo.

Él no respondió y ella le tocó la manga.

—Por favor, necesito un amigo.

Paul suavizó su expresión y detuvo el vehículo.

—No. El insomnio de Logan comenzó cuando murió su madre. Desde que True se marchó el problema se ha agravado. Ella era... una mujer maravillosa. Bondadosa. Divertida. Guapa. Se portó muy bien conmigo.

Bailey lo miró confundida.

—¿True?

—¿Qué? —preguntó él, sorprendido.

—¿Te refieres a True? ¿Dices que se portó bien contigo?

Él meneó la cabeza.

—Lo siento, me refería a la madre de Logan. Elizabeth.

Su nombre sonaba como una oración en los labios de Paul. Estaba claro que había sido importante para él.

—Durante mi adolescencia, pasé más tiempo aquí que en mi casa. Fue ella quien fomentó mi amor por los caballos.

Paul desvió la vista unos instantes; luego la miró de nuevo.

—Todo cambió a raíz de su muerte. Todos cambiaron.

—¿Cuándo sospechaste que el padre de Logan...?

—¿La mató? Todos sabíamos que lo había hecho él. Los cuatro, desde el momento en que descubrimos que ella no se hallaba a bordo.

—Pero... ¿no dijisteis nada a nadie?

—Logan lo hizo, al cabo de un tiempo.

—Me dijo que los dos declarasteis en el juicio contra él.

—Nos limitamos a contar lo que habíamos visto y oído ese fin de semana.

—No puedo imaginar lo duro que debió ser para vosotros.

—No, no puedes. —Él la miró con gesto de disculpa, como arrepintiéndose de haber contestado tan bruscamente—. Al cabo de un tiempo Roane se ahorcó. Era muy sensible. Todo le afectaba. El día en que lo hizo estaba muy deprimido.

—¿Hablaste con él?

—Sí. Quizá fui la última persona que habló con él. Roane no superó nunca la muerte de su madre. El hecho de que el tribunal confirmara lo que él sabía, lo que sabíamos todos, no hizo sino agravar su estado.

Paul guardó silencio un momento.

—Lo encontró Logan.

—Dios mío. —Ella se detuvo, compadeciéndose de su marido—. No me lo dijo. Sólo me dijo que Roane se había ahorcado en el granero.

—Sí, no en la cuadra principal, sino en el viejo granero. Ya no lo utilizamos.

Bailey tuvo la impresión de que era importante para Paul hacer esa precisión, aunque no comprendió por qué.

—Logan se culpa a sí mismo —dijo—. Ojalá pudiera impedir que siguiera sufriendo por eso. Pero no sé cómo.

—No puedes. Él era el hermano mayor. Cree que debió prever… Logan es así, Bailey.

Por eso se culpa también de la muerte de su madre.

Ella lo amaba más precisamente por eso.

—Gracias por contármelo, Paul.

—De nada.

Él arrancó el coche y siguieron adelante.

—Has entrado a formar parte de una familia muy desgraciada.

Al doblar un recodo divisaron la segunda verja de la casa. Al cabo de unos momentos, Paul detuvo el vehículo frente a la puerta del jardín. Ella se bajó y se volvió hacia él.

—¿Y tú, Paul? ¿Por qué sigues aquí?

—Porque también es mi familia.

42

04:20

Después de observar a Paul girar con el carro de golf y regresar por donde había venido, Bailey entró en la casa.

—Logan —llamó.

Él no respondió, no obstante ella registró brevemente la planta baja antes de subir a acostarse.

¿Dónde se había metido? Casi había amanecido. Se dirigió hacia la puerta de la terraza, la abrió y salió. Desde ahí la luz de la luna parecía más brillante que antes. Contempló el bosque, más allá de la tapia del jardín, donde había visto a Henry ese día, imaginándolo.

Pero al hacerlo, el recuerdo de verlo en el sendero cambió de pronto. Recordó otro momento. Logan. Alejándose. Portando algo. Un bastón… No, una pala.

Bailey sintió que las piernas le flaqueaban. Lo recordaba con toda nitidez. A la mañana siguiente había sentido náuseas. Logan se había mostrado muy cariñoso con ella, le había tocado la frente para comprobar si tenía fiebre.

Había decidido cancelar la visita que habían planeado hacer al estanque. Dijo que tenía que ir a la ciudad. Para resolver un problema de una finca en Westbank, Algiers Point.

De modo que ella había ido sin él. Tal como se temía, el zapato había desaparecido. La rama que había utilizado para desenterrarlo seguía allí, cubierta de lodo. Bailey había registrado la zona, pensando que quizá se lo había llevado un animal.

No había rastro del zapato, nada de color rojo.

Recordó haber pensado que no significaba nada, pese a la angustia que la dominaba. Una sensación de vértigo.

Él había ido en busca del zapato. Para que ella no pudiera llevárselo a Billy Ray.

—¿Bailey?

Se volvió, sobresaltada, casi resbalando sobre las húmedas losas. Se sujetó a la barandilla. Logan estaba en la puerta.

Se acercó a ella.

—¿Qué ocurre?

—¿Dónde estabas?

—¿Bailey?

—No te acerques. —Ella retrocedió contra la barandilla de la terraza—. ¿Dónde estabas?

—Cielo santo… ¿Qué ha ocurrido? Me desperté preocupado por Raine y fui a ver cómo estaba.

—En plena noche.

—Me cuesta dormir. Sabía que, si no iba a ver cómo estaba, no podría volver a conciliar el sueño.

—¿Por qué no me dijiste que había desaparecido otra mujer?

—¿Qué? ¿Quién te lo ha dicho?

—Fui a buscarte. —La voz de Bailey se quebró—. No te encontré. Paul tampoco te había visto.

—¿Viste a Paul? ¿A estas horas de la noche?

—En la cuadra. Estaba haciendo la colada.

—Lamento haberte asustado —dijo él—. No quería despertarte, de modo que me fui sin decir nada.

Henry y Elizabeth habían estado liados, de modo que el padre de Logan la había matado. True había estado liada con otro, de modo que Logan la había matado.

De tal palo tal astilla.

—¿Qué ha sido del zapato rojo?

Él frunció el ceño y meneó la cabeza.

—¿A qué te refieres?

—Al zapato. El que encontré. —Ella apretó los labios, aunque no sabía si lo hacía para reprimir un sollozo o era porque no podía dejar de temblar.

—Estás histérica.

—No. ¿Qué has hecho con él?

—Jamás lo he visto. Tú me hablaste de él, Bailey. Íbamos a recuperarlo, pero tuve que ir a resolver un asunto. Luego me avisaron de que estabas ingresada en el hospital. Si quieres, iré ahora a buscarlo. O podemos ir por la mañana.

—Ya no está allí.

—¿Cómo…? —Logan la miró como si de pronto lo comprendiera todo—. Fuiste esta mañana sola.

Ella asintió con la cabeza.

—Mira, cielo, debe de haber una explicación. Debió de llevárselo un animal. O quizá *Tony* regresó a por él y lo ha enterrado en algún sitio.

Una explicación. Él siempre tenía una explicación lógica para todo.

—No era más que un zapato —prosiguió él—, que se dejó una chica que había ido allí con su amante. Estarían borrachos. Lo sé, Bailey. He vivido aquí toda mi vida.

—Yo te vi. Esa noche. Te dirigías al bosque.

—¿Has recobrado la memoria? —Él la miró, dolido—. ¿Por qué no me lo dijiste?

—Llevabas una pala.

—¿Una pala? Cariño, no sé qué, ni a quién creíste ver, pero no era yo. No me mires así. Como si no me conocieras.

—¿Crees que te conozco?

—Sí. —Él se acercó a la terraza y la estrechó en sus brazos. Ella trató de soltarse, pero él la abrazó con fuerza—. Claro que me conoces.

La besó. Ella trató de volver la cabeza, pero él se lo impidió, introduciendo los dedos en su cabello y sujetándola bruscamente.

La besó otra vez. Y otra. Cada vez más profundamente. Excitándola. Moviendo los labios sobre los suyos, introduciendo la lengua en su boca, restregándola contra la suya como sólo él sabía hacerlo. Haciendo que ella se olvidara de todo, salvo de él, sus caricias, su aliento sobre su piel húmeda, su olor.

Ella notó un leve olor a trementina y arqueó el cuello. Un olor que emanaba él, junto con una mezcla del frescor de la noche y los pinos del bosque.

Trementina. Del estudio de Raine.

Bailey sintió que se le ponía la piel de gallina. Estaba muy excitada. Embriagada de pasión. Él la tomó en brazos y la transportó a la cama. Allí, le hizo el amor hasta que ella arqueó la espalda, buscando su boca, sus dedos enredados en su pelo, murmurando su nombre.

Él la penetró con rudeza, con ferocidad. La penetró hasta el fondo mientras ella le sujetaba por los hombros, clavándole las uñas, como si no quisiera que se apartara jamás de ella. Él alcanzó el orgasmo con un bramido y se levantó de encima de ella. No la arrulló entre sus brazos ni le murmuró palabras de amor.

Era su forma de vengarse de ella, pensó Bailey. Por haberle herido. Por haberle traicionado dudando de él.

Entre ellos se hizo el silencio. Tenso y profundo. Ella murmuró su nombre. En lugar de responder, él se volvió de costado, de espaldas a ella.

43

09:35

A la mañana siguiente, apenas se dirigieron la palabra. Incluso *Tony* parecía triste. A ella le causaba un dolor casi insoportable.

Bailey se sirvió otro vaso de zumo, más por llenar el silencio entre ellos que porque le apeteciera. En lugar de regresar a la mesa, se acercó a la puerta del patio y contempló el día primaveral.

—¿Qué es esto? —preguntó Logan, tan bruscamente que ella se sobresaltó.

—¿Qué? —replicó, volviéndose hacia él.

Él señaló el montón de recibos que ella había sacado ayer de su bolso.

Se había olvidado de ellos.

—Buscaba algo en el bolso. Quería comprobar algo que había dicho Stephanie.

Él la miró extrañado y Bailey prosiguió:

—Me dijo que habíamos hablado el día del accidente. Y que me disponía a acudir a la cita que había concertado con una doctora.

—¿Qué doctora?

—Una ginecóloga.

—Genial. De modo que sabías que estabas embarazada y no me lo habías dicho.

—No te lo dije porque no estaba segura. Probablemente lo sospechaba. Supongo que pensaba decírtelo en cuanto la doctora me lo confirmara. Para sorprenderte con la buena noticia.

Al ver que él no respondía, ella continuó:

—Stephanie me dijo otra cosa. Que me pidió que me pasara por casa de Henry. Yo le dije que lo haría y prometí llamarla luego. Pero no lo hice. Es evidente que no pude hacerlo.

—¿Por qué no me dijiste nada de esto anoche?

—¿Y tú me lo preguntas? Estabas agotado.

—Ya. —Él se levantó—. Iré a la cuadra a ver cómo está *Paramour* —contestó sin mirarla—. Después iré a una reunión en Covington.

—¡Espera! —Él se detuvo en la puerta. Ella extendió una mano—. Logan, trata de entenderlo, por favor…

—Creo que lo entiendo perfectamente. Crees que soy un embustero. Y algo peor. Mucho peor.

Ella no sabía qué decir. No pensaba eso, pero tampoco lo descartaba. ¿Cómo era posible? ¿Cómo podía explicárselo, cuando ni ella misma lo comprendía?

La expresión de él se endureció.

—Lo suponía. —Logan se dio una palmada en el muslo y *Tony* echó a andar tras él. Al llegar a la puerta, se detuvo—. No le hice daño a True. Ni a nadie. Pero no consigo que me creas. O confías en mí o no confías, Bailey.

Tras estas palabras salió. Ella se apoyó en la encimera, abatida.

Confiar o no confiar en él.

Amarlo.

O no.

Cerró los ojos, sumida en la confusión, como una nube negra, sofocándola. Una nube de incertidumbre. Una parte de ella estaba dispuesta a dárselo todo y apoyarlo contra viento y marea. Pero otra parte sospechaba de él. Le temía.

Se había despertado del coma con esta angustiosa sensación de que sabía algo, algo grave, que debía compartir con alguien.

La clave residía en recordar. Bailey se enderezó. La doctora Saunders. El último lugar al que sabía que había acudido —o tenía que acudir— el día del accidente. Buscó el número de la ginecóloga y lo marcó.

Una recepcionista respondió con tono jovial al segundo tono.

—Buenos días —dijo ella—. Soy Bailey Abbott. Soy paciente de la doctora Saunders.

—Sí, señora Abbott. ¿En qué puedo ayudarla esta mañana?

—¿Puede decirme cuándo fue la última vez que acudí a la consulta de la doctora?

Tras una leve vacilación, como si la pregunta le chocara, la recepcionista respondió:

—Desde luego. ¿Puede decirme la fecha de su nacimiento?

Bailey se lo dijo y al cabo de un momento la recepcionista contestó:

—Sólo ha venido una vez, señora Abbott. El miércoles pasado.

El día del accidente.

—Gracias. Quizá le parezca extraño, pero ¿sabe a qué a hora me marché?

—¿Cómo dice?

—¿A qué hora terminó la visita con la doctora y me marché?

—¿Se siente bien, señora Abbott?

—Perfectamente. Es que… no recuerdo cuándo salí de allí.

—Según consta en mi ficha, se fue de aquí a las doce menos veinte.

Bailey comprendió por el tono de la recepcionista que esta llamada le había parecido muy extraña. Sin duda serviría para amenizar la hora del almuerzo con sus colegas.

Decidió que la historia fuera aún más divertida.

—Estoy embarazada, ¿no es así? ¿De unas cinco semanas?

—Sí, señora —respondió la recepcionista con voz ahogada, como si apenas pudiera reprimir la risa—. De casi seis semanas.

—Gracias —dijo Bailey—, por su amabilidad y por contener su…

—Cuelga, Bailey.

Al oír la voz de Logan se volvió y el móvil se le cayó de la mano. Cuando se agachó para recogerlo, comprobó que la recepcionista había colgado o la llamada se había interrumpido al caer el teléfono al suelo.

Él la miró con extrañeza.

—¿Qué ocurre? Pensé que ibas a… —Ella miró por encima de su hombro—. ¿Dónde está *Tony*?

—En la cuadra. Bailey…

Al oír el sonido de unos neumáticos en el sendero de grava a ella se le heló la sangre en las venas.

—¿Quién es?

—La policía… No es Billy Ray. Vienen de la oficina del *sheriff*.

—Pero ¿cómo…? —Ella sacudió la cabeza, confundida—. No entiendo…

—Un amigo me llamó para avisarme. Quieren interrogarme sobre lo sucedido a primeras horas de la mañana del sábado.

—A primeras horas de la mañana del sábado —repitió ella—. No comprendo…

Pero de golpe lo comprendió. La mujer de la que le había hablado Paul. Dixie, la que había desaparecido.

44

—Celebro volver a verla, señora Abbott.

Ella asintió con la cabeza, como atontada. Fue consciente de la mirada de Logan sobre ella y se dio cuenta de que tampoco le había hablado de la visita que le habían hechos los detectives. Se le revolvió el estómago.

—¿Cómo está? ¿Se siente mejor?

—Un poco mejor —respondió ella; notó un sabor metálico en la boca.

—¿Ha recordado algo más?

Bailey sintió de nuevo la mirada de Logan sobre ella.

—No —contestó, moviendo la cabeza—. Nada.

Rumsfeld la miró a ella y luego a Logan.

—Es muy raro, señora Abbott. El doctor Bauer pensaba que al cabo de un día recobraría la memoria de todo lo ocurrido.

—O que podía tardar una semana en recobrarla —replicó ella con una firmeza que la sorprendió—. Sólo han pasado un par de días.

El detective arqueó una ceja.

—El tiempo pasa volando.

—No sé a qué se refiere, detective.

Rumsfeld esbozó una breve sonrisa y se volvió hacia Logan.

—¿Cómo está usted hoy, señor Logan?

—Perfectamente.

—Me alegro. Tengo que hacerle unas preguntas. Sobre el viernes pasado. —Logan no respondió y el policía continuó—: ¿Dónde estaba el viernes por la noche?

—En el hospital. Con mi esposa.

—¿Y el sábado a primera hora de la mañana?

—Con mi esposa.

—¿Todo el rato?

—Prácticamente. No quería separarme de ella, por si recobraba el conocimiento.

Logan había dudado una fracción de segundo. Bailey se había dado cuenta y sabía que los detectives también se habrían percatado. ¿Por qué? ¿Qué era lo que Logan no quería decirles?

—Ya. ¿De modo que no se separó de su lado?

—Salí unos momentos para despejarme. Para respirar aire puro.

—¿Eso es todo?

—Si.

—¿Recuerda la hora?

—No. Pero era tarde.

—Lo averiguaremos. —El detective miró su bloc de notas y de nuevo a Logan—. De modo que salió para respirar un poco de aire puro, ¿eh?

—Sí.

—Posee usted varios vehículos.

—Así es.

—¿Recuerda cuál conducía el viernes?

—La camioneta. Una Ford F-150.

Ellos ya sabían todo eso, pensó Bailey. Sabían que él había abandonado la habitación que ella ocupaba, la hora, el vehículo que conducía. Le estaban poniendo a prueba. Pero ¿por qué?

Decidió preguntárselo al detective.

—¿A qué viene todo esto, detective?

—Ha desaparecido una mujer. Dixie Jenkins. Fue vista por última vez el sábado por la mañana. Montándose en una camioneta de color negro.

Bailey sofocó una exclamación de incredulidad. Logan, sentado a su lado, se tensó.

—¿Sabe algo sobre eso, señor Abbott?

—¿Cómo iba a saberlo?

—¿Conoce a Dixie?

—Desde luego. Aunque no muy bien. Desde hace años. Travis, su padre, ha hecho algunos trabajos para mí.

Rumsfeld se levantó. Carlson hizo lo propio.

—Gracias por dedicarnos unos minutos —dijo el detective. Luego se volvió hacia ella—. ¿Conserva la tarjeta que le di ayer?

—Sí, detective.

Ella y Logan los acompañaron a la puerta. Bailey deseaba que se fueran de su casa y cerrar la puerta tras ellos.

Cuando se disponían a salir, los detectives se detuvieron.

—Cuando recobre la memoria, o por el motivo que sea, llámenos a mi compañero o a mí. ¿Recuerda que prometió hacerlo?

Ella asintió. El detective se volvió hacia Logan.

—¿Cómo se llamaba su primera esposa?

—True.

—Eso es, True. ¿Presentó alguna vez una demanda de divorcio?

—No, lo hice yo.

—Entiendo.

—¿No ha vuelto a saber de ella? —preguntó Carlson, el más joven de los dos detectives.

Logan no ocultó su irritación.

—No.

—Eso siempre me extrañó.

—¿Por qué, detective Carlson?

—La mayoría de las personas, cuando quieren separarse o divorciarse, siempre tratan de conseguir todo lo que pueden.

—¿Y?

—Nada. Me parece raro, eso es todo.

—Quizá no recuerda que mi esposa retiró diez mil dólares dos días antes de marcharse.

—Eso es mucho dinero para mí, que soy un funcionario público. Pero para usted… o para la mujer con la que se case, no lo es.

—True no era así.

—Supongo que lo único que quería era obtener su libertad.

Bailey ya no pudo más.

—Si han terminado, aún no me he recuperado del todo y necesito descansar.

—Mis disculpas, señora Abbott. Pero su marido y yo nos conocemos desde hace tiempo, de modo que tenemos mucho de qué hablar.

—¿Fueron juntos al colegio? ¿Crecieron en el mismo barrio?

—No. —El detective sonrió levemente—. No, lo entrevisté cuando desapareció su primera esposa.

«Cuando desapareció su primera esposa.» Bailey sintió como si le

hubieran propinado un puñetazo en el vientre, pero no quería que ese extraño se diera cuenta.

Lo miró con frialdad y esperó.

El detective se aclaró la garganta.

—Como he dicho, llámeme si necesita algo. Y ándese con cuidado. Lamentaría que sufriera otro accidente.

Cuando el vehículo de los detectives atravesó la verja, Bailey se volvió hacia Logan.

—¿Dónde estuviste el viernes por la noche?

—Ya lo sabes.

—¿Adónde fuiste cuando te marchaste?

—A dar una vuelta en coche. —Al observar la expresión horrorizada de Bailey, Logan se apresuró a añadir—: No me acerqué a Wholesome ni a The Landing. Me monté en la camioneta, bajé las ventanillas y fui a dar una vuelta. Para despejarme.

—Me parece increíble que dejaras que ese detective te tratara de esa forma. Como si fueras un criminal.

—He tenido que soportar ese tipo de cosas casi toda mi vida. Quizá comprendas ahora por qué quería que mi abogado estuviera presente cuando me interrogaron ayer. No porque soy culpable, sino porque ellos se empeñan en que lo soy.

Bailey comprendió que tenía dos opciones. Creerlo o no. Atender los dictados de la razón o de su corazón. Él le había ocultado cosas. Cosas importantes, que podían incriminarlo. La había convencido para que se casara con él precipitadamente, para que confiara en él y viniera aquí, renunciando a todo lo que tenía para estar con él.

Ahora sabía por qué. Logan se hallaba en una situación muy comprometida. De haber existido pruebas contundentes contra él, le habrían acusado de asesinato.

Se acercó a él, le rodeó la cintura con los brazos y apoyó la cara en su pecho. Sintió los acompasados latidos de su corazón debajo de su mejilla.

En su fuero interno, sabía cómo era él. Lo amaba. Y él a ella.

Él constituía su historia con un final feliz.

—¿En qué piensas? —preguntó él con voz ronca.

—Resolveremos este problema, Logan. Tú y yo. Juntos.

En ese momento, *Tony* se acercó corriendo por el sendero. Empapado y cubierto de barro, sosteniendo algo rojo en la boca. Dejó caer el objeto a los pies de ellos, mostrándose muy satisfecho de sí.

Bailey bajó la vista y miró el objeto a sus pies. No era un objeto cualquiera. Era un zapato rojo.

El zapato rojo.

Sintió una opresión en la boca del estómago y un sabor a bilis. Se llevó una mano a la boca, dio media vuelta y corrió hacia el lavabo.

Llegó a tiempo de inclinarse sobre el retrete y vomitar.

Logan no había ido a rescatar el zapato, para tranquilizarla o para impedir que cayera en manos de la policía.

—¿Estás bien, cielo?

Él se detuvo en la puerta, mirándola preocupado.

—Sí —respondió ella, incorporándose. Se acercó al lavabo, se enjuagó la boca y se echó agua en la cara—. Es mi estado.

Él se acercó por detrás y la rodeó con los brazos, haciendo que ella se apoyara contra su pecho. Sus miradas se cruzaron en el espejo.

—¿Lo ves? Ya te lo dije. El perro regresó a por el zapato. Lo enterró como si fuera un hueso.

—Tenías razón —respondió ella con los ojos llenos de lágrimas—. Perdóname, Logan. Por dudar de ti. Por…

—Tranquilízate. —Él hizo que se volviera en sus brazos—. Olvídalo. A partir de ahora debemos confiar el uno en el otro, pase lo que pase. ¿De acuerdo?

—De acuerdo. Pase lo que pase.

—Llamaré a Billy Ray —dijo él.

—Espera. —Ella lo miró a los ojos—. Ese día reaccioné de forma exagerada. Tienes razón, unos jóvenes estuvieron allí besuqueándose, ella perdió un zapato y se lo dejó olvidado. Eso es todo.

45

Martes, 22 de abril

12:45

Bailey estaba ante el fregadero, canturreando mientras lavaba los platos del almuerzo. Era la canción de Carrie Underwood. La que había recordado el otro día en el hospital. ¿Por qué se le había vuelto a meter en la cabeza justamente ahora?

Siguió canturreando mientras las palabras no cesaban de darle vueltas en la cabeza.

Rompe cada ventana hasta que el viento se lo lleve todo...

Mientras cantaba, recordó el momento en que se había dado cuenta de que la regla no le había venido y se había preguntado si estaba embarazada. El recuerdo estalló en su cabeza, abriéndose como los pétalos de una flor. Lo había comprobado en el calendario de su teléfono móvil; siempre anotaba «Primer día» cuando le venía la menstruación.

Había consultado los meses de diciembre, enero y febrero.

No había anotado nada en marzo.

Un retraso de casi cinco semanas.

—¿Bailey?

El plato del sándwich se le cayó de las manos y se estrelló contra el suelo.

—¡No te muevas! —le ordenó Logan—. Estás descalza, yo lo recogeré.

Tomó la escoba y el recogedor y al cabo de unos minutos echó todos los pedazos al cubo de basura.

—Ya está.

Pero ella no se movió, recordando lo que había sucedido ese día.

Había tenido unos sentimientos contrapuestos. Como si todos sus sueños se hubieran cumplido pero en medio de una pesadilla. Había buscado una ginecóloga —la doctora Saunders— y había concertado una cita para el día siguiente.

—¿Bailey? ¿Has recordado algo?

Ella pestañeó y lo miró.

—Sí. El momento en que me di cuenta de que la regla no me había venido y podía estar embarazada. Fue entonces cuando concerté una cita con la doctora Saunders. Quería estar segura antes de decírtelo. Para darte una sorpresa.

—Misión cumplida, cielo.

Ella se rió.

—Desde luego. ¿Estás listo para marcharte?

Él había tenido que cancelar esa mañana una reunión debido a la visita de los detectives de la oficina del *sheriff*, y la había fijado para esta tarde.

—Bien pensado, no es necesario que acuda a la reunión. Estoy preocupado por ti,

—Ya te he dicho que estoy bien.

—Hace una hora vomitabas.

—Y hace quince minutos devoraba un sándwich de pollo. —Ella se acercó a él—. Estoy embarazada, no enferma.

—No es sólo eso. Tu memoria…

—He empezado a recobrarla. Además, como tú mismo has dicho, todo se ha resuelto bien.

—No siempre será así, Bailey. Lo sabes tan bien como yo.

Sangre. En todas partes. En sus manos y sus vaqueros.

—Lo sé. Pero no podemos estar pendientes de que la espada de Damocles caiga sobre nosotros, como una condena a muerte. Ve a tu reunión y regresa en cuanto puedas. ¿Cuánto tardarás?

—Un par de horas como mucho.

—Anda, vete. Mientras te reúnes con esos promotores yo preparé unos pastelitos.

—¿Unos pastelitos? —Él la miró confundido.

—Tengo el antojo de unos *brownies*.

—Hay una pastelería en Bridles y Britches. Yo puedo…

—No. Quiero hacerlos en casa. La receta de mi madre.

En los labios de él se dibujó una sonrisa.

—Los *brownies* me encantan. —Se dirigió hacia la puerta, pero se detuvo—. Un par de horas. Me reuniré con los promotores, recogeré unas cosas…

—¡Vete! —dijo ella, señalando la puerta.

—¿Tienes todo lo que necesitas para los *brownies*?

—Si me falta algún ingrediente, me acercaré al mercado.

—No deberías conducir.

Ella puso los ojos en blanco.

—Pediré a Paul que me lleve.

Tras dudar unos momentos, él manifestó su conformidad.

—Cuando salga, me pasaré por la cuadra y se lo diré. Para que esté al tanto.

Ella sacudió la cabeza.

—Te preocupas más que una vieja.

Él se rió.

—Piensa lo que quieras —dijo antes de salir.

Bailey tenía en el frigorífico y la despensa todo cuanto necesitaba para los *brownies*, casi como si hubiera tenido el antojo el día anterior, hubiera comprado los ingredientes y luego hubiera decidido no preparar los pastelitos. Quizás ese fuera su próximo recuerdo, pensó.

Midió, mezcló y vertió los ingredientes. Logan no le había mentido. No había regresado al estanque para recuperar el zapato. ¿Cómo había podido dudar de él? Las absurdas sospechas de Billy Ray habían influido en ella. Cadáveres enterrados en Abbott Farm. ¡Qué disparate!

Meneó la cabeza y empezó a canturrear de nuevo. Las palabras no cesaban de darle vueltas en la cabeza.

Rompe cada ventana…

Tony había regresado a por su premio, lo había vuelto a enterrar y hoy había ido a por él.

hasta que el viento se lo lleve todo…

Bailey vertió la mezcla en la bandeja, la metió en el horno y ajustó el temporizador. Necesitaba unos mondadientes. Y unas manoplas para el horno.

No tardó en encontrar unas manoplas en el cajón situado a la derecha del horno. Sacó un par de color rojo del cajón y las arrojó sobre la encimera. Una resbaló y cayó al suelo a sus pies.

Se agachó para recogerla, pero se quedó helada.

Dos manoplas. Una para cada mano.

Zapatos. Uno para cada pie. Uno derecho. Y uno izquierdo.

Bailey sacudió la cabeza para desterrar el pensamiento, recogió la manopla y la colocó sobre la otra. ¿Qué más daba?

¿Qué zapato había desenterrado Tony? ¿El derecho? ¿El izquierdo? ¿O los dos?

Basta, se dijo, irritada. Ella misma era quien se hurtaba su propia felicidad. Era una masoquista. Obsesiva-compulsiva. Confiaba en Logan.

Resopló irritada. La solución era bien simple. Bastaba con que mirase la foto que había tomado ese día de *Tony* sosteniendo el zapato en la boca.

Tomó su móvil y buscó la foto. Y profirió una palabrota.

Era imposible verlo con claridad. La luz, la vegetación que había alrededor... Amplió la imagen y la examinó detenidamente. Pero no podía estar segura.

Un zapato, dos zapatos, un zapato rojo, azul...

No, rojo. Dos zapatos rojos. Un par.

... hasta que el viento se lo lleve todo...

Bailey se llevó el móvil a la sala de estar y se sentó. Estudió la imagen, tratando de recordar ese día. Se imaginó desenterrando el zapato. Viéndolo cada vez con mayor nitidez a medida que excavaba en el barro.

El olor a lluvia. Y a retoños.

Un zapato derecho, pensó. Sí. Un zapato derecho.

¿Qué les había traído *Tony* esta mañana? Bailey frunció los labios mientras reflexionaba. Lo había mirado por encima. No se había fijado bien.

Ve al garaje y busca en el contenedor de basura.

Dicho y hecho, se dirigió al garaje, tomó los guantes de jardinería de la mesa de trabajo y unos periódicos del cubo de reciclaje. Extendió los papeles sobre la mesa y se acercó al contenedor de basura.

Logan había arrojado el zapato allí, al menos era lo que ella suponía. Levantó la tapa. El hedor le produjo náuseas. Arrugó la nariz, confiando en no volver a vomitar.

¡Bingo! Allí estaba, encima del resto de desperdicios. Alegrándose de haberse puesto los guantes, tomó el zapato y lo llevó a la mesa de trabajo.

Pero no era un zapato derecho. Era el izquierdo.

Lo miró, experimentando una sensación de vértigo. Su memoria le había jugado una mala pasada. Reprodujo de nuevo la imagen de ese día en su mente. El zapato. Desenterrándolo en parte, yendo a por la rama para excavarlo por completo.

Un zapato derecho.

Quizás estuviera equivocada. Estaba empapada, fuera de su elemento, no lo había examinado de forma analítica.

Aún estaba a tiempo de remediarlo. Tacón alto, de unos cinco o seis centímetros. Un zapato salón con la puntera abierta. Un zapato de vestir. Las letras en el interior estaban borrosas, pero parecía ser de su talla, una treinta y siete. Bailey se quitó una de sus zapatillas deportivas y la depositó junto al zapato rojo. Sí, era de su talla, medio número más o menos. Lo que significaba que su dueña no era muy alta.

El cuero estaba cuarteado y pelado en algunos sitios, el nombre de la marca era ilegible, pero aparte de eso estaba en bastante buen estado, teniendo en cuenta que había permanecido enterrado en el lodo.

¿Durante cuánto tiempo? ¿Cinco años? ¿Tres?

¿Era posible que perteneciera a True?

—Hola, Bailey. ¿Qué haces?

Ella se volvió, sobresaltada.

—Paul. Me has dado un susto de muerte.

—Lo siento.

—Pareces un gato. —Ella se llevó una mano al pecho—. ¿Cómo lo haces?

Él sonrió.

—Supongo que es debido a los años que he estado moviéndome sigilosamente por la cuadra. ¿Qué es eso?

—Nada.

Él arqueó una ceja, sonriendo divertido.

—Debe de ser algo.

—Iba a tirarlo a la basura. —Ella se apresuró a envolver el zapato en el papel de periódico, lo transportó al contenedor y lo arrojó dentro. Si Paul veía el zapato y se lo comentaba a Logan, ella tendría que explicárselo, cosa que no podía hacer sin ofenderlo.

—¿Por qué te has puesto los guantes?

—Quería cortar unas rosas. —No era del todo mentira; hacía un rato había cortado unas cuantas—. ¿Qué haces aquí? Logan no…

—Lo sé. —Paul se enfundó las manos en los bolsillos—. Me dijo que quizá necesitarías unos ingredientes para preparar unos pasteles, de modo que he venido a preguntarte si querías algo antes de ir a la ciudad.

—Te lo agradezco… ¡Los *brownies*! —Bailey se había olvidado de ellos. Se quitó los guantes rápidamente, los arrojó a un lado y regresó corriendo a la cocina. Al entrar oyó el pitido del temporizador, pero no olía a quemado. Menos mal.

Tomó las manoplas, sacó la bandeja del horno y fue en busca de un mondadientes para comprobar si los pastelitos estaban hechos. Sintió la mirada de Paul fija en ella mientras se movía torpemente por la cocina.

—Pareces estar nerviosa.

Lo estaba, pero no quería reconocerlo. Ni explicarle el motivo.

—No estoy acostumbrada a cocinar en esta cocina, y no sé dónde están algunas cosas… Ah, los mondadientes.

Bailey clavó uno en un pastelito y salió limpio.

—He llegado justo a tiempo —dijo sonriendo.

—Huelen muy bien.

—Gracias a ti.

—Celebro haberte sido útil.

—He seguido la receta de mi madre, echando triple cantidad de chocolate. Tienes que probar uno.

—Si insistes…

Paul tenía una sonrisa que te desarmaba, pensó ella. No sexi y misteriosa como la de Logan. Su sonrisa rezumaba encanto y campechanía. Era el paradigma del «chico de la casa de al lado».

—Insisto. ¿Una bola de helado de vainilla?

—O dos.

Ella se rió.

—Así me gusta.

Bailey preparó lo mismo para los dos: un *brownie* gigante con dos bolas de helado.

—Logan me lo ha dicho. Espero que no te moleste.

—¿Perdón?

—Que comes por dos.

Ella trató de ocultar su consternación, pero a juzgar por la expresión de Paul no lo había logrado.

—No te enfades. Pasé por el hospital, Logan acababa de enterarse. Estaba… loco de preocupación. Y no tenía nadie más con quien hablar.

—No me enfado. Me alegro de que estuvieras allí para apoyarlo.

—Ya sabes que tú también puedes contar con mi apoyo —respondió Pau.

Ella sintió que las lágrimas afloraban a sus ojos y pestañeó para reprimirlas.

—Malditas hormonas.

Él se rió.

—¿Cómo te sientes?

—Aparte de las lágrimas, los vómitos y las jaquecas, estupendamente.

—Todo eso es pasajero, ¿no?

—Espero que sí. —Bailey se llevó una cucharada colmada de *brownie* y helado a la boca—. Al menos —dijo, con la boca llena—, puedo comer como un hombre.

Él sacudió la cabeza, esbozando de nuevo su sonrisa encantadora.

—Debo confesarte algo —empezó, mirándola tímidamente—. Sabía que ibas a preparar unos *brownies*, por eso he venido. Tengo debilidad por estos pastelitos.

Ella se rió.

—¿Merecían el subterfugio?

—Desde luego. —Él se llevó otra cucharada a la boca—. Están riquísimos. Los mejores que he probado.

—Eso haría muy feliz a mi madre. —Bailey no quiso recrearse con ese pensamiento y pasó rápidamente a otro tema—. ¿Puedo preguntarte algo?

—Claro. Pero quizá te cueste un *brownie*.

—Hecho. Pero sólo uno.

Él se rió, asintió y se llevó otra cucharada a la boca.

—¿Por qué no te has casado?

Paul estuvo a punto de atragantarse con el pastelito y el helado.

—Supongo que no es la primera vez que alguien te hace esa pregunta.

Él se aclaró la garganta.

—Sólo algunas viejas en las bodas.

—Y ahora esposas embarazadas de amigos.

Él la miró, divertido.

—¿Por qué quieres saberlo? ¿Tienes una amiga que me quieres presentar?

—Es posible. —Ella arqueó una ceja con gesto interrogante.

—No he conocido a la mujer adecuada.

—¿Nunca?

—Hubo una chica, pero la cosa no funcionó.

—¿Dónde la conociste?

—En la Universidad Estatal de Luisiana.

Ella recogió la última cucharada de helado derretido que quedaba en su bol.

—¿Por qué no funcionó?

—Dos *brownies.*

Ella alzó la vista y lo miró.

—Te costará dos.

—Hecho.

—A ella no le gustaba la vida en una granja.

—Esto no es exactamente una granja.

—No quería vivir en el campo con un hombre que oliera a establo y tuviera tierra debajo de las uñas.

El tono de Paul denotaba amargura y Bailey supuso que esa mujer le había hecho mucho daño.

Él desvió la vista. Cuando prosiguió, el tono amargo había desaparecido.

—Yo estudiaba en la facultad de veterinaria, y ella lo sabía. ¿A qué creía que iba a dedicarme?

—¿Cómo se llamaba?

—¿Por qué? ¿Crees que quizá la conozcas?

Ella comprendió que había tocado un punto neurálgico y alargó el brazo para tocar su mano.

—Perdóname, Paul. No sé cómo se me ha ocurrido preguntarte eso, soy una fisgona.

Él torció el gesto.

—No, perdóname tú a mí. Han pasado muchos años, pero sigue siendo un tema delicado.

—Debía de ser una chica estupenda.

—No lo era. Ahora me doy cuenta. —Él bajó la vista y miró la mano que Bailey tenía apoyada en la suya. Luego la miró a los ojos—. Pero ya sabes cómo es el amor de juventud.

—¿Ciego? —preguntó ella, turbada, retirando la mano.

—Y sujeto a los cambios hormonales. —Paul se levantó y dejó su bol en el fregadero—. Supongo que debo volver junto a los caballos.

Entre ellos se hizo un tenso silencio. Él se aclaró la garganta.

—¿Me permites un consejo de amigo?

—Desde luego.

—Cuando True se marchó, Raine guardó todas sus pertenencias, todo lo que ella había tocado que indicaba que esta era su casa. Pero lo único que quedó fue un cascarón vacío: el de esta casa —dijo, señalando con la mano— y el de Logan. Hasta que llegaste tú. Logan vuelve a ser un hombre feliz. Llena esta casa con vuestro amor, con vuestros hijos y los hijos de vuestros hijos.

Ella sintió que se le formaba un nudo en la garganta. Tragó saliva para reprimir las lágrimas.

—Olvídate de todo lo demás, Bailey. De todo. De las preguntas y las dudas. De lo que piensen los otros. Tú sabes lo que es real. Lo sabes perfectamente.

Sí, pensó ella cuando él se fue. Cuando recobrara la memoria por completo, se olvidarían de esto y seguirían adelante. Se centrarían en su matrimonio, en sus hijos. Todo lo demás dejaría de tener importancia.

Hasta entonces, el agujero era demasiado grande y demasiado oscuro, ocupado sólo por un zapato rojo.

46

Cuando Paul se fue, sobre Bailey cayó un silencio atronador. Por más que lo intentó, no podía dejar de hacerse una pregunta: ¿estaba segura de que el zapato que *Tony* y ella habían desenterrado era el derecho?

Quizá se equivocaba al recordarlo. Probablemente sí. Teniendo en cuenta lo que había sucedido durante los últimos días, ¿por qué iba a fiarse de su memoria? Era ridículo. Sin embargo, algo no le acababa de encajar.

Bailey apoyó una mano en su vientre, donde llevaba al hijo que Logan y ella habían concebido, la criatura que crecía en su interior. ¿Qué opciones tenía en estos momentos?

Piensa, Bailey. Separa los hechos de los temores.

Un hecho: *Tony* había desenterrado un zapato de mujer —o un par de zapatos— junto al estanque de la finca Abbott Farm.

Ella temía que perteneciera a True. Y si no era de True, podía ser de una de las otras jóvenes que en los últimos años habían desaparecido en Wholesome. ¿Por qué? Porque Billy Ray creía que los tres cadáveres estaban enterrados en Abbott Farm.

Se llevó las palmas de las manos a los ojos. Porque ese hombre estaba convencido de que Logan era un asesino. Estaba obsesionado con la idea. Porque había estado enamorado de True.

Y de esa pequeña semilla habían germinado los temores de ella, multiplicándose y adquiriendo unas proporciones absurdas.

Bailey suspiró profundamente para tranquilizarse. Había llegado el momento de recuperar el control. Podía eliminar rápidamente uno de sus temores averiguando la talla de zapatos que gastaba True.

Miró su reloj. Calculó que disponía de una hora, a lo sumo, antes de que Logan regresara a casa. En ese tiempo, podía registrar rápidamente los armarios del dormitorio y explorar el desván. Paul le había dicho que Raine había guardado las cosas de True para ahorrarle esa tarea a Logan. Quizá las había donado, como había hecho Bailey con las de su madre. O quizás, en un gesto simbólico, las había arrojado a la basura.

Pero quizá no. Quizá no habían salido del desván. En todo caso, valía la pena comprobarlo.

Bailey subió apresuradamente la escalera. En primer lugar registraría los cuartos de invitados. Todos los armarios. Luego, dependiendo de lo que encontrara, pasaría al desván.

Los armarios estaban, curiosamente, vacíos. Como si en esta casa no viviera una familia, pensó. En cierto modo, hacía mucho tiempo que no había vivido allí una familia. La descripción de Paul, comparando la casa a un cascarón vacío, no dejaba de ser acertada.

Bailey examinó los escasos objetos que contenían los armarios y prosiguió con su tarea. En uno de ellos había unos vestidos de niña de fiesta y ocasiones especiales. Volantes y puntillas, lazos y cintas.

Por alguna razón, al mirar esos vestiditos con volantes y adornos se le llenaron los ojos de lágrimas. Imaginó a la risueña niña que los había lucido y se preguntó qué había sido de ella.

Pero lo sabía. Tragedia. Pérdida. Un corazón destrozado.

Yo no lo abandonaré nunca, Raine. Te lo prometo.

Bailey pestañeó para reprimir las lágrimas, maldiciendo su emotividad debida a los cambios hormonales causados por su estado. Había hecho esa promesa y rogaba a Dios poder cumplirla.

A continuación se dirigió al desván. Era enorme, como le había explicado Logan el primer día que le había mostrado la casa. La luz penetraba a través de una ventana, iluminando el atestado interior, poniendo de relieve algunos objetos y dejando otros en sombra. Bailey accionó el interruptor situado a la derecha de la puerta. Una luz fluorescente invadió el espacio.

Qué cantidad de cajas, pensó ella. ¿En cuáles estarían los zapatos de True?

Las cajas habían sido colocadas allí hacía poco, por lo que no tendrían mucho polvo. Apiladas. Las que ella buscaba probablemente estarían en primer término, no sepultadas. En algunas estaría escrito «Pertenencias de True», en otras no. Como unas sepulturas anónimas.

Basta, Bailey. Apresúrate.

Empezó por las cajas que se hallaban junto a la puerta y fue adentrándose en el desván. A medida que se alejaba de la puerta, todo estaba más cubierto de polvo. Estornudó varias veces; la garganta empezaba a escocerle. Al aproximarse a la ventana oyó el sonido de unos neumáticos en el sendero de grava y se detuvo. Acto seguido se acercó de puntillas, aunque no sabía por qué, y miró por ella.

Logan había regresado ya. Entraría en el garaje. Se bajaría del Porsche. No. Ella no había hecho más que empezar…

De repente se dio cuenta de que había hecho esto antes. Se vio a sí misma registrando frenéticamente cada caja, cada cajón de la cómoda. Como estaba haciendo hoy.

El mismo día que había ido a rescatar el zapato, sólo para descubrir que había desaparecido. El día que todo había cambiado.

Nada. Ese día no había encontrado nada que perteneciera a True, y ahora tampoco hallaría nada.

—¿Bailey?

Ella cerró la puerta del desván rápidamente y sin hacer ruido y se apresuró a través del pasillo hacia la cima de la escalera.

—¡Estoy aquí arriba! —contestó.

Él apareció al pie de la escalera y alzó la vista.

—Tienes las mejillas encendidas. ¿Te sientes bien?

—Perfectamente. —Ella esbozó una sonrisa somnolienta y se desperezó—. Estaba haciendo una siesta.

Una pequeña parte de ella murió al decir esa mentira. Bailey rogó a Dios que algún día, cuando se lo dijera y explicara todo a Logan, él la perdonaría.

—Algo huele que alimenta.

—Los *brownies*. ¿Quieres que baje y te prepare uno?

Él sonrió.

—Me encantaría.

—Enseguida bajo.

Corrió al dormitorio, retiró el edredón y aplastó la almohada. Luego corrió al baño, se lavó las manos y la cara y se cepilló el pelo, tratando de eliminar el polvo.

A continuación bajó a reunirse con él en la cocina.

—¿Ha ido bien la reunión?

—Sí. —Él se inclinó y la besó—. Hemos despejado los temores y obtenido la financiación necesaria.

—Me alegro. —Ella se acercó a la bandeja de los *brownies* buscando la forma de preguntarle qué número de zapatos gastaba True sin que él sospechara, aunque sabía que era imposible.

—¿Un poco de helado?

—Seguiré tus recomendaciones.

Logan se expresaba con tono divertido, incluso despreocupado. Como si no ocurriera nada malo. Como si no hubiera cambiado nada entre ellos.

Como si, por lo que a él respectaba, todo estuviera ya completamente resuelto.

—¿No te apetece un *brownie*? —le preguntó cuando ella depositó el plato frente a él y se sentó.

—Ya me he comido uno. Con Paul.

—¿Paul? —Él probó un bocado del pastelito y el helado—. Está riquísimo.

—Me alegro de que te guste. Vino a verme para preguntarme si necesitaba algo del mercado. Luego me confesó que era un adicto a los *brownies*. —Ella alzó la vista y lo miró—. Me habló sobre una chica con la que había salido cuando estudiaba en la Universidad Estatal de Luisiana.

—¿Cómo surgió el tema?

—Le pregunté por qué no se había casado.

Logan se rió.

—Pobre Paul.

Bailey pasó por alto el comentario.

—Por lo visto esa chica le partió el corazón. ¿La conocías?

—Sí. Me pareció muy agradable.

—A mí no me dio esa impresión.

—¿No?

—Rompió con él porque no quería casarse con un tipo que oliera a establo.

—Paul no me lo dijo, pero tiene sentido. Cuando empezaron a salir, él estudiaba en la facultad de veterinaria, quería ser veterinario de animales de gran tamaño. Casi había terminado la carrera cuando abandonó los estudios. Dijo que quería trabajar todos los días con caballos y vino a dirigir la finca.

—Me pregunto por qué no te lo contó. Eres su mejor amigo.

—Los chicos no solemos compartir todas nuestras intimidades.

Además, Paul es muy reservado. Siempre lo ha sido. La verdad es que me asombra que te haya revelado tantas cosas.

… hasta que el viento se lo lleve todo…

—¿Cómo se llamaba la chica con la que salía Paul? ¿Te acuerdas?

—Si la memoria no me falla, se llamaba Cassie. —Él se comió los restos del pastelito—. Pareces muy interesada en Paul.

—Forma una parte importante de tu vida. De nuestra vida aquí. —Él se abstuvo de hacer un comentario y ella prosiguió—: ¿Qué sabes de su familia? Me contó algunas cosas, pero pocas.

—Era casi tan desastrosa como la mía. —Ella le miró perpleja y él sonrió—. De acuerdo. Era una exageración. No sé mucho sobre su padre, no llegué a conocerlo. Los abandonó cuando Paul era un niño de corta edad.

—Eso es algo que tenemos en común —observó ella—. Me pregunto por qué no habla nunca de ello.

—Quizá porque la similitud termina ahí. A diferencia de tu madre, la suya estaba siempre furiosa. Y amargada. Se desquitaba con Paul. Yo apenas iba por su casa, pero su madre no era una mujer… bondadosa.

—Por eso quería tanto a tu madre, porque ella lo era.

Él asintió con la cabeza.

—Y por eso se llevó un disgusto tremendo cuando ella murió.

—Qué triste.

—No le digas que te lo he contado; Paul es un tipo orgulloso. —Logan se levantó, llevó el bol al fregadero, lo lavó y se volvió hacia ella, mirándola con gesto socarrón—. Empiezo a pensar que te interesas demasiado por los hombres que hay aquí.

—¿Los hombres? Pero ¿qué dices?

—La semana pasada era August.

—No comprendo.

—Me preguntaste sobre su familia, si se había casado, dónde había nacido.

—¿Cuándo ocurrió eso? ¿El día del accidente?

—Sí. Esa mañana. —La sonrisa se borró de los labios de él—. Sin venir a cuento, me preguntaste si salía con mujeres, si se había casado alguna vez.

—No sé por qué lo hice.

—¿Porque eres una entrometida?

Ella le devolvió la sonrisa, pensando al mismo tiempo que debió de ser por algún otro motivo. Debido al momento en que le había hecho esas preguntas.

—¿Has hablado hoy con Raine? —preguntó, cambiando de tema.

—No. Pero debo hacerlo.

—He pensado ir a verla.

—¿De veras?

—Sí. Le llevaré un par de *brownies*. ¿Crees que le gustará?

—Sí. Pero ya la conoces, se mostrará tan brusca como siempre. ¿Quieres que te acompañe?

—No puedo dejarme intimidar por ella toda la vida. Además, imagino que tendrás cosas que hacer.

—En efecto. Paul quería que revisáramos el presupuesto del espectáculo ecuestre. No te olvides el teléfono móvil. Por si acaso.

—¿Por si ella intenta asesinarme?

Pero él no se rió y Bailey pensó que quizá debería temer a la inestable Raine.

47

16:55

Raine le abrió la puerta en pijama. Tenía un aspecto horroroso. Estaba pálida, con el pelo alborotado, y la máscara de las pestañas corrida. Lo primero que pensó Bailey fue que estaba enferma.

Su cuñada la invitó a pasar, arrastrando las palabras. Se volvió, tambaleándose, y se dirigió hacia la sala de estar.

Bailey comprendió que no estaba enferma. Estaba como una cuba.

La siguió, cerrando la puerta tras ella. Era la primera vez que ponía los pies en casa de Raine: una ecléctica y potente mezcla de estilos y piezas decorativas, rústico y contemporáneo.

Observó aquí sólo una pequeña parte del caos creativo que reinaba en su estudio: la almohada y la manta hechas una bola en el amplio sofá, las revistas diseminadas en la mesita de centro y el suelo, varios pares de zapatos, una taza de café y un par de copas.

Raine se acercó al sofá y se dejó caer en él.

—Te he traído una cosa.

—¿Otra botella de buen vino de la bodega de Logan?

—Unos *brownies*. Los hice esta tarde y pensé que…

—Mañana es el funeral. —Raine se cubrió las piernas con la manta.

—Sí —respondió Bailey, depositando el plato en la mesita de centro.

—De modo que te dedicas a hacer *brownies*. —Raine miró el plato cubierto con papel de aluminio—. Me pregunto qué efecto te produce.

—¿A qué te refieres?

—La felicidad.

Bailey entrelazó los dedos, sin saber qué decir.

—¿Puedo hacer algo para ayudarte, Raine?

—Estoy muy cansada.

—Lo sé. Lamento tu pérdida.

Raine tomó el plato, cogió uno de los pastelitos de bizcocho, pero cambió de opinión.

—Lo siento.

Se tumbó de lado y apoyó la cabeza en la almohada. Bailey sintió lástima de ella.

—¿Quieres que te prepare algo? ¿Unos huevos o un caldo?

—No. —Raine tenía la mirada ausente.

—Lo superarás.

—No. No lo superaré.

Bailey se aclaró la garganta. Había venido confiando en obtener información, pero ahora comprendía que no iba a ser así. Al menos hoy. O quizá nunca.

—¿Seguro que no quieres que te prepare algo?

—Una copa.

—No creo que sea buena idea.

—Entonces vete. —Raine cerró los ojos y Bailey supuso que se había quedado dormida.

De pronto volvió a abrirlos.

—Recuerda.

Bailey la miró perpleja, sin comprender.

—Lo siento, no entiendo…

—Tú. Necesito que… tú…

Le temblaba la voz y se detuvo. Bailey se acercó y se acuclilló frente a ella.

—¿Qué necesitas?

—Saber si tú… —Raine parpadeó, como si le costara mantener los ojos abiertos— lo… viste…

—¿A quién?

—Al que… disparó…

Henry.

A Bailey se le ocurrió que quizá su cuñada había ingerido algo más aparte de alcohol.

—¡Espera! ¿Raine? —Zarandeó a su cuñada y esta abrió los ojos—. ¿Qué has tomado? ¿Pastillas? ¿Qué?

—Nada. Tengo sueño, eso es todo… —Raine cerró de nuevo los ojos.

—No te duermas…

Bailey se levantó de un salto. Si Raine había tomado algo, seguramente hallaría alguna prueba. Atravesó la casita de una sola planta. En la encimera de la cocina había una botella de vodka casi vacía, junto a un *brik* de zumo de naranja vacío. En el cubo de basura había unas botellas de vino. No había restos de comida, aparte de una caja de galletas saladas Triscuit y un paquete de Oreos.

No había viales de medicamentos en ninguna parte. Incluso parecía como si hubieran limpiado el botiquín del baño. Advil. Tylenol. Un medicamento genérico para la sinusitis. Abrió la caja y comprobó que sólo faltaban un par de dosis.

El bolso de Raine. Los bolsillos de su chaqueta.

Bailey localizó el bolso y lo registró. Nada. En el armario ropero encontró varias chaquetas, en cuyos bolsillos había un par de tarjetas de visita y unos pañuelos de papel.

Después de mirar en el armario se acercó a la cama. En el suelo había unas prendas amontonadas: vaqueros, camisetas. Parecía como si Raine se las hubiera quitado y las hubiera dejado caer al suelo. La ropa que había llevado ayer, pensó Bailey.

Registró apresuradamente las prendas. Nada. ¿Dónde podía haber ocultado Raine unos fármacos?

En su estudio.

Bailey miró a su cuñada, que dormía en el sofá, comprobó que respiraba con normalidad y fue a registrar el estudio.

Estaba igual que el día en que ella había estado aquí. Registró rápidamente el cavernoso espacio, examinando la mesa de trabajo y los carritos de herramientas. Nada.

Se detuvo y resopló, sintiéndose un poco estúpida debido a su afán de registrarlo todo. Pero Raine no pensaba con claridad, y mucha gente moría por mezclar fármacos con alcohol.

Pensar con claridad. Ella tampoco lo hacía. Había ido para tratar de descubrir algo sobre True. Averiguar si, por casualidad, Raine se había llevado a su casa las pertenencias de su primera cuñada.

Esta era su oportunidad.

En su apresurado registro de la casita, no había visto unas cajas que pudieran contener las cosas de True, ni un espacio donde guardarlas. Bailey hizo un cálculo mental. No había un garaje, el acceso al desván era desde el pasillo trasero, mediante una escalera abatible, en los armarios apenas cabía nada.

Sólo quedaba el espacio en que se hallaba ahora. Bailey se volvió lentamente, mirando a su alrededor, fijándose en dos puertas situadas al fondo del estudio. Ambas estaban cerradas. ¿Cuartos trasteros? Quizá.

La primera que abrió resultó ser un lavabo, no un armario ropero. Contenía un retrete, un lavabo y un espejo. La bombilla se había fundido. La otra puerta estaba cerrada con llave.

Un llavero. Colgado de la oreja de una pequeña gárgola que montaba guardia junto a la entrada del estudio. Las llaves del coche. Otras que Bailey supuso que eran las de la casa. Se preguntó si Raine tenía una llave de la casa en la que vivían Logan y ella. La idea hizo que se sintiera incómoda.

Tomó el llavero y se acercó a la puerta cerrada. Del llavero colgaban media docena de llaves. Bailey las probó una tras otra.

La última abrió la puerta. Entró y encendió la luz.

Era un cuarto trastero. Prácticamente una minigalería de arte. Había cuadros colgados en las paredes, sobre caballetes y demás soportes.

Todos eran retratos de True.

Bailey se detuvo en el centro de la habitación y se volvió lentamente, contemplando todos los cuadros. Algunos retratos eran preciosos. El rostro de True resplandecía como iluminado desde dentro, confiriéndole una belleza etérea. Parecía un ángel venido a la tierra. Otros eran sombríos. Siniestros y violentos. True con el corazón negro de una bestia. Una True despedazada por unos lobos imaginarios, gritando de dolor. En este cuadro al óleo, su temor y desesperación eran tan palpables como los de Raine en la vida real.

En una de estas terribles imágenes, True lucía unos zapatos rojos.

Con el corazón latiéndole aceleradamente, Bailey examinó el cuadro, esas pequeñas manchas rojas. Eran inconfundibles, aunque debido al estilo impresionista de Raine, era imposible adivinar qué tipo de zapatos eran.

Eso no demostraba nada. Pero podía significarlo todo. Podía ser la respuesta que ella había ido a buscar aquí. ¿Había pintado Raine esos zapatos apoyándose en su imaginación? ¿O en su memoria?

Sólo ella tenía la respuesta.

—¿Qué diablos estás haciendo?

Bailey se volvió sobresaltada. Raine estaba detrás de ella, el semblante pálido y contraído en un rictus de furia.

Bailey extendió una mano.

—Este cuadro de True, ella…

—Vete.

—Los zapatos, Raine, los zapatos. Debo saber…

—¡Estos cuadros son privados! ¡Esta habitación es privada!

—Por favor… —Bailey bajó la voz—. No pretendo hacerte daño, te lo prometo. Debo saberlo… ¿Por qué la pintaste con unos zapatos rojos?

Raine crispó los puños.

—Te mataría.

—¿Qué has dicho?

—Podría matarte. Ahora mismo, con mis manos. O empuñar mi rifle… —Raine avanzó un paso hacia Bailey, tambaleándose, los ojos centelleando de furia—. Tengo uno. Crecí cazando con Logan y con Roane. Soy una excelente tiradora. Podría… —Alzó las manos como si sostuviera un rifle…— hacer que volaras por los aires.

Rompe cada ventana hasta que el viento se lo lleve todo…

—No digas locuras.

Raine se bamboleó y se sujetó al quicio de la puerta.

—Así soy yo, la pobre y chiflada de Raine.

—Me marcho.

—No. —Raine la agarró del brazo cuando Bailey pasó junto a ella, con una fuerza asombrosa—. ¿Qué has venido a buscar aquí?

¿Por qué no?, se preguntó Bailey, mirándola a los ojos. ¿Qué tenía que perder?

—Quería averiguar el número de zapatos que gastaba True.

Su cuñada puso una cómica cara de sorpresa.

—¿Por qué?

—De todos modos, no me lo vas a decir. —Bailey la obligó a soltarla—. Olvídalo. Que te aprovechen los *brownies*.

—¡Quizá seas tú la que está loca! —exclamó Raine—. No yo.

Bailey alcanzó la puerta y la abrió.

—¿Qué más da? —La voz de Raine sonaba aguda, histérica—. ¡El mismo número que yo! ¡El treinta y siete!

Bailey no se volvió ni aminoró el paso hasta que alcanzó el sendero de acceso a la casa. Al llegar allí, se detuvo. Respiraba trabajosamente. Las piernas apenas la sostenían.

El treinta y siete. Aproximadamente el número del zapato rojo.

La puerta del garaje estaba abierta. El contenedor de basura de color azul se hallaba al fondo, a la izquierda. Desafiándola. Burlándose de ella. Retándola a que mirara en él. «*Ven a mirar dentro* —parecía decir—, *entonces lo sabrás con certeza.*»

Por más que trató de convencerse de que no debía hacerlo, Bailey se encaminó hacia el contenedor, experimentando una sensación opresiva, casi asfixiante.

En su mente apareció la imagen del cuadro que había pintado Raine. El retrato de True, luciendo unos zapatos rojos.

Del número treinta y siete.

¿Qué haces, Bailey? Déjalo estar. No perjudiques más tu matrimonio.

Pero no podía dejarlo estar. Se sentía atraída por una fuerza invisible, pero poderosa. Entró en el garaje. Se acercó al contenedor. Levantó la tapa. Miró dentro.

El zapato había desaparecido.

48

Todos los ancianos de Wholesome asistieron al funeral de Henry, junto con otros habitantes de la población. Los amigos y colegas de Stephanie. El personal de Abbott Farm. Los curiosos.

Extrañamente, Billy Ray no estaba entre ellos.

Bailey se detuvo ante una mesa en la que estaban expuestas unas fotografías y demás recuerdos de la vida de Henry. Antes del accidente había sido tan apuesto como un astro de cine. Moreno y seductor. Un excelente jinete, dedujo por la cantidad de cintas azules y medallas que había ganado.

Y bondadoso. Eso se veía en las fotografías, en sus ojos.

No era de extrañar que Elizabeth Abbott se hubiera enamorado de él.

Faye se acercó a ella. Había cerrado el restaurante para que sus empleados y ella pudieran ir a presentar sus respetos.

—Era un auténtico donjuán. No había mujer en la parroquia* que al verlo no quedara prendada de él.

Antes de que Bailey pudiera responder, un murmullo colectivo recorrió la estancia. Al volverse vio a dos policías. Uno joven y desgarbado, el otro mayor y corpulento, ambos de uniforme, pistolas incluidas.

Bailey oyó las murmuraciones. La palabra «asesinado» estaba en boca de todos. Por la expresión de Stephanie, dedujo que ella también las había oído. Se enfureció. Esta ceremonia era para honrar la vida de Henry, su admirable espíritu, no para chismorrear sobre su muerte.

---

* El estado de Luisiana se divide en parroquias. (*N. de la T.*)

Se acercó al policía más joven.

—¿Cómo se llama, agente?

—Earl Stroup, señora.

—Debería avergonzarse —dijo ella, bajito, para que los demás no lo oyeran—. Es una falta de respeto presentarse aquí armado.

—Cumplo con mi deber, señora.

—¿Qué clase de deber, si puede saberse?

El joven se sonrojó.

—Vigilar, señora.

—¿No podía hacerlo de paisano?

El agente se aclaró la garganta y restregó el suelo con los pies.

—No pretendo faltar al respeto a nadie. Henry era un anciano encantador. Pero Bob y yo tenemos órdenes.

Tal como ella se había figurado.

—Supongo que de llevar a cabo la venganza de su jefe. —Bailey vio a Logan al otro lado de la estancia, que le indicó que el oficio estaba a punto de comenzar—. Disculpe, agente Stroup. Debo ir a reunirme con mi marido.

Regresó junto a Logan. Él la condujo hacia los bancos, con la mano apoyada en su espalda, como si la sostuviera. Estaba tan cerca que ella percibió el penetrante olor de su loción *aftershave* y sintió el calor de su cuerpo. Sin embargo, tenía la sensación de que les separaban kilómetros de distancia.

La noche anterior apenas se habían dirigido la palabra. Él había regresado de la cuadra con gesto distante, distraído. Ella se había alegrado de no tener que fingir que su mundo no se estaba desmoronando.

Logan se había llevado el zapato rojo. ¿Por qué?

La habitación donde estaba expuesto el féretro en la pequeña funeraria estaba abarrotada de gente. Stephanie había pedido a Bailey y a Logan que ellos y Raine se sentaran en el primer banco junto a ella. No sólo porque no quería estar sola, sino porque Henry consideraba a los Abbott su familia.

Cuando Bailey se acercó al banco, Stephanie le tocó la mano. Bailey se agachó y la abrazó.

—Lo siento mucho, Steph.

—Gracias por haber venido.

Bailey asintió con la cabeza y se sentó junto a Logan. Paul y August estaban detrás de ellos, pero no había rastro de Raine. Bailey se volvió y escudriñó los rostros de los asistentes, pero su cuñada no estaba entre ellos.

Se inclinó hacia Logan y preguntó:

—¿Dónde está tu hermana?

Él se volvió también para tratar de localizarla, y meneó la cabeza.

—Hace un rato estaba aquí. —Se volvió y preguntó a Paul—. ¿Sabes dónde está Raine?

—Ni idea.

Logan miró a August con gesto interrogante. Este respondió también que no lo sabía.

—¿Quieres que vaya en su busca? —preguntó Bailey.

—No te molestes. Si no está aquí, será porque no se siente con ánimos de asistir al funeral.

Bailey imaginó a su cuñada lamiéndose las heridas en alguna parte. Hundida. No obstante, sabía que estaba bien. Raine no aceptaría el consuelo de ella ni el de nadie.

Abrió la mano en una invitación silenciosa para que Logan la tomara. Él la complació y el pastor comenzó la ceremonia. Habló de la vida y la muerte. La esperanza y la resurrección. De un hombre sencillo y bondadoso que había amado con generosidad.

En la habitación hacía un calor asfixiante. Bailey respiró profundamente a través de la nariz, confiando en que el oxígeno la reanimara.

Trató de centrarse en el pastor, pero no dejaba de mirar el ataúd.

¿Pudo haber hecho algo?, se preguntó. ¿Pudo haber intervenido? Había estado muy cerca de él, tanto que la sangre del anciano había empapado su ropa. Había manchado sus manos.

Rojo. Por todas partes.

Y ahora Henry yacía en un ataúd.

Una caja.

Una pequeña caja de madera. Henry la miraba sonriendo. Un regalo. Para ella.

Bailey se llevó la mano a la boca, temiendo que fuera a vomitar. No. Tenía que reprimir las náuseas. No podía vomitar aquí. No en este momento.

Henry.

Sonriendo mientras levantaba la tapa de la caja.

Bailey se levantó apresuradamente, tapándose la boca con la mano. Sintió la mirada de todos los asistentes fija en ella, oyó al pastor trabarse al decir una frase.

Logan le dijo algo. Pero ella no podía detenerse para escucharlo. Salió al pasillo y corrió hacia el lavabo de mujeres. Consiguió llegar a él, pero tuvo que detenerse delante del primer lavabo. Se inclinó sobre él y vomitó el desayuno.

Se enjuagó la boca y después limpió el lavabo, utilizando las toallas de papel y el jabón. De pronto se percató de que no estaba sola.

Raine estaba sentada en el pequeño sofá. Mirándola con los ojos hinchados y enrojecidos.

—Lo siento —dijo Bailey—. No te había visto.

—Tengo unas pastillas de menta. Por si quieres una.

Su amabilidad sorprendió a Bailey.

—Sí, gracias.

Se acercó al sofá, tambaleándose un poco, y se sentó en el otro extremo. Su cuñada sacó una cajita de aluminio del bolso y se la ofreció.

Otra caja, pensó Bailey.

—Son muy fuertes —dijo Raine.

Bailey sonrió débilmente ante la referencia por parte de su cuñada al eslogan publicitario de la marca de caramelos y su intento de quitar hierro al asunto.

—Creo que necesitaré dos.

—Quédate con la caja.

—Gracias —respondió Bailey, tomándola—. Te lo agradezco.

Ambas callaron. Al cabo de unos momentos, Raine rompió el silencio con una pregunta.

—¿Qué te ocurre?

—¿Perdón?

—Me refiero a los vómitos. ¿Son debidos a la lesión que tienes en la cabeza?

—No. —Bailey confió en que Logan no se enfadara, pero no podía ocultarle a su cuñada la verdad—. Estoy embarazada.

Raine palideció. Su reacción dolió a Bailey.

—¿No estás preparada para ser tía? —le preguntó.

—No es eso.

De nuevo, nada. Tan sólo esa mirada ausente.

—Entonces ¿qué es, Raine? Háblame.

Su cuñada meneó la cabeza y desvió la vista.

—Enhorabuena.

—Eso no es lo que yo…

Un golpecito en la puerta del lavabo la interrumpió.

—¿Bailey? Soy yo. ¿Estás ahí?

—Sí, Logan —respondió ella—. Con Raine.

Él asomó la cabeza por la puerta.

—¿Te encuentras bien?

—Sí, sólo… He vomitado.

Él miró a su hermana.

—¿Puedes darnos un minuto?

Raine se encogió de hombros y se levantó.

—Desde luego…, papaíto.

Cuando Raine salió, Logan se sentó junto a Bailey y tomó su mano.

—¿Le has dicho lo del bebé?

—Me preguntó el motivo de que vomitara cada dos por tres.

—Es muy propio de ella. —Él se detuvo unos instantes y luego añadió—: Me alegro de que se lo hayas contado.

—No parecía muy contenta.

—No me extraña. —Logan se volvió hacia ella—. No quiero hablar de Raine.

—¿No?

—Lo siento, Bailey —respondió él—. Me he equivocado en todo. No debí implicarte en este culebrón sin haberte preparado. Era absurdo suponer que te comportarías como si no ocurriera nada de particular, como si todo fuera bien. Hace mucho que todo va mal.

—No comprendo.

—Hay ciertas cosas que… no he compartido contigo. Pensamientos y…

—Mientras te tenga a ti, todo va bien.

—No. —Él le apretó la mano con fuerza—. Tenemos que hablar. Ponerlo todo sobre la mesa, Bailey. Todo.

Ella lo miró a los ojos, sintiendo de pronto un escalofrío.

—¿De qué se trata, Logan?

—Aquí no. En casa. Tú y yo solos.

—Te quiero mucho, Logan.

Él la besó. Raine eligió ese preciso momento para abrir la puerta y asomar la cabeza.

—Más vale que salgas, Logan.

—¿Qué pasa?

—Han venido Billy Ray y unos ayudantes del *sheriff*.

Él arrugó el ceño.

—Te están buscando.

Bailey se quedó helada. Él se levantó para dirigirse hacia la puerta, pero ella lo agarró de la mano.

—No vayas, por favor.

—¿Confías en mí?

—Sí.

—Entonces no te preocupes. Todo irá bien.

Ella no podía devolverle la sonrisa. Tenía la sensación de que este momento era distinto. Como si todo estuviera coordinado, calculado para infligirles el mayor dolor posible.

Logan salió del lavabo. Bailey lo siguió. Las piernas le flaquearon al ver a Billy Ray y a los ayudantes del *sheriff*. Al ver la expresión de satisfacción del policía, como diciendo «¡Te he atrapado!»

Rumsfeld, el detective que ella reconoció del otro día, se acercó a Logan.

—¿Logan William Abbott?

—Sí. ¿A qué viene…?

La puerta de la sala contigua se abrió y aparecieron los portadores del féretro, seguidos por Stephanie, Paul y August. Todos los miraron. Stephanie tropezó y Paul la sostuvo para evitar que se cayera. Los habitantes de Wholesome empezaron a salir detrás de ellos, observándolos estupefactos, sumidos en un silencio atronador.

—Traigo una orden de arresto contra usted.

—¿De qué se me acusa?

—Del secuestro de Dixie Jenkins.

—¡No! —soltó Bailey sin querer.

Rumsfeld hizo un gesto a Billy Ray, que se acercó sosteniendo las esposas.

Logan las miró y luego miró al jefe de policía.

—Vamos, Billy Ray. No irás a ponerme…

—Vuélvete, Abbott.

—… esas esposas. ¿En serio?

—Y tan en serio —contestó el policía, colocando uno de los brazos de Logan a la espalda y poniéndole una de las esposas—. Tienes derecho a guardar silencio. —Tiró del otro brazo hacia atrás—. Todo lo que digas podrá ser utilizado en tu contra en un tribunal de justicia...

Billy Ray le colocó la otra esposa.

—Tienes derecho a...

—¡Maldito cabrón! —Raine pasó frente a Bailey y se abalanzó sobre Billy Ray—. ¡Esto es mentira!

Los dos detectives la sujetaron. Ella se revolvió contra ellos, pataleando y agitando los brazos.

—¿Cómo pueden hacer esto? ¡Es mentira! ¡Es mentira!

Mientras los detectives conducían a Raine fuera, Billy Ray continuó, impertérrito ante el arrebato de esta, recitando a Logan sus derechos.

—¿Has entendido los derechos que acabo de leerte?

Logan asintió con la cabeza y Billy Ray le hizo avanzar de un empujón, mientras buena parte de Wholesome asistía a la escena. Bailey corrió tras ellos al tiempo que las lágrimas rodaban por sus mejillas.

—¡Espera! —gritó—. ¿Qué debo...? ¡No sé qué hacer!

—Llama a mi abogado —dijo Logan—. Terry King. Explícale lo ocurrido.

Billy Ray lo obligó a montar en el coche patrulla y cerró de un portazo. Al cabo de unos momentos, Bailey observó al vehículo partir, con las luces destellando y la sirena puesta.

49

13:25

Las siguientes horas transcurrieron como envueltas en una bruma. Tal como Logan le había indicado que hiciera, en cuanto regresó a casa Bailey llamó al abogado. Terry King le explicó que conducirían a Logan a la cárcel de la parroquia, donde tomarían sus datos y sus huellas dactilares y le ingresarían en ella. Le advirtió que quizá no pudieran hablar con él hasta al cabo de varias horas y que procurara conservar la calma.

Eso se dice pronto.

Tanto Paul como August se habían ofrecido para quedarse con ella. Bailey se había negado de forma tajante. Ambos lo habían aceptado después de que ella les prometiera llamarlos si necesitaba algo.

Temía que su presencia hiciera que se sintiera peor, no mejor. Temía que August dijera alguna inconveniencia. Y que Paul, aunque leal y afectuoso, esperara que ella se comportara de forma tan estoica como él. Bailey quería poder romper a llorar, gritar, patalear, arrojarse sobre la cama y aullar, o tumbarse hecha un ovillo encerrada en su silenciosa desdicha.

Todo eso era justamente lo que había hecho en cuanto ellos se habían marchado. Sentía como si le hubieran arrancado el corazón del pecho.

Tony, como si intuyera su desolación, apoyó la cabeza en su regazo, gimiendo lastimosamente. Ella se inclinó y sepultó la cara en el peludo cuello del animal.

—¿Qué vamos a hacer? —murmuró—. Él no lo hizo, *Tony*. Me consta.

El perro respondió lamiéndole la mano. Bailey cerró los ojos, pero no dejó de llorar.

Pese a las dudas que la habían atormentado durante las últimas semanas y meses, sobre las murmuraciones de los demás y las preguntas sin respuesta, sobre lo fortuito y lo inexplicable, en su fuero interno sabía que Logan no era culpable. No podía serlo, no el hombre que ella amaba.

No dejaba de ser irónico que momentos antes de que lo arrestaran ambos hubieran prometido confiar el uno en el otro. Comenzar de nuevo. Creer el uno en el otro y en su amor.

Bailey se enderezó, se enjugó las lágrimas de las mejillas. ¿No era eso la esencia de la fe? ¿Creer más allá de toda duda? ¿Confiar plenamente no en lo que podía ser analizado en el mundo físico, sino en lo que sólo el corazón podía sentir?

¿Estaba convencida de lo que le había prometido a Logan? Cuando le había dicho que lo amaba, ¿lo había dicho en serio?

Tony levantó la cabeza, moviendo el hocico y las orejas, y soltó un gruñido gutural.

La puerta de la cocina. Se cerró sigilosamente. Unos pasos. Bailey sintió que el corazón le daba un vuelco de alegría. Lo habían liberado. Él tenía razón, todo se solucionaría.

—¡Logan! —exclamó, levantándose de un salto y corriendo hacia la cocina—. ¡Gracias a Dios! Temía que…

Pero se detuvo en seco. No era Logan.

Raine.

Ambas se miraron durante lo que a Bailey le pareció un siglo, aunque debieron ser unos instantes.

—¿Cómo has entrado?

—Tengo una llave.

Una oleada de intensa indignación hizo presa en Bailey.

—¿Has venido a burlarte de mí?

—Por Dios, claro que no. ¿Por qué dices eso?

—¿Acaso te extraña?

Raine la miró consternada.

—Quiero a mi hermano. Más de lo que imaginas. Es a mí a quien no tengo ningún afecto.

—Ni a mí. —Su cuñada se abstuvo de hacer un comentario y Bailey continuó—: ¿Por qué has venido, Raine? No somos amigas. Has dejado muy claro que me consideras una estúpida ingenua indigna de tu hermano.

Bailey cruzó los brazos.

—¿Quien te pidió que vinieras a ver cómo estaba, Paul o August?

—Ninguno de los dos. Esta brillante ha sido mía.

—No te esfuerces, prefiero estar sola. —Bailey alargó la mano—. Dame la llave y vete.

—Lo siento, no puedo hacerlo.

—Por favor, márchate.

—Siéntate. Te prepararé una taza de té.

—Raine...

—No te reprocho que estés enfadada conmigo —la interrumpió su cuñada—. Pero ahora no se trata de lo gilipollas que he sido contigo. Se trata de Logan. —Su voz se suavizó—. Él querría que estuviera aquí contigo. Para asegurarme de que tú y el bebé estáis bien.

Bailey la miró un momento y luego rompió a llorar. Se tapó la cara con las manos.

—Estoy muy asustada.

Raine la abrazó, dándole unas tímidas palmaditas en la espalda mientras Bailey seguía llorando.

—Lo sé. Yo también lo estoy. Pero todo se arreglará.

Cuando Bailey dejó de llorar, Raine la condujo al sofá de la sala de estar y le ordenó que se sentara. Luego se acuclilló delante de ella y tomó sus manos.

—¿Sabes algo?

—Nada.

—Lo cual no significa nada. ¿Has llamado al abogado? —Bailey asintió con la cabeza y Raine prosiguió—: Es muy bueno, por lo que en ese aspecto puedes estar tranquila. ¿Sabes cómo funciona este proceso?

—No —murmuró Bailey.

—En primer lugar, una cosa es arrestar a alguien y otra acusarlo de un delito. Para hacerlo tienen que tener suficientes pruebas. Esa decisión no le corresponde a Billy Ray. Ni a la oficina del *sheriff*. Lo hace la fiscalía. Si ésta no cree disponer de suficientes pruebas para seguir adelante, para ganar el caso, tienen que liberar a esa persona.

—¿Tú crees?

—Sí. En ocasiones arrestan a alguien a quien no pueden acusar de un delito. Si no pueden imputarle unos cargos, tienen que soltarlo. Y no disponen de mucho tiempo para decidirse. Unas setenta y dos horas.

—Tres días —murmuró Bailey, sorbiéndose los mocos—. Una eternidad.

Raine le pasó una caja de pañuelos de papel. Bailey tomó varios.

—¿Cómo sabes todo esto?

—Por mi padre —contestó Raine—. O la persona que yo creía que era mi padre. Y por True.

—¿Logan…? —Pero las palabras se le atascaron en la garganta. Bailey carraspeó para aclarársela y prosiguió—: ¿Le habían arrestado alguna vez?

—No —respondió Raine, meneando la cabeza—. Le interrogaron sobre True. Fue horroroso. Una injusticia. Yo…

Se levantó sin terminar la frase.

—Iré a preparar un poco de té.

—¿Té?

—No me mires así, como si fuera a salir un alienígena de mi barriga. Maldita sea, trato de comportarme como una cuñada afectuosa y comprensiva. Estás embarazada, de modo que no puedes tomar alcohol. Si no lo estuvieras, ya habría descorchado la segunda botella de vino.

Por extraño que le pareciera, Bailey notó que en sus labios se dibujaba una sonrisa.

—Han arrestado a mi marido y mi cuñada me trata con amabilidad. He caído en un universo alternativo y no puedo salir de él.

Raine se echó a reír.

—La vida da muchos giros imprevistos.

Sí, como una montaña rusa, pensó Bailey. Girando de forma descontrolada. Estrechó uno de los tres cojines contra su pecho. De pronto recordó el siniestro retrato que Raine había pintado de True calzada con unos zapatos rojos.

Ese maldito zapato. Ojalá no lo hubiera hallado nunca.

Pregúntale por él, Bailey.

Raine regresó con el té. Depositó la taza de Bailey en la mesita de café, frente a ella. Olía a naranjas y especias, canela y clavo. Una mezcla reconfortante. Bailey no tenía fuerzas para alargar la mano y tomarla.

—Quiero hacerte una pregunta —dijo, mirando a Raine.

—De acuerdo.

—¿Tenía True unos zapatos rojos?

Raine estuvo a punto de atragantarse con el té.

—Caramba, no sospeché que ibas a preguntarme eso.

—Contéstame.

—No lo sé. ¿Por qué?

—En uno de tus cuadros, en esa habitación…, llevaba puestos unos zapatos rojos.

—Una decisión estética. Eso es todo. —Bailey guardó silencio y Raine añadió—: Es la diferencia entre el realismo y el expresionismo. Mis decisiones artísticas son emocionales.

Bailey encogió las rodillas contra su pecho y apoyó en ellas la barbilla; los pensamientos se agolpaban en su mente.

—¿Crees que Logan mató a True?

Raine la miró estupefacta.

—¡No! Claro que no. Él la amaba.

—El amor y el asesinato van unidos. —Bailey pestañeó para reprimir las lágrimas—. Es lo que suele decirse, ¿no?

—Logan no mató a True. Pese a lo que digan Billy Ray y otros, que lo pintan como un monstruo despiadado, no lo es. Es un hombre amable y bondadoso. Incapaz de matar a una mosca, y menos a un ser humano.

Bailey no pudo seguir reprimiendo las lágrimas y sepultó la cara en el cojín.

Raine se sentó a su lado para tratar de consolarla.

—Tranquilízate. No quería hacerte llorar.

—Es que me siento tan… feliz. —Bailey miró a Raine, cuyo rostro aparecía borroso por las lágrimas que vertía—. Porque eso es lo que pienso de él. Pero los demás… ¡Piensan que es un asesino desalmado!

—Se equivocan.

Bailey se rió, un sonido que parecía más un gemido que una carcajada. Luego se sonó.

—¿Cómo hemos caído en esta horrible situación?

—¿A mí me lo preguntas?

Bailey se rió de nuevo y se enjugó los ojos con un pañuelo limpio.

—Gracias.

—¿Por qué?

—Por estar aquí.

Raine calló unos momentos; luego miró de nuevo a Bailey.

—Debo decirte algo.

Bailey esperó, aunque en parte deseaba taparse los oídos. No sabía si podría soportar otra mala noticia.

—Me consta que Logan no mató a True.

Bailey sintió que tenía la boca seca. Trató de tragar saliva, pero no pudo.

—¿Cómo lo sabes? —preguntó al fin con voz entrecortada.

—Porque conozco el motivo por el que True abandonó a Logan.

—No sé si puedo seguir hablando de esto ahora mismo, Raine. No sé si seré capaz de encajar otra cosa que Logan me ha ocultado.

—Él no lo sabe. Sólo lo sé yo. Es mi secreto.

Raine se cubrió la cara con las manos. Bailey vio que temblaba.

—Mi secreto —repitió Raine—. Mío y de True.

—¿Logan no lo sabía?

—No. Me ha estado corroyendo. Me siento… responsable. —Raine suspiró—. Comprendo lo de True. Comprendo por qué Logan se enamoró de ella, por qué ella se enamoró de él. La mutua atracción que sentían. Pero no comprendo lo vuestro.

—Vaya, gracias.

—No es por los motivos que supones. Su atracción se basaba en algo funesto.

Raine profirió una palabrota y cogió un pañuelo. Lo oprimió contra sus ojos. Cuando alzó la vista, Bailey observó que los tenía enrojecidos.

—Me prometí que no lloraría.

—Yo me lo prometo todos los días. Y ya ves el resultado.

Raine torció el gesto.

—True y yo nos hicimos amigas. Amigas íntimas. Su madre estaba loca. Era una esquizofrénica. Oía voces y demás. Se pasaba la vida entrando y saliendo de hospitales.

—August me dijo que era bipolar.

—Esa fue la historia que True nos contó a todos. Ya sabes, unas enfermedades mentales resultan más aceptables que otras.

Bailey percibió el sarcasmo en el tono de Raine, pero no hizo ningún comentario.

Su cuñada estrujó el pañuelo de papel hasta destrozarlo.

—A True le aterrorizaba que sus hijos pudieran heredar la locura de su madre.

—No entiendo.

—Estaba embarazada, Bailey.

—Cielo santo.

—Había mentido a Logan. Cuando se conocieron, le dijo que no podía tener hijos.

—¿No usaba ningún tipo de anticonceptivo?

—Un DIU.

Bailey asimiló esa información.

—No le era infiel.

—No.

—¿Y el pago con la tarjeta de crédito en ese hotel?

—Fue a ver a un médico allí. Donde nadie la conocía.

—¿Y el dinero que sacó de la cuenta?

—Para pagar el aborto.

Bailey se llevó una mano al vientre en un gesto protector.

—¿Diez mil dólares? Es mucho dinero.

—No lo sé, imagino que lo necesitaría. Tenía que pagar en efectivo, y quería que luego le practicaran una ligadura de trompas. Y Logan no se enteraría nunca.

—Pero debió suponer que él averiguaría que había retirado ese dinero de la cuenta.

—No. La cuenta era de True. Y si él lo averiguaba, ella le diría que lo había enviado a su madre.

Tantas mentiras… Bailey pensó en las suyas y sintió náuseas.

—¿Qué sucedió?

—La llevé en coche para que le practicaran el aborto. Pasó la noche en una habitación de hotel en Metaire. Sangraba mucho. Y estaba muy abatida.

—Cuando ella se marchó, ¿por qué no contaste a la policía la verdad? ¿Por qué no se lo dijiste a Logan?

—¿No comprendes? Eso habría hecho que él pareciera más culpable, no menos.

—No entiendo.

—Un marido averigua que su mujer ha abortado sin decírselo, monta en cólera y…

—La mata. —Bailey emitió un suspiro entrecortado—. Pero pensar que su mujer le había sido infiel le hizo mucho daño.

—¿Más que saber que había matado al hijo que esperaba de él?

—Tenías miedo —dijo Bailey, comprendiendo de pronto lo que

había motivado a Raine—. Temías perder a Logan. Que te odiara por haber ayudado a True a abortar.

Los ojos de su cuñada se llenaron de lágrimas.

—Me he odiado a mí misma desde entonces, y él también me habría odiado.

—¿No intentaste disuadirla? ¿Convencerla para que no lo hiciera?

—¡Por supuesto! —Raine desvió la vista y luego miró de nuevo a Bailey—. Le rogué que no lo hiciera. Logan la amaba. El hecho de saber que iba a ser padre le habría hecho tan feliz que la habría perdonado por decirle que no podía tener hijos. Cualquier solución era preferible a… eso.

—Un aborto.

—Sí.

True no había estado liada con otro hombre.

Había abortado. Pero ¿por qué se había marchado?

Bailey se lo preguntó a Raine y su cuñada bajó la vista y la fijó en su regazo, en el que reposaban los fragmentos del pañuelo de papel que había destrozado.

—Siempre pensé que True tenía tanto miedo a que él lo averiguara que al final decidió marcharse.

Bailey se inclinó hacia delante.

—Eso no tiene ningún sentido.

—Puede que se sintiera culpable y no soportara mirarlo a la cara.

Bailey meneó la cabeza.

—Nada de esto tiene sentido. ¿Desaparecer de esa forma, como si se hubiera convertido en una víctima, como las otras mujeres? Fue una canallada.

—True no era mala persona. Era frágil. Quizás hizo lo que hizo para que Logan no fuera en su busca. O quizá no pensó en el daño que le haría. Simplemente se fue.

—Por otra parte, alguien debió de ayudarla.

—¿A qué te refieres?

—Su vehículo. Lo encontraron junto al viejo establo en Miller Road. Un establo abandonado, en medio de ninguna parte. No pudo haberse marchado a pie.

—Supongo que llamó a una vieja amiga y le pidió que fuera a recogerla. Sé que suena raro, pero yo la conocía. Su estado de ánimo era muy frágil y parecía sentirse tan perdida y… asustada.

Bailey sintió que empezaba a dolerle la cabeza y se frotó distraídamente la base del cráneo.

—Creo que True está muerta. Alguien la mató. Tú también lo sabes. En el fondo, sabes que es así.

—Logan no lo hizo —murmuró Raine con voz entrecortada.

—No, no fue Logan. Otra persona.

Henry. En un ataúd.

Una caja.

—Pero ¿quién?

Una pequeña caja de madera. Henry la mira sonriendo. Un regalo. Para ella.

—Hoy, durante el funeral, antes de sentirme indispuesta... —Bailey se detuvo mientras la imagen inundaba su mente.

Henry levantando la tapa, mostrándole con orgullo...

—¡Dios santo! —Bailey miró a Raine, pero en su lugar vio a Henry.

50

Miércoles, 23 de abril

15:00

El recuerdo la envolvió, como el viento que había penetrado a través de las ventanillas bajadas del coche. Por la radio sonaba la voz de Carrie Underwood. Bailey canturreaba la canción. La doctora Saunders le había confirmado lo que sospechaba, que Logan y ella iban a tener un hijo.

Estaba impaciente por decírselo a su marido. Se llevaría una alegría tan grande como ella. Esto hacía que todas las preocupaciones y angustias de los últimos días pareciesen insignificantes.

Todo lo que Logan le había dicho era cierto. El zapato rojo había terminado junto al estanque por los motivos que él le había explicado. *Tony*, como era de suponer, había vuelto para rescatar su trofeo. Es lo que hacen los perros. Desenterrar huesos y volver a enterrarlos.

Su cuento de hadas tendría un final feliz.

Bailey tomó el sendero de grava que conducía a la cabaña de Henry y al cabo de unos momentos se detuvo frente a ella. Se bajó del coche, cerró la puerta del vehículo y alzó el rostro al sol. Se sentía maravillosamente.

Tony la oyó y salió corriendo de entre los arbustos, moviendo las orejas y con esa sonrisa bobalicona que le daba el aspecto de un personaje de cómic. De uno de los personajes de una historia del doctor Seuss. Se abalanzó contra sus piernas, casi derribándola al suelo. Cuando Bailey logró recobrar el equilibrio, se agachó y le acarició.

—Eres un perro feliz —dijo, rascándole detrás de las orejas—. Se te nota.

El animal meneó la cola, tras lo cual dio media vuelta y subió corriendo los escalones del porche, ladrando para anunciar la llegada de

Bailey. Ella lo observó sonriendo y sacudiendo la cabeza, y al cabo de unos instantes lo siguió a un ritmo más moderado. Alcanzó la puerta en el preciso momento en que Henry la abrió. Al verla el anciano esbozó su extraña sonrisa, que parecía más bien una mueca.

—Señorita True, ha venido a verme.

Siempre lo decía de una forma que expresaba sorpresa y una profunda gratitud, como si no creyera merecer tener una amiga.

—Sí —respondió ella—. Mira lo que te he traído.

Bailey sacó la chocolatina Baby Ruth de su bolso y los ojos del anciano se iluminaron. La tomó y le quitó enseguida el envoltorio.

—Yo tengo algo para usted —dijo con la boca llena de chocolate.

Ella sonrió.

—Eres un encanto.

—Espere aquí.

Henry se volvió y entró apresuradamente en la casa, regresando al cabo de un minuto con una caja de madera. Se la ofreció sonriendo con orgullo.

Ella la tomó. Era aproximadamente del tamaño de una caja de zapatos de hombre, pesada y hecha a mano. La madera era muy bonita, aunque estaba mellada. La tapa, con bisagras, se cerraba mediante un cierre metálico.

—¿Qué es?

—Es para usted —respondió el anciano, sonriendo de nuevo.

Ella se sentó en una de las mecedoras, él en la otra.

—¿La has hecho tú?

Él negó con la cabeza, extendió la mano y dio unos golpecitos en la parte inferior de la caja. Ella la volvió para examinarla. En la parte inferior había unas iniciales grabadas a fuego. Y una fecha.

L. W. A. 2 de mayo de 1988

Las iniciales de Logan. Bailey calculó que su marido debía de tener diez años por esa época. Pasó los dedos sobre las letras, imaginando a Logan de niño, «firmando» con orgullo su obra maestra.

El perfecto cofre del tesoro para un niño de diez años.

A Bailey se le llenaron los ojos de lágrimas.

—Gracias, Henry. Me encanta.

—Ábrala —dijo el anciano con el entusiasmo propio de un niño.

Bailey levantó la tapa. Y contuvo el aliento. El zapato rojo. Limpio y seco, descansando sobre un trapo de cocina.

Después de acompañarla a casa, Henry debió regresar a por el zapato. Bailey sintió que se le formaba un nudo en la garganta al recordar las cosas que había pensado sobre Logan. Unas cosas terribles.

—Lo he guardado para usted.

—Ya lo veo. —Ella carraspeó para aclararse la garganta—. Gracias, Henry.

Él sacó el zapato de la caja.

—¿Quiere probárselo?

Bailey no tenía ganas, pero el anciano la miraba con tal entusiasmo que no pudo negarse. Se quitó la sandalia y se calzó el zapato. Le sentaba como hecho de encargo, y sintió que se le ponía la piel de gallina.

El zapato de una mujer muerta.

Se lo quitó rápidamente, esforzándose en ocultar su escalofrío.

—El zapato de True —dijo el anciano.

Ella lo miró.

—¿Qué has dicho?

Pero él siguió rebuscando en la caja.

—Mire.

Ella arrugó el ceño. Henry le mostró una pulsera de plata, ancha y reluciente, de bisutería.

Bailey contempló el resto del contenido de la caja. Una colección de baratijas. No eran nuevas, sino que parecía como si Henry las hubiera hallado en el suelo. Bailey metió la mano en la caja y examinó los objetos. Un pasador de pelo decorado con brillantitos. Un collar con una inicial, la «N», que colgaba de una cadena barata comprada en una tienda de todo a un dólar. La pulsera. Una barra de labios de color rosa vivo. Un llavero de la Universidad Estatal de Luisiana.

Y por último el anillo de graduación de una chica. Covington High, clase de 2010.

Miró el anillo, experimentando una sensación muy extraña. Como ese momento en que el último resorte de una cerradura de combinación encaja y se oye un *clic*, o cuando colocas la última pieza de un puzzle y contemplas el cuadro completo. Todo encajaba.

Bailey tomó el anillo, esforzándose en conservar la calma. Sabía lo que esta caja constituía, lo que los objetos representaban. Por más que trató de convencerse de lo contrario, el horror de la verdad hizo que se le helara la sangre.

Los recuerdos de un asesino. Su caja de trofeos.

—¡Bailey!

Su vista se aclaró de pronto. Raine la miraba, perpleja y preocupada.

—¿Te sientes bien? —preguntó.

Pestañeó.

—Sí.

—Estabas distraída. Como ausente.

Los recuerdos de un asesino.

L. W. A. 2 de mayo de 1988.

—Has vuelto a hacerlo.

—Acabo de recordar... —Bailey se detuvo. No sabía cómo reaccionaría Raine si se lo contaba. Quizá reaccionara de mala manera. Podía ponerse histérica, incluso violenta.

Tenía que pensar. Tomarse un momento para digerirlo..., descifrarlo.

¿Cuántos objetos había en esa caja?

Seis. Además del zapato.

—Di algo, Bailey. ¿Qué es lo que has recordado?

El zapato de True, había dicho Henry.

¿Lo era? ¿Cómo lo sabía Henry? ¿Qué había visto y oído mientras vivía allí, solo, en el bosque?

Pero el anciano creía que *ella* era True; la había encontrado desenterrando el zapato del lodo. Luego lo había rescatado para dárselo a ella.

En su mente perturbada, el zapato era de ella.

—¿Bailey? Me estás asustando.

¿Qué sabía ella realmente sobre el zapato o la caja y su contenido? Nada. En ese instante, Bailey tomó una decisión.

—Recordé que vi a Henry el día en que murió. Fui a visitarlo.

—Dios mío. ¿Estaba bien? ¿No estaba enfermo o...?

—No, estaba perfectamente. Era..., el Henry de siempre, dulce y encantador, feliz de ver... —Pero Bailey no pudo terminar la frase—. Le echo mucho de menos.

—¿Eso es todo?

Bailey se llevó una mano a la cabeza.

—No me encuentro bien.

—¿Vas a vomitar?

—No. Pero creo…, necesito echarme un rato.

—Te haré compañía.

—No. —La palabra sonó más brusca de lo que Bailey había pretendido, y suavizó el tono—. Quiero estar sola, Raine.

—De acuerdo, pero no me iré. *Tony* y yo nos quedaremos aquí abajo.

La dura y sofisticada Raine se comportaba de pronto como una niña asustada. Bailey le apretó la mano y se dirigió hacia la parte delantera de la casa. Al llegar a la puerta de la cocina se volvió. Su cuñada estaba sentada en el sofá, rodeando con los brazos el cuello de *Tony*, que estaba a su lado.

En ese momento Bailey comprendió que Raine necesitaba su compañía de una forma que ella no la necesitaba ni necesitaría nunca. Porque era fuerte. Más de lo que había imaginado.

Haciendo acopio de su renovada fortaleza, entró en el dormitorio y cerró la puerta con llave. Luego se acercó apresuradamente a su mesita de noche, donde guardaba un diario.

Destapó el bolígrafo y abrió el diario por la primera página. Escribió:

Seis objetos. Todos pertenecientes a una mujer.

Siete, contando el zapato.

No, pensó. El zapato, no. Lo había incluido Henry, no el asesino.

El asesino. Podía ser cualquiera. Incluso Henry. La caja estaba en su poder. Junto con el zapato y los otros objetos. ¿A la policía no le parecería sospechoso?

Pero ella sabía que el dulce e ingenuo Henry no podía ser el asesino.

Ni tampoco Logan.

Bailey respiró hondo para tranquilizarse y anotó los seis objetos en el diario.

Un pasador de pelo.

Una pulsera.

Un collar con la inicial «N».

Un llavero.

Una barra de labios.

Un anillo de graduación.

Al consignar este último objeto cerró los ojos, tratando de recordar cada detalle del anillo. *Covington High*. Covington, una ciudad grande comparada con Wholesome, situada al sur, a unos veinte minutos en coche. *Clase de 2010*.

¿Había un nombre? ¿O unas iniciales? Bailey rebuscó en su memoria, pero soltó un resoplido de frustración. No recordaba haber comprobado si en el interior del anillo había alguna inscripción. Al menos, no lo recordaba de momento.

Escribió: *¿Alguna inscripción?*

Luego se centró en el llavero de la Universidad Estatal de Luisiana. El buque insignia de las universidades del estado. Su equipo de fútbol americano, los Tigers, figuraba entre los diez mejores de la Conferencia del Sureste. Hacía poco que Bailey residía en esta zona, pero no había tardado en darse cuenta de que las gentes de este lugar estaban obsesionadas con los Tigers. Por tanto, el hecho de que una mujer tuviera uno de esos llaveros no significaba que fuera una estudiante.

Aunque podía serlo. Lo cual la dejaba donde estaba.

Bailey tamborileó con el bolígrafo sobre la página del diario. ¿Qué sabía sobre las mujeres que habían desaparecido? Recordó ese día en el restaurante de Faye; el periódico abierto ante ella sobre la mesa, con el siguiente titular:

Desaparece una segunda mujer en Wholesome

Una mujer joven, de cabello castaño. Abby no sé cuántos. No, Amanda. Sí, Amanda LaPier.

Bailey escribió el nombre y rebuscó en su memoria el de la otra mujer. Al cabo de unos momentos lo recordó. Trista Hook. Cuatro años atrás.

Ahora, Dixie Jenkins. Habían acusado a Logan de su... No pudo terminar la reflexión y anotó los dos nombres.

Bailey leyó sus notas. Tres mujeres desaparecidas. Sin contar a True. Seis objetos en la caja. Arrugó el ceño y escribió: «*¿Tomaba el asesino más de un objeto de cada víctima?*»

Amanda, Trista y Dixie. No, Dixie no. Había sido secuestrada después del accidente de Bailey y Henry le había dado la caja *antes*.

Tomó nota de eso y tachó el nombre de la mujer. Eso significaba, excluyendo a True, que sólo habían desaparecido dos mujeres. Ninguna de ellas tenía un nombre que empezara por ene. ¿Había estudiado alguna en la Universidad Estatal de Luisiana en Baton Rouge? Bailey escribió que debía consultar ese dato en la Red.

Seis objetos en la caja. Seis trofeos.

Pero sólo habían desaparecido dos mujeres.

No tenía sentido. A menos que se equivocara con respecto a la caja. Quizás, al igual que el zapato, eran simplemente unos objetos que Henry había reunido a lo largo de los años, que había limpiado y guardado en una vieja caja de zapatos que había hallado en una de las cuadras o el garaje.

No tenían nada que ver con las mujeres desaparecidas ni con Logan.

L. W. A. 2 de mayo de 1988.

Pero eran objetos muy comprometedores. Si la policía se apoderaba de esa caja, pensarían lo mismo que ella. No había vuelta de hoja.

Quizá ya la tuvieran. Quizás ese era el motivo por el que habían arrestado a Logan.

Bailey sintió frío y se frotó los brazos. Billy Ray había dicho que los cadáveres estaban enterrados en Abbott Farm.

Billy Ray. Su pizarra blanca. No eran dos mujeres. Ni siquiera tres o cuatro.

¿Seis, contando a True? ¿Siete? ¿O más?

Ella presionó las palmas de las manos contra sus sienes. ¿Por qué no lograba recordar?

—¿Bailey? —Raine llamó a la puerta con los nudillos—. Tu teléfono sonó y lo he cogido. Es el abogado de Logan.

51

Billy Ray se mantuvo en un discreto segundo plano, dejando que los agentes del *sheriff* hicieran su trabajo. Le habían permitido observar el interrogatorio desde la sala del monitor, lo cual le complació. Al principio este caso era suyo, pertenecía a su jurisdicción. Su misión en la vida era atrapar a Abbott.

Ese era justamente el motivo por el que ahora debía mantenerse en un segundo plano. Observar y tomar notas desde la sala del monitor. El abogado de Abbott, Terry King, era uno de los mejores y Billy Ray no había ocultado sus intenciones. Nada hacía que un jurado se inclinara más rápidamente en favor del acusado que una alegación de falta de imparcialidad contra este.

El jefe de policía contempló de nuevo el monitor del vídeo. King acababa de llegar, y la diversión iba a empezar. Abbott parecía más menudo enfundado en el mono de la cárcel, no tan prepotente. Pero si estaba preocupado, no daba señales de ello.

Billy Ray sonrió con gesto hosco. Antes de que esto terminara, Abbott estaría sudando la gota gorda. Y él estaba impaciente por asistir al espectáculo.

En la sala de interrogatorio, Rumsfeld comenzó:

—Señor Abbott, ¿ha tenido tiempo suficiente para conversar con su abogado?

—Sí.

El abogado terció:

—Mi cliente me ha asegurado que es inocente. El sábado de autos, no estuvo cerca de Wholesome ni The Landing.

—¿Dónde estaba, señor Abbott?

—Con mi esposa en el hospital de Saint Tammany. Había sufrido un accidente cuando iba a caballo y estaba en coma.

—Cuando el detective Carlson y yo le interrogamos ayer en su casa, nos indicó que se había ausentado un rato del hospital.

—Así es.

—Sin embargo, no estaba seguro de a qué hora.

—Correcto. —Abbott enlazó las manos frente a él sobre la mesa. Ni el más mínimo temblor, observó Billy Ray.

—Usted dijo... —Rumsfeld miró sus notas, aunque Billy Ray sabía que era una simple estratagema. El detective sabía muy bien a qué hora había afirmado Abbott haberse ausentado del hospital: «muy tarde». Sobre las dos o las tres de la mañana.

—Dije que no estaba seguro, pero que era muy tarde. Es correcto.

—¿Por qué, señor Abbott? Me extraña que no se fijara en la hora.

—¿Ha pasado alguna vez usted mucho tiempo en un hospital, detective?

—Afortunadamente, no.

—Si lo hubiera hecho, no me haría esa pregunta.

—Eso es opinable, Abbott. Veo que lleva un reloj. Un reloj muy bueno. Supongo que tendrá un teléfono móvil. —Abbott asintió con la cabeza y Rumsfeld continuó—. Y todas las habitaciones de los pacientes están equipadas con un reloj de pared, precisamente por esa razón.

Abbott le dirigió una mirada gélida.

—Mi esposa llevaba dos días y medio en coma. Yo apenas había pegado ojo, no había probado bocado y estaba trastornado debido a lo ocurrido. Francamente, no se me ocurrió mirar el reloj.

—Sin embargo, se ausentó del hospital.

—Pensé que si no lo hacía estallaría.

Sí, se dijo Billy Ray. Se expresaba como un auténtico psicópata.

Rumsfeld no desaprovechó la ocasión.

—Lo ha expresado de forma muy interesante. Ha dicho que iba a «estallar». Debido a la tensión acumulada.

Billy Ray observó que Abbott retiraba las manos de la mesa y las apoyaba en sus rodillas.

—Estaba preocupado. Por mi esposa. Necesitaba un momento para centrarme.

—Un momento. ¿Ese fue el tiempo que estuvo ausente?

—Está claro que no.

—¿Cuánto tiempo estuvo ausente?

—No lo sé. Ya se lo he dicho, no miré el reloj.

—¿Qué hizo durante ese rato, señor Abbott?

Logan pestañeó y desvió la vista.

—Rezar.

Billy Ray sintió deseos de gritar «¡Y una mierda!», pero se contentó con pensarlo.

Rumsfeld fingió consultar otra vez sus notas. Cuando miró de nuevo a Abbott, sus ojos eran fríos como el acero.

—¿No temió que su esposa recobrara el conocimiento durante su ausencia?

Abbott torció levemente el gesto, como si de pronto se sintiera agobiado.

—Sí, lo pensé.

—Pero ¿eso no le impidió ausentarse?

—Ya se lo he dicho, tenía que hacerlo. Temía que si no lo hacía me volvería loco.

—Dijo que temía «estallar».

—Ya me entiende. Todos nos hemos visto alguna vez en ese tipo de situación.

—¿Usted cree? —Rumsfeld arqueó una ceja.

El detective quería ponerlo nervioso. Hacer que perdiera los nervios. Billy Ray sonrió satisfecho. No habían hecho más que empezar.

King intervino.

—Sigamos, detective.

Rumsfeld asintió y fijó de nuevo la mirada en Abbott.

—¿Le sorprendería saber que estuvo ausente dos horas?

—Eso es imposible.

—Tenemos un vídeo que muestra la hora en que salió y regresó al hospital.

—Imposible —repitió Abbott.

El abogado se inclinó hacia él y le susurró algo al oído. Abbott asintió con la cabeza.

—Como ya le he dicho dos veces, no miré el reloj.

—Dos horas es mucho tiempo para estar rezando.

—No sé qué decirle.

Billy Ray soltó un bufido. Por supuesto que no sabía qué decir. Porque la verdad le conduciría a la silla eléctrica.

—¿Adónde fue durante el rato que estuvo ausente?

Logan se pellizcó el caballete de la nariz, luego dejó caer la mano y alzó la vista.

—No lo sé. Conduje sin rumbo fijo. Estaba ofuscado.

Rumsfeld arqueó las cejas.

—Veamos, estaba a punto de estallar, temía volverse loco y estaba ofuscado. Un hombre presa de numerosas emociones.

Abbott se sonrojó y Billy Ray felicitó en silencio al detective de la oficina del *sheriff*. Ese tipo conocía su oficio.

—Mi mujer estaba en coma. Si no ha pasado por eso, no puede saber lo que se siente.

—¿Cómo está su esposa, señor Abbott? ¿Ha recobrado ya la memoria?

—No.

—Es irónico, parece que los dos padecen amnesia.

—Si tanto le interesa averiguar dónde estuve, puede rastrear los *pings* de mi teléfono móvil.

—Ya lo hemos hecho, señor Abbott. Su teléfono móvil no salió del hospital.

—¿Cómo dice?

—Su teléfono móvil no salió del hospital.

Abbott miró a su abogado. Rumsfeld prosiguió:

—Me choca que un hombre que asegura estar trastornado por el estado en que se halla su mujer, que no se ha separado de su cabecera en varios días y desea estar a su lado cuando se recobre del coma, no sólo se ausente del hospital durante dos horas, sino que se deje el teléfono móvil. Si su esposa se hubiera despertado, ¿cómo le habrían localizado los médicos del hospital?

Abbott palideció.

—No me di cuenta… No pensé con claridad.

—En realidad, creo que pensó con toda claridad.

—No sé a qué se refiere.

—Trató de borrar sus huellas dejando su teléfono móvil en el hospital.

—Eso es un disparate.

—Sabía que podíamos averiguar dónde había estado a través de los *pings* de su móvil, de modo que se lo dejó en el hospital aposta.

Abbott se rebulló en la silla.

Había empezado a sudar. Billy Ray sonrió. Lo habían cazado. Y él lo sabía.

King intervino de nuevo.

—Es una conjetura que no podrá probar ante un tribunal. De hecho, todo lo que he oído hasta ahora son meras conjeturas. Si pretende imputar a mi cliente, espero que tenga algo más que un marido trastornado por el estado de su mujer que se deja el móvil y que está confundido sobre la hora y el lugar.

—Por supuesto que tenemos algo más, señor King. Imputaremos a su cliente, se lo aseguro. —El detective se volvió de nuevo hacia Abbott y sonrió secamente.

—Posee usted varios vehículos, ¿no es así, señor Abbott?

—Sí.

—¿Cuál conducía esa noche?

—Mi camioneta.

Rumsfeld miró sus notas.

—¿Un Ford F-150 de color negro?

—Así es.

El detective se inclinó hacia delante con un gesto que denotaba tanta satisfacción como la que sentía Billy Ray en esos momentos. Miró a Abbott a los ojos.

—¿Qué diría si le dijéramos que tenemos un testigo que vio a Dixie Jenkins montarse en su camioneta esa noche?

Los ojos de Abbott reflejaban la desesperación que Billy Ray llevaba tres años esperando ver en ellos. Estaba muy alterado y el policía sintió deseos de levantarse y proclamarlo a los cuatro vientos.

Abbott tenía la culpa de que True hubiera muerto.

Y por fin pagaría por ello.

—Diría que es imposible.

—Ya tiene la respuesta de mi cliente. Él y yo debemos hablar a solas.

—Lo entiendo, señor King. Pero no hagan planes para irse a ningún sitio. Tenemos más cosas de que hablar con él.

52

17:25

Según Billy Ray, el secreto profesional entre abogado y cliente era una chorrada, uno de los numerosos medios de que se valían los delincuentes como Abbott para irse de rositas. Si uno era culpable, era culpable. Si alguien lo sabía con certeza, debería estar obligado a decirlo.

Billy Ray no hacía las leyes, pero estaba obligado a cumplirlas, de modo que había estado de lo más amable con los detectives, revisando el vídeo y comiendo sándwiches con ellos sabiendo que Abbott estaba en la habitación contigua tramando con su abogado la forma de librarse de este apuro.

Pero esta vez no lo conseguiría, se prometió el jefe de policía.

Un agente de uniforme llamó a la puerta.

—Ya están listos.

Billy Ray notó que tenía la boca seca. Había llegado el momento de la verdad.

—¿Tenéis la información?

Rumsfeld asintió, pero Billy Ray observó algo en sus ojos que no le gustó. Como si el detective se compadeciera de él. Este era su momento, y no necesitaba que nadie se compadeciera de él.

—Perfecto. Utilizadla para empapelarlo.

Billy Ray se sentó ante el monitor, pasando por alto el hecho de que los demás presentes en la habitación tuvieran los ojos fijos en él. Los envió a todos a hacer puñetas en silencio y se concentró en el monitor. No quería perder detalle.

Rumsfeld saludó a los dos hombres.

—Confío en que hayan podido llegar a una decisión.

—Desde luego —respondió el abogado.

—Bien. ¿Desea su cliente modificar algo de su declaración anterior?

—No, nada.

Billy Ray soltó un bufido. Por supuesto que no. Era un pez escurridizo que no se rendiría sin pelear.

—Sin embargo, tenemos una pregunta. —Rumsfeld asintió y el abogado continuó—: Dice que un testigo vio a la señorita Jenkins montarse en la camioneta de mi cliente.

—Así es. Una F-150 de color negro.

—¿Vio ese testigo al señor Abbott? —Como si supiera que el detective no respondería, King prosiguió—: ¿Se fijó en el número de la matrícula?

—De momento no haremos ningún comentario al respecto.

—¿Cuántas camionetas de la marca Ford están registradas en la parroquia de Saint Tammany? Que yo sepa, la Ford es la camioneta más popular aquí. Ahora bien, usted dice que era una F-150 de color negro, pero era muy tarde y estaba oscuro. Nuestros ojos pueden engañarnos, nuestra mente puede ver algo que no existe. Pero eso, claro está, no tiene nada que ver con la realidad.

Billy Ray sintió deseos de meter las manos a través del monitor y estrangular a ese tipo. Rumsfeld, por el contrario, se mostraba muy sereno, impertérrito y controlando la situación.

—Piense lo que quiera.

—La noche de autos, el señor Abbott ni siquiera se acercó a The Landing. Esto es un hecho.

—Nosotros creemos que un jurado no pensará lo mismo.

—No se haga ilusiones, amigo mío. Si eso es lo único que tienen, sugiero que libere a mi cliente y se ahorre…

Rumsfeld le interrumpió.

—De eso nada. Sigamos. —Se volvió hacia Abbott—. Le citaré algunos nombres, señor Abbott. ¿Recuerda a una joven llamada Nicole Grace?

—Desde luego.

—¿De qué la conoce?

—¿Me lo pregunta en serio?

—Pues claro.

—Su madre trabajaba para mi familia. De niña venía con frecuencia a la finca.

—¿Y?

—La asesinaron.

—El caso no se resolvió nunca, ¿verdad?

—No que yo sepa.

—Usted y ella eran amigos.

—No. Ella era diez años menor que yo. Recuerdo que era una chica encantadora.

—Estaba enamorada de usted, si no me equivoco.

—¿Qué? —Abbott miró a su abogado—. No. En todo caso, yo no lo sabía.

—¿Recuerda lo que hizo usted el día en que la asesinaron?

—Ni siquiera recuerdo esa fecha, y menos lo que yo…

—El catorce de junio. De 2005.

Abbott lo miró desconcertado. Al cabo de unos momentos, su abogado se inclinó hacia él y le susurró al oído. Abbott pestañeó y meneó la cabeza.

—No tengo ni idea.

Billy Ray observó y tomó unas notas mientras el interrogatorio proseguía. Preguntas sobre el verano en que Abbott y Trista Hook habían salido juntos. ¿Habían mantenido una relación seria? ¿Por qué habían roto? ¿Cuándo había visto Abbott a la joven por última vez?

—¿Qué hacía usted la noche en que esa joven desapareció? —preguntó Rumsfeld.

—Lo ignoro.

El detective pasó a Amanda LaPier.

—Sí —respondió Abbott—. En cierta ocasión la recogí en mi coche. Hacía autostop. Lo cual me parece una imprudencia…

—¿Por qué, señor Abbott?

—¿En serio?

Logan miró a su abogado, que se apresuró a intervenir.

—Esto raya en lo cómico. ¿Podemos centrarnos en el tema que nos ocupa?

—¿Sabe qué edad tenía esa joven?

—No.

—Diecinueve años. En esa época tenía diecinueve años. —El detective hizo una pausa—. ¿De qué hablaron?

—No lo recuerdo.

—Usted le preguntó si tenía novio. ¿No lo recuerda?

Terry King se apresuró a intervenir de nuevo.

—Mi cliente acaba de decir que no recuerda de qué hablaron. Siga, detective.

—Dos años más tarde esa joven desapareció. Interesante, ¿no?

Logan suspiró.

—No le entiendo.

—Vamos, señor Abbott, es un hombre inteligente. Recoge a una chica en su coche y...

—Dos años más tarde desaparece. —King cerró su bloc de notas—. Este intento de confundir a mi cliente para sonsacarle información ha concluido.

—No del todo. La noche que la señorita LaPier desapareció, ¿recuerda dónde estaba usted, señor Abbott?

—¿Qué fecha era?

—El ocho de febrero de este año. Sobre las tres de la mañana.

—En casa, en la cama con mi mujer.

—¿Está seguro?

—Sí. No hemos pasado una noche separados desde que nos casamos. Estoy seguro de ello.

—¿Y ella puede corroborarlo?

—Desde luego.

Billy Ray entrecerró los ojos. Abbott había dudado, sólo durante una fracción de segundo, pero esa pausa, ese momento de incertidumbre, se había producido.

Observó que el agente del *sheriff* que estaba a su derecha lo miraba extrañado y comprendió que había hablado en voz alta.

Que le den, pensó Billy Ray. ¿Qué sabía ese tipo? No había vivido esto.

Rumsfeld continuó:

—Le citaré otro par de nombres. ¿Ha oído hablar de Estelle Davis?

—No. Nunca.

—¿Paula Caine?

—No.

—¿Margaret Martin?

—Tampoco.

—¿Apostaría su vida a que no?

—¿Lo haría usted, detective? —Abbott se restregó la frente; parecía agotado—. Se lo diré de otra forma. Que recuerde, no he oído hablar nunca de esas mujeres.

—Ni yo —apostilló Terry King—. ¿Qué tienen que ver con Dixie Jenkins?

—Eso es todo, de momento. —Rumsfeld se levantó—. Si quiere hablar a solas con su cliente unos minutos…

—Sí.

—Un agente del *sheriff* aguardará junto a la puerta. Cuando hayan terminado, conducirá al señor Abbott de regreso a su celda.

53

Stephanie giró por Hay Hollow Road y tomó el sendero de grava que conducía a la cabaña de Henry. Un último adiós, en privado. Antes de que recogiera y embalara todas las cosas de su tío. Quería sentarse allí a solas y recordar los buenos ratos que habían compartido. Y lo importante que él había sido en su vida. Antes del accidente. Y después.

Stephanie pensó en el día en que un caballo había atacado y pateado al tío Henry. Su padre la había obligado a ir a visitarlo al hospital. Recordó que estaba tan asustada que no se había atrevido a mirarlo. La madre de Logan también estaba allí, sentada junto a la cama.

Había indicado a Stephanie que se acercara.

—Tu tío es una bellísima persona —le había dicho la señora Abbott—. Su belleza proviene del interior, no del exterior. Yo sigo viéndola. ¿Y tú?

Recordó que lo había mirado tímidamente. Su rostro desfigurado, los vendajes y los tubos, y en ese momento había comprendido a qué se refería Elizabeth Abbott. Lo que había dicho sobre la belleza interior de su tío Henry.

No había vuelto a sentir miedo de él. E incluso después de saber que la lesión más grave la había sufrido su cerebro, ella había seguido viendo su belleza.

Henry había conservado lo mejor de sí. Su bondad, su temperamento afable e infantil. Jamás le había visto enfadarse o perder los nervios. Siempre se mostraba agradecido, incluso por las cosas más insignificantes. Lo cierto era que Henry no sabía distinguir lo importante de lo insignificante. Había perdido esa vara de medir, que no hacía sino propiciar insatisfacción y desdicha. Stephanie se preguntó si alguna vez la había tenido.

Encendió los faros de su coche. El funeral no le había ofrecido la ocasión de reflexionar. No, había sido una oportunidad para que todos los demás se despidieran del tío Henry y compartieran los recuerdos que guardaban de él.

Hasta que Billy Ray había convertido una ceremonia maravillosa en un circo.

El mero hecho de recordarlo hizo que le subiera la tensión. Se había enfurecido con él, aún lo estaba. Se sentía dolida.

Billy Ray no sentía la menor estima por ella. Ni por Henry.

Stephanie expelió el aire que había estado conteniendo sin darse cuenta. Había oído decir que la línea entre el amor y el odio era muy fina. Esta mañana se había convertido en un abismo. Jamás volvería a amar a Billy Ray.

Al cabo de unos momentos divisó la cabaña de Henry. El alma se le cayó a los pies cuando comprobó que su deseo de estar sola no iba a cumplirse. Billy Ray estaba de espaldas a ella, metiendo algo en el maletero de su coche patrulla. Al oír el sonido de los neumáticos de Stephanie en el sendero de grava, cerró el maletero y se volvió hacia ella.

Su estúpida sonrisita de satisfacción fue la gota que colmó el vaso. La furia que ella había tenido que tragarse durante todo el día afloró de golpe. Una furia incontrolable. ¡Utilizar el funeral de su tío para vengarse de Logan! ¡Para avergonzarlo a él y a su familia de la forma más grave que podía!

Se sentía furiosa con él por no haberla amado. Por haberle partido el corazón.

Stephanie estuvo a punto de pisar el acelerador y aplastarlo entre su vehículo y el de él. Pero se detuvo y apagó el motor. Él se acercó al coche y abrió la puerta del conductor para que ella se bajara. Como si no hubiera pasado nada.

—Hola, Steph. ¿Qué haces…?

—¡Eres un hijo de perra! —Ella se abalanzó sobre él, obligándolo a retroceder, y la emprendió a puñetazos contra él. Uno le dio en el cuello. Otro en el pecho, luego en el hombro—. ¡Cómo te atreves!

—¡Caray, Steph! Pero ¿qué…?

Él le sujetó las manos y ella le asestó una patada.

—¿Cómo has sido capaz? El tío Henry era el hombre más bueno… Era incapaz de matar a una mosca, ¡y tú te presentas en su funeral para montar el número!

—¡Escúchame! Deja que…

—¡No! ¡No volveré a escucharte nunca! No volveré a…

Él la atrajo hacia sí, inmovilizándola contra su pecho, sujetándola con fuerza para impedir que se revolviera. Pero ella siguió intentándolo hasta que ya no le quedaban fuerzas ni voluntad de resistirse.

Stephanie rompió a llorar y él relajó los brazos y la sostuvo con menos rudeza mientras ella sollozaba desconsoladamente aferrada a él.

—¿Cómo has podido? ¿Cómo has podido… hacer eso?

—No fue cosa mía, Steph. La decisión la tomaron ellos, los detectives de la oficina del *sheriff*.

—No te creo.

—Es verdad. Me limito a colaborar con ellos.

—¿Y no pudiste convencerlos para que lo arrestaran después del funeral de Henry? ¡No creo que le hubiera dado tiempo a fugarse!

—Abbott tiene amigos en la oficina del *sheriff*. Alguien que le ha pasado información en otras ocasiones. Temían que alguien le diera el chivatazo y huyera.

—¿Que huyera? —Stephanie se apartó de él, tambaleándose—. ¿Adónde iba a ir? Este es su hogar.

Billy Ray meneó la cabeza.

—Las personas con dinero pueden instalarse en un nuevo hogar donde quieran.

En ese momento, Stephanie comprendió que Billy Ray —que había vivido en Wholesome toda su vida— no conocía el verdadero significado de la palabra «hogar».

Gracias a Dios que no se había enamorado de ella. Gracias a Dios que ella había dejado de amarlo.

Al intuir el cambio que se había producido en ella, él arrugó el ceño.

—Logan es mala persona, Stephanie. Peor que eso. Es un asesino. Un asesino en serie.

Ella soltó una carcajada que brotó espontáneamente de sus labios.

—¿En serio, Billy Ray? ¿Un asesino en serie? ¿Logan Abbott?

—No se trata sólo de True. ¿Quién crees que mató a Trista Hook, a Amanda LaPier y ahora a Dixie Jenkins? ¿Quién crees que mató a Nicole Grace hace años? Quién sabe, puede que matara también a su propia madre.

—Dios mío, hablas en serio.

—Pues claro.

—Su padre fue juzgado y condenado por haberla arrojado por la borda.

—¿Y quién declaró contra él? Esa familia… Piensa en ello, Steph. Tantas muertes… Demasiadas para ser una coincidencia.

El padre y la madre de Logan. Su hermano y su esposa. Ahora, el tío Henry.

—Ya has conseguido atraparlo.

—Sí.

—¿Cómo? ¿Qué pruebas tienes contra él?

—Las suficientes. —Billy Ray dudó unos instantes—. Un testigo vio a Dixie montarse en su camioneta la noche que desapareció.

Eso pilló a Stephanie desprevenida. Era una prueba… contundente.

—Cielo santo. Pobre Bailey.

—No. —Billy Ray sacudió la cabeza—. Bailey ha tenido suerte. Podía haber terminado como True. O las otras.

Stephanie no podía creer eso de Logan, a quien conocía de toda la vida, y siempre se había portado bien con ella.

¿Que era lo que creía ella?

Eso no. Quizá más tarde, pero ahora no.

—Mañana por la mañana obtendremos una orden para registrar la finca. Las cuarenta hectáreas.

—Y tus sueños se habrán cumplido por fin.

—No seas así.

—¿Qué no sea cómo? ¿Sincera?

—Los cadáveres están aquí, Steph. Ya lo verás.

Ella se pasó la mano por la cara, agotada.

—¿Qué has venido a hacer aquí, Billy Ray?

—¿Qué?

—¿Qué has venido a hacer aquí, a casa de Henry?

Él metió las manos en los bolsillos.

—He venido a retirar la cinta con que acordonaron el escenario del crimen.

—Creí que la había colocado la oficina del *sheriff*.

—Me ofrecí para retirarla. Ya registraron el escenario del crimen. Hace días.

—¿La has retirado ya?

—Sí.

—Entonces vete.

—Steph…

—He venido aquí para estar a solas con mis recuerdos del tío Henry. No te consiento que me arrebates eso.

Ya le había arrebatado demasiadas cosas.

Billy Ray hizo un gesto de disgusto.

—De acuerdo. Lo siento… Confío en que podamos ser amigos.

—¿Amigos? ¿Bromeas? —Al ver que él lo decía en serio, Stephanie soltó una áspera carcajada—. No podemos ser amigos. Jamás.

—Al menos ahora… Espero que lo entiendas.

—¿Qué debo entender, Billy Ray? ¿Qué nunca me has querido? Eso lo entendí hace tiempo.

—Claro que te quería. Quizá no…

—Como querías a True.

—… lo suficiente —concluyó él—. Pero te quería.

Billy Ray extendió una mano, pero ella se apartó y él la dejó caer.

—Vete, por favor.

Él obedeció. Se encaminó hacia su vehículo y abrió la puerta.

—Quiero que comprendas por qué no podía cejar en mi empeño. Yo sabía que tenía razón, Steph.

Billy Ray partió y ella entró en la cabaña. El mero hecho de moverse representaba un esfuerzo para ella, no ceder al cansancio y al dolor. Henry no lo hubiera hecho. No lo hizo cuando Elizabeth Abbott se había ahogado o cuando Roane se había ahorcado. Y ella no lo haría ahora.

Encendió la lámpara de la mesita. Un cálido círculo de luz envolvió la sala de estar. Se acercó a la butaca favorita de Henry, una destartalada butaca reclinable, y se dejó caer en ella.

Olía a él. Stephanie se hundió en ella y se cubrió con la manta. También olía a él.

Henry había tenido el usufructo de la cabaña mientras vivía, y ahora pertenecía de nuevo a los Abbott. Algunos se habrían cabreado por esto, pero ella lo comprendía. Estas tierras pertenecían a los Abbott, que habían ofrecido esta parcela a su tío y a ella en un gesto mezcla de buena voluntad y remordimientos.

Ella no la quería.

Paseó la mirada por la habitación. Las cosas no cambiaban nunca aquí. Sólo se hacían más viejas y gastadas. La misma manta y los mismos cojines, las mismas fotografías, todo colocado de la misma forma. Con su mentalidad sencilla e infantil, Henry hallaba confort en estos objetos que le resultaban familiares.

Los ojos de Stephanie se posaron en unas fotografías en la repisa de la chimenea y observó que faltaba una. Que ella recordara, siempre había ocupado el mismo lugar. True, en el porche delantero de la casa de Henry, sonriendo a la cámara.

Stephanie se levantó y se acercó a la chimenea. No eran imaginaciones suyas; la foto había desaparecido. Hacía poco, a juzgar por la silueta del marco en la capa de polvo que cubría la repisa.

Billy Ray. Esto era lo que había venido a hacer aquí. ¡El muy embustero y cabrón! ¡No tenía derecho a hacer eso!

¿Qué más se había llevado? Stephanie se volvió y recorrió las tres habitaciones de la cabaña. Había desaparecido otra fotografía, pero lo más inquietante era que la puerta del armario ropero estaba abierta. Se acercó a él, echó un rápido vistazo en su interior y cerró la puerta. Se volvió. Su mirada se posó en la cómoda. Algunos cajones no estaban bien cerrados. Se acercó y los abrió uno tras otro. Alguien los había registrado.

¿Qué había estado buscando Billy Ray?

Stephanie cerró los cajones y regresó a la sala de estar. Quizás estaba perdiendo los papeles. ¿Y si eran imaginaciones suyas? Cualquiera de los Abbott podía haber venido aquí, incluso los agentes de la oficina del *sheriff* podían haber llevado a cabo un registro de la cabaña.

Pero las fotos de True que habían desaparecido indicaban a las claras que se las había llevado Billy Ray.

Stephanie oprimió las palmas de las manos contra sus ojos. Al llegar lo había visto cerrar el maletero del coche. Había metido algo en él. ¿Un par de fotos enmarcadas? ¿La cinta de la policía? ¿O algo más?

Dejó caer las manos, renunciando a su propósito de recrearse en los bonitos recuerdos que guardaba del tío Henry. Frustrada, apagó la lámpara y salió de la cabaña, cerrando la puerta con llave tras ella. No sabía qué se llevaba entre manos Billy Ray, si le había dicho la verdad o había mentido, y le tenía sin cuidado. La obsesión de ese hombre ya no formaba parte de su vida.

Pero cuando partió en el coche, Stephanie no pudo evitar preguntarse qué había venido a buscar aquí Billy Ray, o quienquiera que fuera.

54

Miércoles, 23 de abril

21:50

Bailey estaba sentada a la mesa de la cocina. Se había preparado una taza de caldo de pollo. No tenía ganas de comer, pero debía hacerlo. Por el bien del bebé. Y el suyo.

Se llevó una cucharada de caldo a la boca, seguida de otra y otra más. Esforzándose en comer. Había hablado con el abogado tres veces. La primera, él le había informado de que había ido a la cárcel de la parroquia y había hablado con Logan, que se encontraba tan bien como cabía esperar dadas las circunstancias. La segunda llamada la había inquietado. La policía tenía un testigo que aseguraba que, a primeras horas de la madrugada del sábado, durante el rato que Logan se había ausentado del hospital, había visto a Dixie Jenkins montarse en una camioneta Ford F-150 de color negro.

Bailey se había indignado al pensar que la policía pudiera siquiera sospechar que Logan se ausentaría de su lado para... ir a hacer eso.

La tercera llamada había sido muy reveladora. El abogado le había informado de que los detectives habían interrogado a Logan sobre True y las otras mujeres que habían desaparecido. Sobre dónde había estado y lo que había hecho años atrás, cuando esas mujeres habían desaparecido. Si las conocía. Curiosamente, Billy Ray no era uno de los policías que le habían interrogado,

Bailey comprendió lo que se proponían. Creían que tenían una conexión irrefutable con Dixie Jenkins, y ahora iban a vincular a Logan con las otras mujeres.

Terry King no había dado importancia a las «pruebas» de la policía. Había prometido a Bailey que no se sostendrían ante un tribunal. Si no tenían otra cosa, su marido no tardaría en regresar a casa.

Si no tenían otra cosa. Bailey se temía que sí la tenían. Y sabía lo que era.

La caja de trofeos.

Bailey terminó de tomarse el caldo y dejó la taza en el fregadero. No había mencionado la caja y su contenido al abogado. Aún no. Primero quería cerciorarse de algo.

Visualizó la cabaña, la cinta de la policía colocada alrededor de la fachada. La policía sin duda la habría registrado. En tal caso, habrían encontrado la caja.

Con las iniciales de Logan grabadas a fuego en ella. Incriminándolo.

Bailey se secó las palmas de las manos en los muslos. Unos objetos sin valor alguno que Henry había encontrado durante sus paseos. Que para él representaban unos tesoros. Que se los había regalado a ella.

Cerró los ojos. *Dios mío, ojalá sea así.*

—Me parece increíble que estés tan serena.

Raine. En la puerta. Después de la segunda llamada, había descorchado una botella de vino y se había retirado, con la botella y una copa, a su antiguo dormitorio.

—A mí también.

Entró en la cocina.

—Oí que sonaba el teléfono.

—Era Terry King otra vez.

—¿Y?

—Las noticias no son buenas. Han interrogado a Logan sobre True y las otras mujeres.

—¿Qué otras mujeres?

—Las que desaparecieron.

—¿Por qué?

Bailey la miró.

—¿Por qué crees?

—Te juro que voy a… —Pero Raine se tragó lo que iba a decir—. Esto es cosa de Billy Ray.

—Coincido contigo. Creo que deberíamos hacer algo.

—¿Qué?

—Tengo que ir a la cabaña de Henry.

—¿Ahora?

—Sí.

—Vas en busca de algo.

No era una pregunta, pero Bailey respondió:

—Sí.

Su cuñada la observó con recelo.

—¿De qué se trata?

—Si lo encuentro, te lo diré.

—Eso no tiene sentido. —Raine achicó los ojos—. Tiene que ver con lo que recordaste antes. Cuando dijiste que habías hablado con Henry el día que murió.

—Sí.

—Y eso puede ayudar a mi hermano.

—O perjudicarlo. —Bailey se detuvo—. O quizá no tenga ninguna importancia.

Tras reflexionar unos instantes, Raine asintió.

—Ambiguo y confuso, como a mí me gusta. Pero tú conduces.

Bailey accedió, pero condujo despacio y con prudencia por los caminos que no conocía bien. No había ido nunca a la cabaña en coche y de noche, y el serpenteante sendero de grava podía ser peligroso.

Raine apenas despegó los labios mientras se aproximaban a la cabaña. Cuando entraron, se vino a bajo. Recorrió todas las habitaciones, tocando los objetos, y terminó sentándose en la butaca de Henry, con las piernas encogidas contra el pecho y la mirada ausente.

Bailey no tenía tiempo para consolarla o estar pendiente de ella. Recorrió también todas las habitaciones, pero registrándolas de forma meticulosa. Miró debajo de la cama y en los armarios. Pero no se conformó con echar simplemente un vistazo, sino que registró cada rincón y hueco, por pequeño que fuera.

Cuarenta y cinco minutos más tarde, se rindió. Salió al porche y se sentó en una de las mecedoras. La caja no estaba. Había mirado en todas partes, incluso en el cobertizo del jardín. Sepultó la cabeza en las manos. La caja estaba en poder de la policía, daba lo mismo que fuera Billy Ray o los agentes de la oficina del *sheriff*. La tenían y la utilizarían contra Logan.

Él era inocente. Después de las dudas que la habían asaltado, Bailey sabía —estaba convencida de ello— que su marido era una víctima en este asunto.

Lo había comprendido en el momento en que lo habían arrestado. ¡Qué ironía!

Raine salió y se sentó junto a ella.

—Deduzco que no has encontrado lo que buscabas.

Bailey levantó la cabeza y miró a su cuñada.

—No, no lo he encontrado.

—¿Eso qué significa?

—Creo que lo tiene la oficina del *sheriff*. Y que van a utilizarlo contra Logan.

—¿Y ahora qué hacemos?

—No lo sé —respondió Bailey. En ese momento sonó su móvil—. Es August —murmuró, y silenció el teléfono.

—¿No vas a contestar?

—Supongo que llama para preguntarme cómo estoy y si sé algo. Francamente, ahora mismo no tengo ganas de hablar con él.

Raine suspiró.

—Hubo un tiempo en que pensé que él me salvaría.

—¿De qué?

—De mí misma. De mi vida.

El móvil de Bailey sonó de nuevo, indicando que acababa de recibir un mensaje en el buzón de voz.

—Lo primero que debes hacer es recuperar el control de tu vida, Raine —dijo Bailey con tacto—. Nadie puede hacerlo por ti.

—Dicho por una mujer que lo tiene todo bajo control. Es exasperante.

Bailey pensó en los malabarismos intelectuales y emocionales que había llevado a cabo durante la última semana.

—No. Es más fácil decir a los demás cómo deben resolver sus problemas que hacerlo una misma.

—¿No vas a escuchar el mensaje?

—¿Es necesario?

Bailey lo dijo medio en broma. Raine lo sabía e insistió.

—¿Y si ha averiguado de algo? En este pueblo, August conoce prácticamente a todo el mundo y todo lo que ocurre. Nunca se sabe.

Bailey suspiró y accedió al buzón de voz. Durante unos momentos, pensó que August no había dejado ningún mensaje, pero al cabo de unos instantes oyó su voz.

—Necesito... hablar... contigo. Algo importan... Lo siento... mucho... —Sus palabras dieron paso a un silencio interrumpido por su respiración lenta y trabajosa—. Henr... Yo vi...

El mensaje finalizó.

—¿Qué ocurre?

—No lo sé. August parecía… Escúchalo tú.

Mientras escuchaba el mensaje, el semblante de Raine reflejaba preocupación.

—Está como una cuba —dijo.

—¿Borracho?

—Es posible, pero… quizá sea otra cosa. Es un alcohólico rehabilitado y ha pasado por épocas muy negras. Por eso nos llevamos tan bien. Somos almas gemelas.

Bailey sintió que la sangre le martilleaba en las sienes.

—Llámalo.

Raine obedeció; Bailey oyó débilmente la señal.

—No contesta.

—Quizá deberíamos llamar al novecientos once.

—¡No! Seguramente no es nada y en una población tan pequeña como esta…

—¿Sabes dónde vive?

—Pues claro.

Bailey se levantó.

—Llama a Paul. Asegúrate de que August no está en la finca, luego explícale lo ocurrido y dile que vamos para su casa. Después intenta llamar de nuevo a August.

55

August había alquilado la casa de invitados de una finca vecina de ganado equino. Raine dirigió a Bailey hacia la entrada de servicio de la propiedad, que discurría alrededor de un estanque y conducía al pequeño edificio de cristal y madera de ciprés.

Pese al muro repleto de ventanas, August gozaba de total privacidad, pensó Bailey al aparcar detrás de su todoterreno. Además de una espléndida vista del estanque y de los ondulantes pastos.

Ella y Raine se bajaron apresuradamente del vehículo y corrieron hacia la puerta. Estaba abierta y entraron sin llamar.

—¡August! —dijeron al unísono.

—¡Soy yo, Bailey!

—¡Y Raine!

August no respondió y Raine atravesó apresuradamente el cuarto de estar y se dirigió hacia la escalera circular que conducía al ático.

—¡Voy a subir, August!

La escalera de metal crujió cuando ella subió a la carrera.

—¡No está aquí arriba!

El porche trasero. Que daba al estanque. Había una figura sentada en una silla.

—Está fuera, Raine. ¡Lo veo desde aquí!

Bailey corrió hacia la puerta corredera y la abrió. Al salir, la luz del porche trasero se encendió.

—August, nos has dado un susto de…

Se detuvo en seco. August estaba hundido en una silla, con la cabeza inclinada en una postura anómala, los ojos en blanco. Estaba pálido como la cera, los labios amoratados. Un hilo de sangre reseca se extendía desde su nariz hasta el labio superior.

Bailey retrocedió un paso. Había visto a su madre muerta. Había sostenido su mano cuando ésta había expirado, negándose a separarse de su lado hasta que su mano se había tornado fría y rígida.

Había sido un momento durísimo. Pero esto era diferente. Anómalo y terrorífico.

Bailey bajó la vista. En el suelo del patio, a sus pies, había un vial y una jeringuilla. Del brazo de la silla, extendido sobre las rodillas de August, colgaba un cinturón.

Al oír un sonido a su espalda, Bailey se volvió rápidamente.

Raine. Sosteniendo un rifle.

Un disparo que estalla en el silencio.

Sangre. En sus manos. En sus vaqueros.

Bailey pestañeó para aclararse la vista.

—¿Qué haces con eso, Raine?

Su cuñada bajó la vista, fijándola en sus manos, y luego miró a Bailey.

—Creo que August iba a… —Arrugó el ceño, retrocedió un paso y se detuvo, palideciendo.

—Lo siento mucho, Raine —dijo Bailey, extendiendo una mano hacia ella.

Durante unos momentos su cuñada se quedó mirando a August, sin mover un músculo. Luego miró a Bailey con ojos inexpresivos.

—Quizá debería hacer lo mismo que él…

—No. —Bailey sacudió la cabeza—. Raine…

—Puede que yo tenga la culpa de todo. Es como una maldición. De modo que, si muero, los demás estaréis a salvo.

—Deja el rifle —dijo Bailey, alargando la mano—. Por favor.

—Sé utilizarlo. Soy una excelente tiradora. Mejor que Logan. Y que Roane.

La voz le temblaba.

—Creo que no quiero vivir. No con tantas muertes…

—No digas eso, Raine. Logan necesita…

Bailey percibió con el rabillo del ojo un movimiento dentro de la casa. Al cabo de un instante apareció Paul junto a la puerta corredera, detrás de Raine. Se llevó un dedo a los labios y salió al patio.

—Él te necesita. Y yo también.

Paul se apresuró a arrebatar el rifle de las manos de Raine y la estrechó contra sí. Ella rompió a llorar.

—Llévatelo —dijo Paul a Bailey, indicando el arma—. Y llama al novecientos once.

La ambulancia llegó al cabo de unos minutos, seguida de Billy Ray. Bailey no podía mirarlo a los ojos. Estaba tan furiosa que temblaba de pies a cabeza.

Él había ganado. Había arrestado a Logan haciendo que otra tragedia cayera sobre esta familia.

Los técnicos sanitarios partieron tan rápidamente como habían llegado. Cuando se fueron, Billy Ray se acercó a Paul.

—¿Qué ha ocurrido?

—August llamó a Bailey. Hablaba de forma incoherente y me telefonearon. Vinimos a ver cómo estaba. Pero llegamos demasiado tarde. —Los sollozos de Raine se intensificaron—. Discúlpame, la llevaré dentro.

Billy Ray se volvió hacia Bailey. Esta vez, ella enderezó la espalda y lo miró a los ojos.

—No quiero hablar con usted.

—No se enfade conmigo. Cumplo con mi deber.

Ella rió de forma áspera y gutural.

—No es cierto. Esta es su venganza personal. Contra toda la familia.

—Entiendo que esté disgustada. Pero…

—No hay «peros» que valgan en esta situación, Billy Ray. Nunca los habrá.

Durante un momento parecía como si él quisiera discutir con ella, pero no lo hizo.

—Cuénteme qué ha sucedido.

—No quiero hablar con usted.

—Tiene que hacerlo, soy el representante de la ley.

—No, usted no es más que un matón, Billy Ray. Un matón con una placa.

Bailey supuso que la amenazaría, que haría lo que se le daba mejor, exhibir su prepotencia e intimidar a la gente.

Pero el jefe de policía se quedó de piedra. Sostuvo su mirada unos momentos y luego asintió.

—De acuerdo. Entre en la casa y póngase cómoda junto a Paul y Raine.

56

01:10

Billy Ray esperó en la puerta de la casa de invitados; la voz de Bailey Abbott resonaba en su cabeza.

«*Usted no es más que un matón, Billy Ray. Un matón con una placa.*»

El policía sacudió la cabeza, tratando de desterrar esas palabras de su mente. No. Su padre había sido un matón. Abbott era un matón. Él, no. Se había esforzado toda su vida en no convertirse en lo que más detestaba.

Empezó a sudar. Notó que se le perlaba el labio superior y se enjugó las gotas con la mano; luego se aflojó un poco la corbata. No podía respirar. No podía pensar con claridad. Abrió la puerta y salió. Sintió el aire fresco matutino sobre su piel húmeda y se estremeció. Se detuvo para dejar que le refrescara y emitió un suspiro entrecortado. Se sentía mejor. Más sereno. Había recuperado el control de sí mismo y de sus pensamientos.

En ese momento llegaron Rumsfeld y Carlson. Seguidos de otro coche patrulla de la oficina del *sheriff* de la parroquia de Saint Tammany. Billy Ray forzó una sonrisa afable y se adelantó para saludarlos junto al vehículo de los detectives.

—Lamento haberos llamado a esta hora tan intempestiva —dijo—. Dadas las circunstancias, pensé que erais los más indicados para encargaros de esto.

—La hora es una putada, pero has hecho bien. ¿Qué tenemos?

—Muerte por sobredosis de August Pérez, uno de los entrenadores de Abbott.

—Interesante. Me refiero al momento que eligió.

—Eso pensé yo. Lo encontraron la esposa, la hermana y el jefe de cuadradas de Abbott.

Rumsfeld arrugó el ceño y miró a Carlson.

—Un grupo de lo más curioso. ¿Cómo se enteraron?

—Al parecer, Pérez dejó a la esposa de Abbott un extraño mensaje en el buzón del móvil. Ella y su cuñada vinieron a ver si estaba bien. Es cuanto sé. La víctima está en el porche trasero.

Rumsfeld asintió y miró al asistente del *sheriff*.

—Vigila a los testigos mientras nosotros echamos un vistazo a la víctima. De aquí no se va nadie hasta que hayamos interrogado a los tres.

El asistente del *sheriff* entró en la casa y los detectives se dirigieron hacia la parte posterior. Cuando alcanzaron al porche, se encendió la luz de seguridad. Rumsfeld se acercó a la víctima.

—Sí. Está muerto.

—No es de extrañar —observó Carlson, acuclillándose para examinar el vial—. Ketamina.

Billy Ray emitió un silbido.

—Últimamente se han producido varios robos en clínicas veterinarias. Han sustraído diversas drogas, entre ellas ketamina. No pensé que Pérez fuera tan idiota.

—Tenemos que llamar a los técnicos.

—Yo lo haré —dijo Carlson, marcando el número.

Mientras su compañero llamaba a los técnicos, Rumsfeld se paseó lentamente alrededor de la víctima. Billy Ray tenía la impresión de que al detective no se le escapaba nada, ni el menor detalle. Hacía que él se sintiera inferior.

—Aquí atrás no le vería nadie —murmuró.

Rumsfeld gruñó.

—¿Qué opinas? ¿Un accidente o…?

—¡Joder!

Billy Ray se volvió hacia Rumsfeld, que se encaminó hacia el ventanal. Entonces lo vio. Un rifle. Apoyado contra la ventana. No había reparado en él durante su primer examen ocular. El error de un principiante. El peor que podía haber cometido.

Rumsfeld lo miró.

—Ha sido una torpeza, Williams. Podrían habernos saltado la tapa de los sesos.

Billy Ray se sonrojó.

—Pero no lo han hecho. —Sonaba patético, hasta él se dio cuenta, y se sintió como un estúpido.

—Los técnicos no tardarán en llegar —dijo Carlson, situándose junto a su compañero—. Ha sido un grave error, Williams. Ese chisme está cargado.

Rumsfeld examinó el rifle.

—Un Remington setecientos. Dispara cartuchos de calibre trescientos ocho, entre otros.

—A Rodríguez le dispararon un calibre trescientos ocho.

—Y Pérez trabajaba en Abbott Farm.

Rumsfeld asintió.

—Creo que ha llegado el momento de tener una charla con nuestros amigos que nos esperan en la casa. —Rumsfeld miró a Billy Ray—. ¿Quieres tomar notas?

—Desde luego. Creo que debemos empezar por la mujer de Abbott. Pérez la llamó a ella.

Pero Rumsfeld no estaba de acuerdo y entrevistó primero a los otros dos testigos. Raine Abbott estaba tan alterada que apenas se entendía lo que decía. No obstante, averiguaron que Pérez había tenido problemas con las drogas en el pasado, aunque ella creía que hacía mucho tiempo que no había vuelto a consumir. También averiguaron que ella había encontrado el rifle sobre la cama de la víctima y había bajado con él.

Paul Banner tenía aún menos información. Raine y Bailey lo habían llamado por teléfono. Cuando había llegado, había hallado a las dos mujeres en el porche trasero y Raine estaba histérica.

Sólo quedaba Bailey.

—¿Se encuentra bien? —le preguntó Rumsfeld—. ¿Quiere un vaso de agua o…?

—No. Estoy bien.

Pero Billy Ray observó que no era cierto. Las manos le temblaban y estaba blanca como la cera.

Rumsfeld también se percató.

—No tiene buena cara, señora Abbott.

—De acuerdo, tráiganme un vaso de agua, por favor.

Billy Ray lo depositó ante ella. Bailey lo tomó sin darle las gracias ni mirarlo siquiera.

—Tengo que hacerle unas preguntas, señora Abbott. Sobre los acontecimientos que la han traído aquí. Sus respuestas contribuirán a determinar cómo murió el señor Pérez.

Ella lo miró extrañada.

—Pero… todo indica que fue a causa de una sobredosis.

—Eso parece, en efecto. Pero me refiero al dictamen que constará en el informe del forense. ¿Fue un accidente? ¿Un suicidio? ¿Un asesinato?

Ella lo miró con ojos como platos, como si eso no se le hubiera ocurrido en ningún momento. Billy Ray tomó nota de ello.

—Tengo entendido que el señor Pérez la llamó —dijo Rumsfeld.

—Sí. Pero no atendí su llamada.

—¿Por qué?

—No tenía ganas. Supuse que me llamaba para preguntarme cómo me encontraba y…

—¿Qué?

—A veces August era un poco… agobiante. Dejó un mensaje.

—¿Cuánto tiempo transcurrió hasta que usted escuchó el mensaje?

—Poco rato. Cinco minutos. O quizá menos. Raine insistió en que lo escuchara.

—¿Raine Abbott? —Bailey asintió y el detective continuó—. ¿De modo que estaba con usted?

—Sí. Había venido a casa a hacerme compañía porque mi marido… —Bailey no terminó la frase.

Estaba detenido.

—¿Por qué insistió su cuñada en que escuchara el mensaje?

—Pensó que quizá había averiguado algo.

—¿Sobre qué?

Ella lo miró a los ojos con gesto desafiante.

—Sobre mi marido. August conocía a gente influyente en la comunidad.

—¿Qué decía en su mensaje el señor Pérez?

—No mucho. Parecía como si… estuviera bebido. Parecía incapaz de articular sus palabras. Pedí a Raine que lo escuchara y ella… se alarmó.

—¿Recuerda algo que dijera el señor Pérez en su mensaje, señora Abbott?

—Que lo sentía. Nombró a Henry…

—Rodríguez.

—Sí.

—¿Qué dijo sobre el señor Rodríguez?

Ella se abrazó y se restregó los brazos.

—No lo recuerdo…, sólo que dijo su nombre.

—¿Conserva el mensaje en su teléfono móvil?

—Sí.

—¿Nos permite escucharlo?

Bailey recuperó el mensaje y entregó el móvil a Rumsfeld. Después de que él y Carlson lo escucharan varias veces, se lo pasaron a Billy Ray.

«Necesito… hablar… contigo. Algo importan… Lo siento mucho… Henr… Yo vi…»

Billy Ray arrugó el ceño y escuchó de nuevo el mensaje. ¿Una disculpa? ¿Por qué? ¿Por Henry? ¿O por algo que él sabía, pero no había compartido con ella?

—¿Sabía usted que el señor Pérez se inyectaba ketamina?

—Ni siquiera sé lo que es.

—Es un tranquilizante para caballos. Afecta el sistema nervioso central. Quizás haya oído a alguien referirse a ello como K, *special K* o vitamina K.

—No, yo… no entiendo de drogas. —Bailey se llevó las manos a la cara—. No tenía idea de que él… hiciera eso. —Bajó las manos—. ¿Puedo irme?

—Un par de preguntas más. ¿Lo conocía bien?

Ella negó con la cabeza.

—Me estaba ayudando a vencer el temor a los caballos.

En esto llegó el equipo encargado de recoger las muestras, junto con el investigador del forense. Bailey los observó pasar frente a ella con expresión ausente. A Billy Ray se le formó un nudo en la garganta y desvió la vista.

—Gracias por su ayuda, señora Abbott. Quizá tengamos que hablar de nuevo con usted, de modo que no abandone la zona.

Ella asintió con la cabeza.

—¿Puede devolverme el teléfono, por favor?

—Lo siento, pero tenemos que quedárnoslo de momento.

—¿Qué? Pero yo… no comprendo.

—Debido a la llamada del señor Pérez. Podría ser una prueba.

—¿Una prueba? —preguntó Bailey, alzando la voz—. ¿De qué?

—Se lo devolveremos lo antes posible, se lo prometo. Entretanto, le aconsejo que adquiera otro para utilizarlo temporalmente.

57

La noticia de que August Pérez había muerto de una sobredosis de ketamina se había propagado por el restaurante de Faye como un reguero de pólvora. La gente no hablaba de otra cosa, y a medida que transcurrían las horas de su turno Stephanie empezó a cansarse de oír los comentarios.

Aparte de que la entristecían. No conocía bien a August, pero había sido un magnífico caballista y formaba parte de la pequeña comunidad que compartían.

Otra pérdida. Otro amigo que había muerto. No era un hecho sobre el que salivar, como un perro con un suculento hueso.

En varias ocasiones Stephanie había tenido que esforzarse en no censurar a alguien por cotillear sobre el lamentable suceso. A Faye le habría cabreado. Y habría tenido razón. No le correspondía a Steph criticar los modales de los clientes o su sentido de la ética.

Su tarea consistía en servir lo que pedían los clientes y sonreír. Nada más.

El hecho de no haber dormido bien y estar agotada también influía en ella. Faye le había propuesto que se tomara la semana libre, pero ella se había negado. Había enterrado al tío Henry, y ahora deseaba seguir adelante. No podría hacerlo si se tomaba unos días libres, por amable que fuera la oferta por parte de Faye.

Sin embargo, no había previsto su breve encontronazo con Billy Ray. Le extrañaba que él hubiera ido a la casa de su tío. Stephanie no se tragaba el motivo que él había alegado —retirar la cinta de la policía del escenario del crimen—, ni su afirmación de que los malos de la película eran los detectives de la oficina del *sheriff*. El pobre Billy Ray tenía que hacer lo que ellos le ordenaban. Qué tontería.

Cuando él se había referido a Logan, Stephanie había observado una expresión de gozo en sus ojos. Era evidente que estaba encantado de que por fin tomaran en serio sus absurdas acusaciones. ¿Logan un asesino en serie? ¿Y culparlo también de la muerte de su madre? Billy Ray había perdido toda noción de la realidad.

—Espero volver a veros por aquí —dijo Stephanie al presentar la cuenta a los clientes de su penúltima mesa. Después de rellenar las tazas de café de los otros, empezó a recoger los azucareros de las mesas para rellenarlos para la hora punta del almuerzo.

Pensó de nuevo en su encuentro con Billy Ray la víspera. Él había entrado en la cabaña de Henry. Ella no le había visto hacerlo, pero no era preciso. Las fotos de True que habían desaparecido eran prueba suficiente. ¿Qué otras cosas había ido a buscar allí? Stephanie no se fiaba un pelo de él.

Los últimos clientes se levantaron para marcharse. Ella les dio las gracias, tomó su propina y limpió la mesa.

—¿Te importa que me tome un respiro, Faye? Estoy hecha polvo.

—Claro que no, bonita. Rayanne y yo nos ocuparemos de todo.

Stephanie tomó una manzana, su teléfono móvil y su botella de agua y salió del local. Vio que tenía una llamada perdida de la oficina del *sheriff*. Era del detective Rumsfeld, pidiéndole que lo llamara.

Comió un bocado de la manzana y marcó el número del detective, que respondió de inmediato.

—Rumsfeld.

—Detective, soy Stephanie Rodríguez. Me dejó un mensaje indicándome que lo llamara.

—Tengo buenas noticias, señorita Rodríguez. Hemos detenido a un sospecho del asesinato de su tío.

—Dios mío, ¿quién es?

—Lo siento, no puedo facilitarle aún esa información. Pero no creo que tenga que esperar mucho.

—Gracias. —Stephanie pestañeó para reprimir las lágrimas—. No sabe cuánto significa esto para mí. De veras.

—Para nosotros también, señorita Rodríguez. Me pondré en contacto con usted dentro de poco.

Ella pensó en Billy Ray.

—¡Espere! Una pregunta. ¿Me permiten que retire la cinta con que acordonaron el escenario del crimen en la cabaña de mi tío?

—Ya lo hemos hecho nosotros, señorita Rodríguez.

—¿Seguro? La última vez que estuve allí, aún no la habían quitado.

—Deje que consulte mi calendario. —Rumsfeld regresó al cabo de unos momentos—. Agentes de la oficina del *sheriff* la retiraron el martes por la tarde.

Más de veinticuatro horas antes de que ella se hubiera encontrado allí con Billy Ray.

Stephanie dio las gracias al detective y colgó. Había tenido razón en sospechar de él. El muy embustero. Al llegar ella le había visto meter algo en el maletero del coche. ¿Qué era? Más que un par de fotos enmarcadas de True. No era la cinta de la policía.

¿Qué se había llevado Billy Ray de la cabaña de su tío y por qué le había mentido?

Al oír el sonido de un claxon, Stephanie se volvió. Era Bailey, que acababa de entrar en el aparcamiento.

Fue a su encuentro y la abrazó.

—¿Cómo te encuentras?

—Ya puedes imaginártelo.

—¿Te has enterado de... lo de August?

—Yo lo encontré. Fue espantoso.

—¡Cielo santo!

—Me había llamado... —Bailey no terminó la frase—. Necesito que me ayudes, Steph. Tiene que ver con Logan.

—¿Qué sabes? ¿Es... grave?

—No son buenas noticias. Por eso necesito tu ayuda.

—Cuenta con ella.

—¿Recuerdas el cuarto en la casa de Billy Ray del que me hablaste, el que contiene la pizarra blanca y los diagramas?

—Claro.

—Es justamente lo que suponías.

—¿Cómo lo sabes?

—Él mismo me lo enseñó.

Stephanie se mostró confundida.

—¿Cuándo? ¿Por qué?

—Creyó que si me lo mostraba me convencería de que Logan había matado a True y había secuestrado a Amanda LaPier y a Trista Hook.

—¿Y lo consiguió?

Bailey negó con la cabeza.

—Todo lo contrario. Me confirmó que se trata de una cuestión personal de Billy Ray. Él… En la pizarra blanca había anotado los nombres de otras mujeres, de las que yo no había oído hablar. Incluso sugirió que Logan podía estar involucrado en…

—¿La muerte por ahogamiento de su madre?

—Sí. ¿Cómo lo sabes?

—Él mismo me lo dijo anoche.

Los ojos de Bailey se llenaron de lágrimas.

—Tengo mucho miedo.

Stephanie sintió lástima de ella.

—Es mentira, Bailey. Conozco a Logan de toda la vida y me consta que no ha hecho lo que aseguran algunos.

—Lo sé. —Metió las manos en los bolsillos de su chaqueta—. Es incapaz.

—¿En qué puedo ayudarte?

—Necesito entrar en casa de Billy Ray. Tengo que examinar de nuevo esa pizarra.

—¿Por qué?

—Debo encontrar las respuestas a unas preguntas.

—¿Por qué no se las haces a él?

—No quiero que sepa lo que sospecho. No quiero que vea lo asustada que estoy.

Stephanie lo comprendía. Un tipo como Billy Ray era peligroso cuando sabía que controlaba la situación. Y, como ella sabía por experiencia, no dudaría en aprovecharse de ello.

Miró su reloj. Faye no tardaría en asomar la cabeza y gritarle para que regresara, por lo que debía apresurarse.

—Tengo que contarte algo. Anoche fui a la cabaña de Henry, no sabría explicarte por qué, pero…

—Lo sé, Steph.

Stephanie le apretó la mano en un gesto de gratitud y prosiguió:

—Billy Ray estaba allí. Le sorprendí metiendo algo en el maletero de su coche.

Bailey palideció.

—¿Qué?

—Me mintió. Dijo que había ido para retirar la cinta con la que la policía había acordonado el escenario del crimen. Pero cuando hablé con el detective de la oficina del *sheriff*, antes de que tú llegaras, me dijo que sus agentes la habían retirado el martes por la tarde.

—¿Por qué te mintió Billy Ray?

—No lo sé, pero cuando entré en la cabaña, comprobé que la había registrado en busca de algo.

—Creo que ya lo ha encontrado, Steph.

—¿De qué se trata?

—¡Stephanie! ¡Por el amor de Dios! ¿Te has tomado un respiro o unas vacaciones?

—¡Lo siento, Faye! —contestó la joven sin volverse—. ¡Enseguida voy!

—Espera. —Bailey le sujetó la mano—. ¿Me ayudarás?

—Haré lo que pueda. Te llamaré cuando llegue a casa, después de atender a los caballos. Pero tenemos que elegir el momento idóneo para hacerlo.

—¿«Tenemos»?

Stephanie sonrió.

—¿Crees que iba a dejar que fueras allí sola?

58

11:50

Billy Ray entró en el complejo de la oficina del *sheriff*, portando una bandeja con unos cafés y una bolsa de bollos del restaurante de Faye. Saludó con la cabeza a la mujer del mostrador de información y ella le indicó que pasara. Como si fuera uno más.

El policía tarareaba una canción por lo bajo. Se sentía estupendamente. Mejor de lo que se había sentido en muchos años. Era una lástima lo que le había ocurrido a Pérez, pero cuando uno consume porquerías como K, a veces lo pagas con la vida.

Subió la escalera. Hoy era el gran día. Suponían que el juez les concedería la orden para registrar Abbott Farm: la casa, el garaje, las cuadras y las cuarenta hectáreas de terreno.

Allí encontrarían las pruebas que necesitaban para encerrar a Abbott en la cárcel de por vida.

Billy Ray entró en la División de Investigación. Rumsfeld y Carlson estaban sentados frente al monitor del ordenador.

—Buenos días —dijo, depositando los cafés y la bolsa en la mesa de Rumsfeld.

Este alzó la vista y dijo:

—Es casi mediodía, Williams.

—Anoche fue una noche muy ajetreada. Supuse que os vendría bien otra ronda.

—La número cuatro. Estoy saturado de cafeína, tío.

Carlson asintió con la cabeza, pero tomó la bolsa de los bollos y miró dentro.

—Pero nada me impide comer. —Eligió un bollo de hojaldre con pasas—. Gracias, colega.

—Acerca una silla —dijo Rumsfeld—. Ha habido novedades.

Billy Ray se sentó y esperó, procurando comportarse con absoluta tranquilidad. No podía cometer un solo desliz. No cuando estaba tan cerca.

—Las pruebas de balística del homicidio de Rodríguez coinciden.

—Con el Remington setecientos del escenario de la muerte de Pérez.

—Sí.

—Es una buena noticia. —Billy Ray miró a los dos detectives. Sabían algo, algo que no habían compartido aún con él—. Aunque jamás habría sospechado que el relamido de Pérez tuviera un rifle y menos que fuera el asesino. Claro que chutarse Special K tampoco encajaba con su estilo.

—Justamente, Williams. No hemos descartado aún esta posibilidad. Queremos encontrar otro vínculo entre Pérez y el rifle.

En Luisiana las leyes sobre posesión de armas eran de las más tolerantes del país; no era necesario registrarse ni tener licencia para adquirir o portar un rifle o una escopeta.

—El arma estaba en su casa.

—Según dicen nuestros testigos. El señor Pérez ya no puede confirmarlo o negarlo.

—No te fías de ellos.

—La confianza no tiene nada que ver con esto. Mi deber es dudar de todo.

—¿Crees que el arma fue colocada allí por uno de ellos, o por los tres?

—Es posible. Pero ¿por qué?

Billy Ray sacudió la cabeza, visiblemente irritado.

—¿Qué hay de las huellas dactilares? Eso lo relacionaría con el caso.

—Curiosamente, en el arma no aparecen las huellas de Pérez.

—¿Ni una sola?

—No.

—Bueno —dijo Billy Ray—, podría haberlas limpiado después de matar a Rodríguez.

—Es una hipótesis.

—¿Tienes otra?

—Él siempre tiene alguna hipótesis —terció Carlson, limpiándose la boca con una servilleta de papel—. Forma parte de vivir el sueño.

Rumsfeld lo miró enojado.

—Repasemos los hechos. Pérez estaba en posesión del rifle utilizado para matar a Rodríguez. Una testigo dice que lo encontró sobre su cama. La cama estaba hecha y el rifle estaba sobre ella.

—Exacto.

—¿Por qué?

—No comprendo —dijo Billy Ray.

—¿Por qué limpió Pérez sus huellas del arma y la dejó sobre su cama?

—Había decidido suicidarse disparándose un tiro con ella. O quería que nosotros encontráramos el rifle y descifráramos el enigma.

Rumsfeld arqueó una ceja.

—Insisto, ¿por qué eliminó antes sus huellas?

Billy Ray tuvo que reconocer que el detective tenía razón.

—Quizá planeaba deshacerse del rifle, pero decidió montarse antes una juerguecita y se inyectó una sobredosis. O quizá quería relajarse antes de descerrajarse un tiro.

—Un drogadicto experimentado sabe que si se chuta va a ser incapaz de apretar el gatillo. Lo cual nos lleva de nuevo a la pregunta de qué sucedió realmente. ¿Se inyectó Pérez una sobredosis sin querer? ¿O fue un suicidio?

Tras reflexionar unos momentos, Billy Ray respondió:

—Yo me inclino por que fue una sobredosis accidental.

—¿Por qué?

—Por lo que sé de él —dijo—, Pérez tenía una opinión muy favorable de sí mismo. Me cuesta imaginar que quisiera poner fin a su vida. Además, no creo que fuera un tipo al que le diera un ataque de conciencia, decidiera suicidarse y dejara el arma con que había matado a Rodríguez para que la encontráramos. Por último, no dejó ninguna nota.

—¿Y la llamada a Bailey Abbott? —preguntó Carlson—. Pérez quiere confesar, pero ella no coge el móvil. De modo que deja un mensaje disculpándose y pidiendo perdón. Incluso menciona a Henry.

—Eso se inscribe en la categoría del ataque de conciencia. No me lo trago.

Carlson meneó la cabeza.

—Lo hace el día en que su víctima es enterrada y su amigo Abbott es arrestado. Todo sucede al mismo tiempo y Pérez no soporta la tensión.

—Pero Abbott ha sido arrestado por lo de Jenkins, no por la muerte de Rodríguez. —En ese momento sonó el móvil de Billy Ray—. Disculpad —dijo, saliendo del cubículo—. Williams.

—Billy Ray..., jefe, soy Earl.

—Estoy reunido, agente Stroup.

—Acaba de llamar Travis Jenkins.

—¿Y?

—Yo no... Es una buena noticia. Él...

—Suéltalo de una vez, Stroup.

—Dixie se ha puesto en contacto con él. La chica está bien.

Billy Ray alargó la mano para sujetarse a algo. De repente le acometió una sensación de vértigo.

—No.

—Dixie se largó para casarse.

Billy Ray salió al pasillo para alejarse de oídos y ojos indiscretos.

—¿Qué?

—Travis me aseguró que era ella. Está en San Antonio.

—No me lo creo.

—Se ha casado con un tipo con el que había salido hace tiempo. Ella...

Billy Ray le interrumpió.

—Dile a Travis que no diga una palabra de esto a nadie.

—Pero, jefe...

—Hasta que no la haya visto yo, Dixie sigue desaparecida y Abbott sigue en la cárcel. —*Y la orden de registro sigue su curso tal como estaba previsto*—. ¿Me has oído, agente Stroup? Tu empleo depende de ello.

—Sí, señor.

Billy Ray colgó. Inspiró profundamente y expelió el aire despacio. Trató de recobrar la compostura borrando la emoción de su rostro y el pánico de sus ojos. Inspiró otra bocanada de aire y la expelió de la misma forma. Puede que Carlson fuera un poco bobo, pero a Rumsfeld no se le escapaba nada. No podía permitirse el lujo de que le hicieran preguntas en estos momentos.

No era la primera vez que se encontraba en esta situación. Había logrado salir bien parado en otras ocasiones, y ahora también lo haría.

Entró de nuevo en la División de Investigación.

—¿Todo va bien, Williams? —preguntó Rumsfeld, alzando la vista.

—Perfecto —contestó Billy Ray sonriendo con gesto afable—. Todo va... perfectamente.

59

12:45

Bailey consultó su reloj. Stephanie había llamado hacía veinte minutos para decirle que iba a pasar a recogerla. Si aún quería entrar a echar un vistazo en casa de Billy Ray, este era el momento idóneo. Bailey había aprovechado el rato para poner en orden sus pensamientos. Había metido un pequeño bloc de notas en su bolso, se había cerciorado de que llevaba un bolígrafo y su teléfono móvil y había llenado el cuenco de agua de *Tony*.

Afuera oyó el sonido de un claxon. Al perro no parecía hacerle gracia que lo dejara y Bailey le dijo, sacudiendo un dedo:

—Pórtate bien y no hagas ninguna trastada.

Lo cierto era que podía dejar que el animal correteara por la finca mientras ella se ausentaba. *Tony* sabía dónde vivía y la propiedad estaba vallada, pero ella no soportaba la idea de que no estuviera en casa cuando regresara.

Bailey salió y cerró la puerta tras ella. Luego se dirigió apresuradamente hacia la camioneta de Stephanie y se subió en ella.

—¿Estás lista?

—Creo que sí. —Bailey se abrochó el cinturón de seguridad—. ¿A qué vienen estas prisas?

—Billy Ray pasó por Faye's para comprar unos cafés y unos bollos. Iba a reunirse con los detectives Rumsfeld y Carlson en Slidell. En la oficina del *sheriff*.

—¿Te lo dijo a ti?

—No. Le oí hablar con Earl y decirle que se ausentaría un rato.

Pasaron en la camioneta frente a la cuadra. No se veía un alma.

—¿Qué crees que significa eso?

—No te gustará.

—¡Qué novedad!

—Celebro comprobar que no has perdido el sentido del humor.

—Si lo pierdo, me hundo.

Stephanie extendió el brazo y le apretó la mano.

—Anoche, cuando vi a Billy Ray, me dijo que hoy obtendría una orden de registro. Para registrar la finca.

Bailey crispó los puños.

—Todos sus sueños se van cumpliendo.

—Lo siento.

—Logan no lo hizo.

—Lo sé.

Esa simple respuesta, la confianza que le transmitió, hizo que a Bailey se le saltaran las lágrimas. No estaba sola.

—¿Cómo entraremos en la casa?

—Con una llave que conservo de cuando salíamos juntos.

—¿Billy Ray no te pidió que se la devolvieras?

—Es una larga historia. —Stephanie sonrió levemente—. Bueno, quizá no tan larga, pero yo quedo fatal. Él no me la dio oficialmente.

—De modo que se la birlaste.

—Más o menos. —Stephanie guardó silencio un rato—. Billy Ray es demasiado paranoico y receloso para dar a alguien la llave de su casa. —Desvió la vista y luego miró de nuevo a Bailey—. No me siento orgullosa de esto. De hecho, me avergüenza. Me he dicho una docena de veces que debía tirarla, pero la he conservado por despecho. Después de la forma en que se portó conmigo…

—No tienes que darme explicaciones.

—Sí. Por mí, no por ti.

Bailey lo comprendía. No significaba que estuviera bien o que fuera normal, pero lo comprendía.

—No la he utilizado nunca, te lo prometo. El mero hecho de tenerla me proporciona cierta…, sé que es absurdo…, cierta sensación de control… —Stephanie no acabó la frase—. Cuando terminemos con esto, me desharé de ella.

—¿Hago mal en sentirme profundamente agradecida de que la tengas?

Stephanie emitió una risita nerviosa.

—Esa soy yo, siempre pensando en los demás.

—Sabemos cómo entrar en la casa, pero la cuestión es: ¿cómo entrar en la supercámara?

Stephanie sonrió ante el sarcasmo de Bailey.

—¿Derribando la puerta de un puntapié?

—Si es preciso...

—Para que lo sepas, pienso llevarme todo lo que Billy Ray sustrajo de casa del tío Henry.

Bailey asintió con la cabeza. Comprendía cómo se sentía una cuando alguien a quien quieres te traiciona. En su caso había sido su padre. En cierto momento había deseado recuperar lo que él le había arrebatado al abandonarla: su confianza y sensación de seguridad. La parte de su corazón que sólo él habría podido llenar.

Stephanie no podría recuperar eso. Sólo el tiempo podía devolvérselo.

Ambas guardaron silencio. Después de pasar frente Faye's, Stephanie dobló a la izquierda. Cuando pasaron frente a la comisaría, ambas la miraron. No había ningún coche patrulla. Sólo el VW Beetle rojo de Robin.

Stephanie aparcó a pocos metros de la casa de Billy Ray. Bailey sintió que el corazón le latía con furia al comprender que iban a asaltar la casa del policía.

—¿Y si nos ve algún vecino? —preguntó.

—Eso no podemos controlarlo. Compórtate con naturalidad. Saluda con la mano. Ya me han visto aquí en otras ocasiones.

Echaron a andar hacia la puerta de la casa.

—Prepárate, es posible que la llave no funcione. O que él haya cambiado la cerradura por si acaso.

—Funcionará. Es preciso.

Bailey pronunció una breve oración en silencio cuando su amiga insertó la llave en la cerradura. Stephanie la giró de un lado a otro; la cerradura no cedía. Tras intentarlo de nuevo, miró a Bailey.

—No funciona.

—Deja que pruebe yo.

Stephanie se apartó. Bailey sacó la llave y volvió a meterla, la movió un poco y el cerrojo se deslizó hacia atrás.

Se dio cuenta de que había contenido el aliento y lo expelió con una profunda sensación de alivio.

—La primera puerta del infierno —murmuró.

Entraron en la casa. Bailey se preguntó si Billy Ray estaba lo bastante loco como para haber instalado en su vivienda unos dispositivos electrónicos de seguridad. O unas trampas explosivas.

Al cabo de unos instantes comprobó que no tendrían que derribar la puerta de marras. Estaba abierta.

Bailey miró a Stephanie sorprendida.

—Mis ruegos han sido atendidos.

Pero cuando entraron en la habitación comprobó que no era así. La pizarra blanca estaba limpia. Billy Ray había retirado todo lo que contenía.

Había desaparecido todo.

—No. —Bailey pestañeó al tiempo que movía la cabeza, como si al hacerlo reaparecería todo por arte de magia—. No puede haberlo hecho. Aún no.

—Lo siento mucho, Bailey.

Esta sintió ganas de llorar.

—Ha atrapado a su hombre —dijo—. Lo ha conseguido. Ya no necesitaba esas cosas.

A su hombre.

Logan. Su marido. Bailey se llevó la mano al vientre. *El padre de su hijo.*

—Mira en el armario —sugirió Stephanie—. Nunca se sabe.

Bailey hizo lo que su amiga sugería. Dos cajas de cartón.

—¡Bingo! Veamos qué hay en ellas.

Una caja estaba llena, la otra prácticamente vacía. Empezó por la que estaba llena. Fotos. Recortes de prensa. Notas.

Las víctimas estaban archivadas en unas carpetas debidamente etiquetadas y organizadas. La primera correspondía a Nicole Grace. La chica de quince años que habían encontrado estrangulada.

Nicole. La letra «N».

Bailey vio en su mente la imagen del collar con la inicial, la ligera cadena de plata apoyada en sus dedos.

La imagen iba acompañada de la voz de Henry. Y de la suya. Preguntando al anciano dónde había encontrado la caja.

—¿De dónde has sacado estas cosas, Henry?

—Las encontré».

—¿Dónde?»

—¿A que son bonitas? —Henry parecía sentirse dolido—. Supuse que le parecerían bonitas.

—Claro que me lo parecen, Henry. Por favor... Sólo quiero... —Bailey se aclaró la garganta—. ¿Estaban juntas? ¿En esta caja?

Él asintió con la cabeza.

—¿Ha visto? Es la caja de Logan. Roane también tenía una. —El anciano arrugó el ceño—. No sé dónde ha ido parar la suya. Quizá se la llevó consigo.

Bailey sintió un regusto amargo y trató de reprimir las náuseas.

—De modo que la caja contenía todas estas cosas tan bonitas. ¿Dónde, Henry? ¿Dónde encontraste esta caja?

—No debí cogerla. Lo siento.

—Descuida, no estoy enfadada. —Bailey procuró suavizar el tono—. Sólo necesito saber dónde la encontraste.

—En el sitio malo. No debí ir allí. Nadie debe ir allí.

—¿El sitio malo? —Ella frunció el ceño—. ¿A qué te refieres?

—Cosas malas... —Los ojos del anciano se llenaron de lágrimas—. Roane.

El granero. Donde Roane se había ahorcado.

Situado lejos de la casa. Hacía tiempo que nadie lo utilizaba y se había deteriorado. ¿Qué mejor lugar para que un asesino guardara sus cosas? Estaba claro que guardaba sus tesoros allí. ¿Enterraba también a sus víctimas allí? ¿Las llevaba allí para matarlas?

Bailey contuvo su imaginación. No podía dejarse llevar por ella. No en esos momentos.

Las manos le temblaban. Trató de ocultárselo a Henry.

—Tengo que ir allí. Indícame cómo ir.

—No puede ir allí, señorita True.

—Tú podrías llevarme, Henry. Mostrarme el camino.

—No puedo conducir. —El anciano miró a través de la ventana—. Está muy lejos para ir a pie.

El carro eléctrico de golf, pensó ella, pero enseguida descartó esa idea. Tendría que explicar por qué lo necesitaba.

Y no estaba dispuesta a hacerlo. Aún no.

Quizás esta fuera su última oportunidad. Tenía que averiguarlo. Antes de transmitir esta información a Logan. O a la policía.

—¿Cómo podemos llegar allí, Henry?

—A caballo.

Al principio ella había meneado la cabeza, pero luego había reca-
pacitado. August le había asegurado que estaba preparada. *Tea Biscuit* era una yegua muy dócil.

Podía hacerlo, se dijo. No sólo para salvar su matrimonio, sino
por la criatura que llevaba en su vientre.

—Sí, Henry, es una buena idea. —El anciano sonrió satisfecho y
ella se levantó—. Iré a cambiarme de ropa y regresaré con *Tea Biscuit*.
Luego iremos juntos.

60

Bailey alzó la vista. Stephanie estaba en la puerta, mirándola con una expresión muy extraña.

Bailey pestañeó.

—¿Qué pasa?

—Nada, he venido a ver cómo estabas. ¿Has encontrado algo?

No se trataba de lo que había encontrado, sino de lo que había recordado. Pero no tenía tiempo de compartirlo con ella. Negó con la cabeza y respondió:

—Está todo aquí. ¿Y tú?

Stephanie se enfundó las manos en los bolsillos.

—Las fotos que Billy Ray se llevó de casa del tío Henry. Y otras. No quiero quedarme aquí. Tengo el presentimiento de que regresará pronto.

Bailey asintió y contempló de nuevo el material que tenía ante ella. Sacó el cuaderno y el bolígrafo del bolso.

Escribió el nombre de Nicole Grace y anotó al lado un número uno. La adolescente había sido estrangulada. El collar con la inicial debía de ser suyo. Él la había matado y se lo había quitado de alrededor del cuello.

Trista Hook. Cabello largo y ondulado. En una de sus fotografías, se lo había apartado de la cara. ¿Era posible que el pasador con brillantitos fuera suyo? Bailey escribió esa pregunta y continuó.

Amanda LaPier. Número tres. Bailey miró por encima los recortes de prensa, deteniéndose en una breve biografía. La chica se había graduado de Covington High en 2010. *El anillo de graduación era suyo.*

Estas pruebas eran determinantes, pensó Bailey. El anillo de graduación, el colgante con la inicial… Los recuerdos de un asesino. Su caja de trofeos.

ERICA SPINDLER

Esto era sin duda lo que representaban para él.

Billy Ray había abierto también una carpeta sobre Dixie. Bailey no vio nada en ella que no supiera ya.

La carpeta de True. La de Logan. Luego... nada.

Arrugó el ceño. ¿Dónde estaban las otras tres mujeres? Trató de recordar la pizarra blanca, el diagrama. Recordó haberse detenido ante él..., los nombres.

¿Por qué las había excluido Billy Ray de la caja? ¿Qué significaba? *Algo. Algo importante.*

—Cuando quieras, nos vamos.

Bailey levantó la vista y miró a Stephanie.

—Echaré un último vistazo.

No se apresuró, sabiendo que esta era su última oportunidad de asomarse a la mente de Billy Ray. Tomó unas cuantas notas más, las revisó rápidamente y se levantó.

—No tapes la caja y deja la puerta del armario abierta.

Bailey la miró extrañada.

—¿Por qué?

—Para desconcertarlo.

En otra situación en que no hubiera algo tan importante en juego, Bailey habría sonreído, incluso se habría reído de la ocurrencia. Pero hoy había demasiado en juego.

—¿Estás segura de que debemos hacerlo? Quizá sospeche entonces...

—Me da lo mismo. Estoy deseando encararme con él.

Era evidente, pensó Bailey cuando abandonaron la casa de Billy Ray. Se dio cuenta por la forma en que Stephanie tensaba y relajaba las manos sobre el volante, el músculo crispado en su mandíbula.

—¿Qué te ocurre? —preguntó.

—Nada. Demasiados recuerdos —respondió Stephanie.

Pero no era cierto. Estaba claro.

—¿Qué hiciste ahí dentro?

—Echar un vistazo.

—¿Hallaste la cabeza de True en el congelador?

—¿Qué? ¡No!

—¿La cabeza de otra persona?

—¡Dios, claro que no! No tiene ninguna gracia, Bailey.

—Lo he dicho sólo medio en broma.

Ambas callaron. Bailey lo intentó de nuevo.

—Pero has encontrado algo.

Stephanie la miró y fijó de nuevo la vista en la carretera.

—No tengo ganas de hablar de ello.

—De acuerdo, lo entiendo.

—¿Y tú? —Stephanie flexionó de nuevo los dedos sobre el volante—. Dijiste que tenías unas preguntas que necesitaban respuesta. ¿Has encontrado lo que buscabas?

Nombres. La confirmación.

—Sí.

—¿Quieres hablar de ello?

Tras dudar unos instantes, Bailey asintió. Stephanie era la única amiga verdadera que tenía.

—Para el coche. Debo decirte algo.

Stephanie entró en el aparcamiento desierto de una iglesia, apagó el motor y se volvió hacia ella.

—Te escucho.

—He recordado lo que sucedió el día del accidente. Al menos, casi todo.

Su amiga se quedó inmóvil, sin mover un músculo. Instintivamente, pensó Bailey. Como si temiera que el menor movimiento pudiera inducirla a ella a cambiar de opinión o que su memoria volviera a evaporarse.

—Ese día fui a ver a Henry. Hablé con él.

—¿Cómo estaba? —preguntó Stephanie con voz entrecortada por la emoción.

—Estaba bien, Steph. Era… el Henry de siempre.

Los ojos de Stephanie se inundaron de lágrimas. Pestañeó para reprimirlas, pero algunas se escaparon y rodaron por sus mejillas. Se las enjugó como si estuviera irritada consigo misma.

—Ojalá hubiera ido a verlo yo ese día. Lo habría visto por última vez. Quizás aún estaría vivo. En su casa, conmigo, a salvo. Ese cazador…

—No lo mató un cazador.

—¿Cómo lo sabes…? —Stephanie miró a Bailey estupefacta—. Has recordado…

—Escúchame y luego decide. Ese día, cuando llegué a su casa, Henry me dio una cosa. Una… caja. Una caja hecha a mano que…

—Bailey se aclaró la garganta—. Tenía grabadas las iniciales de Logan. Y una fecha. El dos de mayo de 1988.

—¿Qué…?

—¿Qué contenía? Varios objetos. Un collar y un pasador de pelo, el anillo de graduación de una chica. Una barra de labios. Y un par de cosas más.

—El tío Henry siempre encontraba cosas en el bosque. Cosas sin ningún valor, que alguien había perdido.

—Me dijo que cuando encontró la caja, ya contenía esos objetos.

—Ya.

Stephanie no lo comprendía.

—Yo quería examinar las notas de Billy Ray sobre las mujeres que habían desaparecido para tratar de relacionar alguno de esos objetos con ellas.

Stephanie seguía mirándola sin comprender. Bailey continuó.

—El collar era un colgante con una inicial. La letra «N». La chica que fue estrangulada en 2005 se llamaba…

—Nicole. ¡Dios santo!

—Y el anillo de graduación era de Covington High, la clase de 2010. El año en que Amanda LaPier…

—Se graduó.

Stephanie había palidecido.

—Sí.

—El tío Henry creía haber hallado un cofre del tesoro. Pero había encontrado una caja que contenía unos recuerdos macabros.

Stephanie guardó silencio un momento. Cuando habló de nuevo, Bailey detectó una nota de optimismo en su voz.

—¿Crees que… quizá no sea nada? ¿Tan sólo lo que te dijo Henry? ¿Una cosa inocente?

«*Inocente*». Una palabra preciosa.

—Hasta hoy, pensé que era posible… Yo también confiaba en que fuera así. Pero la coincidencia del collar y el anillo… Ya no tengo ninguna duda.

—¿Te dijo el tío Henry dónde había encontrado la caja?

—En el granero.

—El… —Stephanie se detuvo; su rostro mostraba de nuevo una expresión horrorizada—. Donde Roane… El lugar perfecto. Nadie va nunca allí.

—Exacto. De hecho, según me dijo Henry, nadie *debía* ir allí. Le pareció una locura que yo quisiera hacerlo.

—¿Quién le había dicho eso? —preguntó Stephanie.

—Lo ignoro. No me lo dijo, pero supongo que fue Logan o Paul.

—O Raine. Dios mío, Billy Ray buscaba esa caja.

—Es posible.

—Si no la tiene él, ¿qué ha sido de ella?

—Quizá la requisaron los agentes del *sheriff* cuando registraron la casa de Henry después de que fuera asesinado.

Stephanie tamborileó con los dedos sobre el volante.

—Hay un problema. A mi modo de ver, si la hubieran encontrado, habrían interrogado a Logan. Y a mí. Habrían considerado a Henry sospechoso.

—Tienes razón. No se me había ocurrido. —Bailey frunció los labios—. Billy Ray había ido allí, y tú estabas segura de que había entrado en la cabaña. Le viste meter algo en el maletero del coche.

Stephanie asintió con la cabeza.

—Debía de ser la caja.

Tenía sentido.

—Pero ¿dónde está ahora? ¿En poder de los agentes del *sheriff*? ¿O sigue aún en el maletero del coche de Billy Ray?

—Seguro que la tienen los agentes del *sheriff* —dijo Stephanie—. Es la prueba definitiva para empapelar a Logan.

—No —contestó Bailey, pensando en algo que no se le había ocurrido hasta ahora—. Eso lo complicaría todo.

—¿A qué te refieres?

—Billy Ray tendría que explicar a los agentes del *sheriff* dónde la había encontrado. Como tú misma has dicho, si él la tomó de casa de Henry, esa caja convierte a tu tío en sospechoso.

—De modo que Billy Ray la coloca donde pueda perjudicar más gravemente a Logan. —Stephanie cruzó la mirada con Bailey—. Estaba convencido de que obtendría la orden de registro. Estaba eufórico ante la perspectiva.

—Ha ocultado la caja en Abbott Farm. Seguro. —Bailey sintió que se le encogía el corazón y se llevó las manos al vientre—. ¿Qué vamos a hacer? Podría estar en cualquier sitio.

—Habla con la policía. Cuéntales la historia. Diles que has recobrado la memoria.

—No me creerán. Pensarán que trato de salvar a mi marido. Debido a mi estado. O que el amor me ciega. Pensarán que he averiguado lo que hizo Logan, lo que es… Muchas mujeres lo hacen. No sería el primer caso.

—¿Eres una de esas mujeres? ¿Una mujer cegada por el amor?

—No. —La palabra brotó de sus labios con vehemencia y Bailey sintió como si se hubiera quitado un gigantesco peso de encima—. No lo soy. Y Logan no es un asesino.

—No vayas a hablar con el *sheriff* hasta dentro de unas horas. Iré a hacer una visita a Billy Ray. Le obligaré a confesar.

—¿Cómo?

—Creo que tengo algo con lo que puedo coaccionarlo. Algo gordo.

Stephanie no quiso decir a Bailey qué era. Durante el resto del trayecto hasta la finca ambas guardaron silencio.

Paul esperaba a Bailey. Cuando Stephanie detuvo la camioneta, el jefe de cuadras se acercó y abrió la puerta del copiloto.

—¿Dónde diablos estabas, Bailey?

—Como ves —respondió Stephanie, apeándose del vehículo—, estaba conmigo. ¿Qué ocurre?

—Se trata de Logan.

—Dios mío… —Bailey se bajó rápidamente de la camioneta—. ¿Qué ha pasado, Paul? ¿Está bien…?

—Sí. Son buenas noticias, Bailey —respondió él; la voz le temblaba un poco—. Dixie Jenkins está viva.

Bailey tardó un momento en asimilar sus palabras. Cuando lo hizo, sintió que las piernas le flaqueaban debido a la sensación de alivio que la inundó. Se sujetó a la puerta del vehículo.

—Júrame que no es una broma.

—No es una broma. Dixie se fugó para casarse.

—Pero su coche…, lo dejó abandonado…

—Esa chica está como una cabra. —Paul miró a Bailey a los ojos, escrutándolos—. ¿Sabes lo que esto significa? Van a liberar a Logan. Dentro de una hora, según dijo su abogado.

Bailey dio un grito de alegría y le echó los brazos al cuello. Él la abrazó con fuerza. Al cabo de unos momentos ella se volvió hacia Stephanie y también la abrazó.

—¡Logan va a volver a casa, Steph! Yo sabía que no lo había hecho. ¡Es incapaz de semejante atrocidad!

Stephanie le devolvió el abrazo.

—Anda, ve. Tienes que estar allí cuando salga.

Bailey se volvió hacia Paul.

—¿Puedes llevarme en tu coche?

—Desde luego.

—¿Quieres acompañarnos, Steph?

Stephanie sonrió.

—No, debo hacer una cosa. Pero abraza a Logan y felicítalo de mi parte.

61

Bailey llegó a la cárcel en el preciso momento en que su marido salía de las dependencias de la prisión, un hombre libre.

—¡Logan! —gritó, corriendo hacia él.

Él la abrazó y sepultó la cara en su cabello. Ella sepultó la suya en el cuello de él. Permanecieron así largo rato, conscientes de la gente que pasaba junto a ellos, de la conversación un tanto forzada entre el abogado y Paul. De que este se aclaraba la garganta de vez en cuando.

Por fin se separaron, pero sólo unos centímetros. Bailey observó el rostro de Logan. Parecía haber envejecido cinco años en las últimas veinticuatro horas. Se preguntó si ella también parecía haber envejecido, aunque por la forma en que él la miraba —como si fuera la mujer más bella que había visto en su vida—, supuso que no.

Paul dio a Logan una palmada en la espalda.

—Me alegro de que vuelvas a casa, amigo.

—Aún no estoy allí. Larguémonos de aquí antes de que cambien de opinión.

Logan y el abogado cambiaron unas palabras antes de despedirse. Paul condujo y Logan y ella se sentaron en el asiento posterior, cogidos de la mano. Bailey tenía muchas cosas que contarle, pero no lograba expresar sus pensamientos verbalmente. Se sentía feliz. Ya tendrían tiempo de hablar, pero de momento se contentaba con sentir el calor de él, su mano en la suya.

Paul los miró por el retrovisor.

—¿Te han dicho que August ha muerto?

Bailey sintió que Logan se tensaba junto a ella.

—Sí. Se refocilaron con la noticia. Me preguntaron si sabía que era un drogadicto. Yo no lo sabía. ¿Y tú?

—No.

Bailey intervino en la conversación.

—Raine sí lo sabía. Dijo que tiempo atrás August había tenido problemas con su drogadicción, pero que los había superado.

Logan la miró extrañado.

—Raine no me había dicho nada.

—Es natural que fuera la única de nosotros que lo supiera —apuntó Paul—. Dios los cría y ellos se juntan.

Lo dijo en un tono que a Bailey le pareció mezquino e innecesario. Apoyó la cabeza en el hombro de su marido.

—Me hicieron muchas preguntas sobre el rifle —dijo Logan.

—¿Ah, sí? —Paul parecía sorprendido—. ¿Por qué?

—Lo ignoro. Les chocaba que August tuviera un rifle, me preguntaron si era aficionado a la caza. Les dije que no creía que hubiera cazado jamás un animal. No era su estilo.

Paul se mostró de acuerdo.

—Es curioso que uno pueda ser amigo de alguien, trabajar con él durante años y no conocerlo en absoluto.

—Me preguntaron sobre su relación con Henry.

—¿Con Henry? —repitió Paul, visiblemente sorprendido—. ¿Por qué?

—Es lógico. Dicen que un cazador disparó contra Henry…

—Y un cazador utiliza un rifle. Quizás el mismo tipo de rifle que el que encontraron en casa de August.

—No —dijo Bailey—. August era incapaz de lastimar a nadie.

—Había algo en las preguntas que me hicieron… Da lo mismo.

La mirada de Paul se cruzó de nuevo con la de Logan en el retrovisor.

—¿A qué te refieres?

—Tuve la sensación de que sabían, o sospechaban, algo que no me decían, pero esperaban que yo confirmara.

—¿El qué?

—No tengo idea, tío. —Logan emitió una exclamación mezcla de cansancio y contrariedad—. Pero es el sistema que utilizan los policías, tratar de obligarte a confirmar sus acusaciones, por disparatadas que parezcan.

Bailey dedujo que se refería a Billy Ray y le apretó la mano.

—Todo ha terminado.

—De momento —matizó Logan—. Él no va a cejar en su empeño.

—Le obligaremos a hacerlo —dijo ella, alzando la cara para mirarlo a los ojos—. Es un abuso de poder, una venganza personal.

Paul se mostró de acuerdo.

—Esto podría ser la munición que necesitas.

Logan suspiró y apoyó la cabeza en el respaldo del asiento.

—En lo único en lo que quiero pensar ahora es en llegar a casa y abrazar a mi bella esposa.

Tras estas palabras, los tres callaron. No volvieron a despegar los labios durante el resto del trayecto. Al llegar a la finca comprobaron que Raine les estaba esperando.

Corrió al encuentro de su hermano y lo abrazó.

—Gracias a Dios…, gracias a Dios… ¡Temía haberte perdido también a ti!

—Ya estoy en casa, Raine. —Logan le acarició el pelo mientras ella seguía abrazada a él, sollozando—. Tranquilízate. Todo se resolverá.

—No…, quizá no… Yo… —Raine se esforzó en recobrar la compostura—. Tengo que decirte algo, algo que debí contarte hace mucho tiempo. Quizá… me odies por ello. Pero debo hacerlo. A solas. ¿De acuerdo?

Bailey supuso que quería contarle lo del bebé de True, el aborto.

Logan la miró con expresión interrogante. Aunque Bailey se compadecía de él y hubiera querido impedir que lo averiguara, asintió con la cabeza.

—Estaremos en el estudio —dijo Logan.

Unos momentos más tarde, él y Raine desaparecieron dentro de la casa.

Bailey se volvió hacia Paul.

—No es preciso que te quedes.

—¿Sabes de qué va?

—Creo que sí.

Ella no abundó en el tema, y él la miró dolido.

—Quizá me necesiten. Me quedaré un rato.

—Quizá te necesite Raine. Logan me tiene a mí.

—Ya. —Paul metió las manos en los bolsillos—. Las viejas costumbres…

—Entremos, los mosquitos empiezan a agobiarme.

Logan y Raine no salieron del estudio hasta al cabo de casi una hora. Era evidente que los dos habían llorado. Paul tomó a Raine de la mano, sin decir una palabra, para llevarla a su casa. Ella le siguió dócilmente, dándole las gracias por lo bajo y volviéndose para despedirse de Logan y de Bailey.

Esta extendió la mano. Logan la tomó y ella lo condujo arriba, a la cama que compartían.

Lo desnudó en silencio, diciéndole con sus manos y su boca lo mucho que lo amaba y necesitaba. Que le comprendía, que siempre le apoyaría en todo.

Se tumbó con él en la cama y él la penetró. Sólo habían estado separados un día, pero a ella le parecía que habían sido semanas. Incluso meses. Supuso que era debido a la distancia emocional que se había producido entre ellos por culpa de sus sospechas.

Ahora confiaba en él plenamente. Lo sentía en la forma en que su cuerpo respondía a sus caricias. No era algo sólo físico, sino espiritual. Salvaje, libre. Bailey se entregó a él por completo, sin reprimir ningún sentimiento ni pensamiento. No se había sentido así desde antes del accidente, desde antes del descubrimiento del zapato rojo y las absurdas teorías de Billy Ray.

Más tarde permanecieron abrazados debajo de las mantas.

—Tenemos que hablar —dijo él.

—Sí.

—No más secretos.

—No. Nunca más.

Él apoyó la frente en la de ella.

—Lo que dije en el coche es verdad. El tema no ha concluido, Bailey.

—¿Qué vas a…?

Las tripas de Logan empezaron a protestar sonoramente. Las de ella hicieron lo propio.

Bailey se rió.

—Qué pareja.

—El rancho de la cárcel deja mucho que desear. ¿Cuál es tu excusa?

Ella se levantó de la cama de un salto, riendo y llevándose una almohada y cuando él trató de sujetarla, se la arrojó. Él cayó de espaldas sobre el colchón, sorprendido, y tomó también una almohada.

Se enzarzaron en una animada pelea de almohadas, persiguiéndose por la habitación y saltando sobre la cama bajo una lluvia de plumas que habían estallado de la almohada con la que Bailey había golpeado a Logan por última vez.

Ambos cayeron sobre la cama e hicieron de nuevo el amor, esta vez pausadamente y con ternura. Una expresión exquisita de lo mucho que se querían.

Cuando terminaron, él se tumbó junto a ella.

—Estoy agotado. Hecho polvo.

—¿No habrá una tercera ronda? —preguntó ella con tono guasón, mordisqueándole en el pecho.

—No hasta que me des algo de comer. Tengo un hambre canina.

Ella se rió.

—¿Tú? Yo soy la que debo comer por dos.

Él sonrió con ternura y apoyó los dedos en el vientre de ella.

—¿Cómo está la niña?

—¿La niña?

—Tengo un presentimiento.

Bailey sonrió.

—Está perfectamente. Creciendo.

—Ya lo veo. —Él la miró con los ojos empañados por la emoción—. En la cárcel pensaba en vosotras para no volverme loco. Me dabais motivo para conservar la esperanza.

62

Asaltaron el frigorífico y la despensa. Comieron manteca de cacahuete del mismo tarro, con los dedos, cereales de la caja y restos de pizza fría. Bailey bebió leche, Logan cerveza Abita.

No hablaron de nada trascendental. Sólo del tiempo y de la finca, de nombres para el bebé y de sus sueños. Sólo de su futuro juntos.

Como hacen los recién casados. Como debían hacer ellos. Bailey se aferró con fuerza a esos momentos, memorizando cada palabra y pensamiento, cada mirada que cambiaban y cada sonrisa que compartían.

La calma antes de la tormenta, pensó. De pronto, como si sus pensamientos hubieran influido en él, el ánimo de Logan cambió. Se puso serio, casi melancólico.

—Tenemos que hablar —dijo.

Ella quería obligarle a desistir. Suplicarle unos momentos más de felicidad. Pero era demasiado tarde, él había pasado a otra cosa.

—Sí —dijo ella—. Es preciso.

Se sentaron a la mesa de la cocina, uno frente al otro, como si se tratara de una entrevista. Cara a cara, pensó ella. Mirándose a los ojos.

Él rompió el silencio.

—Lo he estropeado, lo sé. Me equivoqué desde el principio al no contártelo todo. Por no hablarte de mi familia, de True, de las investigaciones. Quería protegernos, preservar lo que teníamos en una burbuja. —Se rió de sí mismo—. Fui un idiota.

»Esta noche he averiguado que fui incluso más idiota de lo que…

Logan no terminó la frase, embargado por la emoción. Desvió la vista y tensó la mandíbula.

—No te atormentes —dijo ella—. No es culpa tuya.

—Claro que lo es. Yo era su marido. ¿Cómo es posible que no lo adivinara?

—Porque ella no quiso que lo supieras.

Él no lo aceptaba; ella lo leyó en sus ojos.

—La pelea que tuvimos True y yo antes de que yo partiera para Jackson... La acusé de estar liada con otro, Bailey. Se mostraba distante conmigo. Reservada, malhumorada. Ella lo negó, pero yo sabía que me ocultaba algo. Pero en lugar de tratar de convencerla para que me lo dijera, me marché dando un potazo. La dejé sola y hundida.

Bailey alargó la mano y él la tomó.

—Por eso me resultó tan fácil convencerme de que se había largado con su amante. Ya no lo creo. Creo que está muerta. Creo que el cabrón que secuestró a Amanda y a Trista, quienquiera que sea, mató a True.

—Yo también lo creo.

Logan tenía los ojos húmedos y se apresuró a volver la cabeza. Al cabo de un momento, se aclaró la garganta y la miró de nuevo a los ojos.

—Yo la traicioné, Bailey. Alguien la lastimó, pero en lugar de remover cielo y tierra para averiguar quién había sido, me dediqué a difamarla. ¿Cómo puedo... perdonarme por eso?

Logan hablaba de forma entrecortada. Ella se inclinó hacia delante, con los ojos llenos de lágrimas.

—Averiguaremos quién lo hizo —dijo—. Procuraremos que se haga justicia.

Después de asimilar las palabras de Bailey, él prosiguió:

—No empecé a pensar en ello esta noche. Empecé a pensarlo la noche en que tú y yo discutimos. Estaba furioso y dolido. No podía pegar ojo. No dejaba de pensar en True, en que Billy Ray te había dicho que esas mujeres estaban enterradas aquí, en la finca. Era una idea repugnante. Me enfureció. Pero pensé que tal vez fuera cierto. ¿Era posible que Billy Ray tuviera razón?

Logan se detuvo y la miró a los ojos.

—Por eso empecé a buscar en Internet. Busqué algo que pudiera librarnos de esas sospechas.

—Yo lo vi. Vi lo que habías buscado en el ordenador.

—Me di cuenta porque de pronto cambiaste. Los dos cambiamos.

Bailey tragó saliva.

—Debí preguntártelo. Debí confiar en ti, pero...

—Yo no era de fiar.

—No…

—Sí. Imaginé lo que debías pensar de mí. Lo vi en tus ojos. El desastre que yo había organizado. Comprendí que podía destruir lo que teníamos. Pero temía perderte. Y luego tú y *Tony* encontrasteis ese zapato. Traté de fingir que no tenía importancia, pero estaba aterrorizado.

Ella tenía la garganta seca y el corazón empezó a latirle con furia.

—¿Lo reconociste…? ¿Era de True?

—Sabía que no era suyo. No lo había visto nunca y ella no era aficionada a los zapatos rojos.

—Entonces, ¿por qué lo cogiste del cubo de la basura?

Él la miró con un gesto de sorpresa casi cómico.

—¿Metiste las manos en la basura para recuperarlo?

—No podía dejar de pensar en ese maldito zapato.

—No me extraña. Yo no sólo debía parecerte culpable, sino que me comportaba como si lo fuera.

—Se acabaron las dudas —dijo ella—. Ya ha pasado.

—Menuda pareja formamos.

Ambos sonrieron al mismo tiempo, y en ese instante Bailey pensó que eran casi como cualquier pareja de enamorados, que no tenían el espectro de un asesinato gravitando sobre ellos.

Casi, pero no del todo.

Por fin Bailey se armó de valor y declaró:

—Tengo que contarte algo. Arriba dijiste que la pesadilla no había terminado, pero no sabías lo que la policía podía tener. Yo lo sé.

Sostuvo la mirada inquisitiva de él sin pestañear.

—He recordado el día del accidente. Todo salvo cuando encontré a Henry muerto. —Él asintió con la cabeza y ella continuó—. Ese día fui a verlo, porque Stephanie me lo había pedido. Él tenía una cosa para mí. Una cosa que había encontrado.

Bailey describió la caja y los objetos que contenía.

—De acuerdo. Henry solía ir en busca de «tesoros». Recogía todas las cosas que encontraba y las guardaba en una caja. ¿Qué tiene de particular?

—No eran cosas que él hubiera hallado aquí y allá, Logan. Había encontrado la caja con esos objetos en su interior. Era una colección de objetos muy especiales para alguien.

—Entiendo. Pero ¿qué tiene eso que ver con las mujeres desaparecidas…?

Ella se dio cuenta de que en ese momento Logan lo comprendió todo, juntó todas las piezas.

—¿Crees que los objetos pertenecían a esas mujeres?

—Estoy convencida de ello.

—¿Tienes… pruebas?

—Circunstanciales. El anillo de graduación era de Covington High, clase de 2010, el año en que Amanda se graduó. Hay otro detalle sobre esa caja, Logan. Tus iniciales están en ella. Grabadas a fuego en la parte inferior.

Su semblante se contrajo en un gesto de tristeza y angustia. Se levantó y se acercó al fregadero. Permaneció allí unos momentos, con las manos apoyadas en la encimera, cabizbajo.

—Yo mismo confeccioné esa caja cuando tenía diez años —dijo por fin, con voz ronca. Se aclaró la garganta—. Mi padre me ayudó. Es uno de los buenos recuerdos que guardo de él… Recuerdo que me sentí muy orgulloso de mi obra. Y ahora…

Ese recuerdo había sido profanado.

—Lo siento.

—Hacía años que no pensaba en esa caja. Supuse que alguien la había tirado a la basura hace tiempo.

—¿Cuándo la viste por última vez?

Tras reflexionar unos instantes, Logan respondió:

—En la cuadra o en el garaje…, poco después de que muriera mi padre.

—¿En el granero, quizá?

Él se quedó de piedra.

—¿Por qué crees que podía estar en…?

—Henry me dijo que la había encontrado allí.

—El granero —repitió él—. No he vuelto a poner los pies allí desde lo de Roane. Nadie ha vuelto allí.

—Alguien debió de hacerlo —le corrigió ella—. Aparte de Henry.

Ambos guardaron silencio. Los segundos dieron paso a minutos.

—¿En qué piensas? —preguntó ella.

Él se volvió hacia ella.

—En la suerte que tengo de que, después de todo esto, aún estés aquí.

Ella se levantó y se acercó a él.

—Te quiero —dijo. Le rodeó con los brazos por atrás y apoyó la mejilla en su espalda.

—¿Por qué? —preguntó él con voz ronca.

—Porque eres digno de mi amor, Logan. Yo te creo.

Él se volvió entre sus brazos y apoyó la frente en la de ella.

—Ahora tenemos que convencer a los demás.

—El único que me preocupa es Rumsfeld. Lo que piensen los demás me tiene sin cuidado.

Él sonrió y se apartó para mirarla a los ojos.

—¿Por qué sospechas que la policía tiene esa caja?

Bailey le contó que Stephanie había sorprendido a Billy Ray en casa de Henry metiendo algo en el maletero del coche.

—El muy cabrón. Si la policía ha encontrado esa caja, estoy perdido.

—Entonces, ¿por que te han soltado?

—Quizá no tengan suficientes pruebas para acusarme. O quizá pensaron que no iba a huir y decidieron soltarme para que los condujera a alguna prueba. No lo sé. —Logan se pasó la mano por el pelo—. No tiene sentido. A menos que haya algo que no sabemos.

—Yo tengo otra hipótesis. Billy Ray tenía la caja, pero como confiaba en obtener una orden de registro para entrar en la finca, la ha colocado aquí. Para incriminarte.

Logan guardó silencio durante unos momentos.

—Es posible que Billy Ray estuviera en lo cierto. De lo contrario, ¿por qué guardaba el asesino su colección de recuerdos aquí? —Logan empezó a pasearse por la habitación, como si hablara consigo mismo—. Tiene que ser alguien que conoce bien esta zona. Que conoce nuestra historia familiar, lo que le ocurrió a Roane y que el granero estaba abandonado. La disposición de la finca. Pero podría ser cualquiera que lleve viviendo en esta zona desde hace tiempo.

—Al menos desde 2005.

Él se detuvo y la miró.

—Debido a lo que le ocurrió a Nicole.

—Sí. —Logan empezó a pasearse de nuevo de un lado a otro—. Las traía aquí…, pero ¿cómo? ¿Drogas? ¿Sexo? Hay algo que se me escapa. ¿O las traía a la fuerza? Las obligaba a montarse en su coche y luego…

De pronto se detuvo, agotado. Su expresión denotaba que se sentía derrotado.

—No sé por dónde empezar. Cuando tienes a la ley en tu contra, ¿a quién puedes recurrir?

—A mí —respondió ella—. Lo haremos juntos. —Extendió la mano hacia él—. Mañana. Ahora tienes que descansar, Logan.

—No hay tiempo. Rumsfeld, Billy Ray…

—Yo también tengo que descansar. Por mí y por el bebé. —Bailey le tendió de nuevo la mano—. No subiré sin ti.

Al ver que él dudaba, añadió:

—Mañana podremos pensar con claridad. Sabremos lo que debemos hacer, Logan.

Él tomó por fin su mano. Ella lo condujo arriba, a la cama. A los pocos instantes de haber apoyado la cabeza en la almohada, Logan empezó a respirar de forma profunda y acompasada.

Esta noche sería ella quien permanecería en vela. Montando guardia, velando por él, protegiéndolo de quienes estaban empeñados en destruirlos.

63

Billy Ray estaba sentado a la mesa de su cocina, con un vaso con tres dedos de whisky de Kentucky ante él, la mirada ausente. Abbott se había marchado. Lo habían soltado, habían retirado los cargos contra él. La orden de registro no llegaría. No podría registrar la finca.

Todos sus esfuerzos se habían ido al traste.

Gracias a una estúpida rubia de bote con el cerebro frito por el alcohol y otras sustancias.

Abbott había vuelto a ganar. El matón siempre ganaba. En el patio del colegio. En la sala de juntas.

A puerta cerrada.

—Hola, Billy Ray.

Él se volvió. Stephanie estaba en la puerta de la cocina. El policía pestañeó, preguntándose si era una alucinación, aunque sabía que no lo era.

—¿Cómo has entrado?

—La puerta estaba abierta.

Él arrugó el ceño. ¿La había dejado abierta? Ni siquiera recordaba haber llegado a casa.

—He oído decir que han liberado a Logan.

—¿Has venido a restregármelo en las narices?

—¿Eso piensas?

—Me odias —dijo él—. Está claro.

—Te equivocas. Me hiciste daño. Pero no te odio.

—Entonces, ¿por qué has venido, Steph?

—Tengo una pregunta. Quiero saber dónde conseguiste esto. —Ella se acercó a la mesa y extendió la mano. En la palma sostenía una sencilla alianza de oro.

Billy Ray sintió que tenía la boca seca, una sensación de vértigo.

—¿Dónde has encontrado eso?

—Ya lo sabes.

Oculto en el cajón de su escritorio, envuelto en un viejo pañuelo de su padre.

Billy Ray miró el anillo. De pronto le invadió una oleada de calor seguida de un sudor frío.

—Podría arrestarte por entrar en mi casa sin permiso.

—Pero no lo harás.

—¿Por qué estás tan segura?

—Tendrías que explicar por qué tenías el anillo de boda de True Abbott en tu poder.

Él soltó una risa forzada.

—Es el anillo de boda de mi madre.

—¿De veras? —Stephanie sostuvo el anillo en alto y leyó la inscripción—. «True, mi amor.»

—¿Y qué?

—Me extraña que el anillo de tu madre tuviera la misma inscripción que el de True Abbott.

Billy Ray no podía apartar los ojos del anillo. Stephanie lo sostenía con el índice y el pulgar y la luz se reflejaba en él, como haciéndole guiños.

Atormentándolo. Llamándolo imbécil. Un imbécil cegado por sus sentimientos.

—¿Qué quieres de mí? —preguntó él con voz ronca.

—La verdad.

El ojo derecho de Billy Ray empezó a parpadear como si tuviera un tic. En su mente irrumpió una imagen.

La mano de True. Inmóvil y pálida. Su dedo anular. El anillo de boda, haciéndole guiños.

Haciéndole guiños. Bajo la luz.

True, mi amor.

Ella lo había llamado, él lo recordaba bien. Había utilizado la tarjeta que él le había dado ese primer día, cuando la había rescatado junto a la carretera. Le había pedido que fuera a verla. Logan estaba fuera de la ciudad, había ido a Jackson por un asunto de negocios.

«Tengo que hablar contigo, Billy Ray.»

Él había sentido que el corazón le daba un vuelco. Por fin había

llegado el momento que había estado esperando. Ella lo había llamado
para pedirle ayuda.

—¿*Cuándo?* —*había preguntado, sin apenas poder articular pala-*
bra—. ¿Dónde?

—*Cuanto antes. En algún sitio donde no puedan vernos.*

Había algo en su voz. Un tono desesperado.

—¿*Conoces Miller Road?*

—*Sí.*

—*Al final hay una granja abandonada. El granero está al lado. Me*
reuniré allí contigo dentro de una hora.

Stephanie chasqueó los dedos.

—La verdad, Billy Ray. ¿Tanto te cuesta decírmela?

Él pestañeó, desorientado.

—True temía a Logan. Él controlaba todos sus movimientos, sus
pensamientos. Se sentía asfixiada por él. Siempre tenía que andar de
puntillas. Siempre temía decir o hacer algo que pudiera enfurecerlo.

—Conozco todas tus teorías, Billy Ray. Las he oído un millón de
veces. Y sé que este es el anillo de True porque ella me enseñó la inscripción. ¿Cómo lo has conseguido?

—Me lo dio ella antes de abandonar a Logan.

—¿No dices que él la mató? ¿No es lo que vienes diciendo desde
hace años?

—Y es verdad.

—¿La mató después de que ella te diera el anillo y se marchara?

Billy Ray miró a Stephanie a los ojos, pero vio los ojos azules de
True. Llenos de lágrimas.

—*Gracias por llamarme, True. Has hecho bien. No te arrepentirás.*

—*Billy Ray…*

—*No, por favor. Déjame hablar.*

Él trató de tomarle las manos, pero ella se las metió en los bolsillos.
Él se sintió dolido, como si le hubiera asestado un bofetón, pero dejó su
dolor a un lado. Como había hecho cada vez que su padre le pegaba por
interponerse entre él y su madre.

No había podido proteger a su madre.

Pero estaba decidido a proteger a True, costara lo que costara.

—*He visto cómo se comporta Logan. Sé cómo es, True. Soy policía,*
puedo protegerte.

—*No, te equivocas. He venido porque…*

—No me equivoco —insistió él, meneando la cabeza. Tenía que convencerla. Tenía que hacerle comprender—. Tengo una pistola. Y una placa. Mi tío es el jefe de policía. Logan no podrá ponerte la mano encima...

—Necesitas ayuda, Billy Ray.

—No, te necesito a ti, True. Te quiero.

—Ni siquiera me conoces.

—Sé que eres dulce y bondadosa. Eres muy bella, por dentro y por fuera. Yo cuidaré de ti...

—Yo le quiero, Billy Ray. Eso no cambiará nunca.

—Podemos ir a cualquier lugar. Nos iremos de Wholesome. Iremos donde él no pueda dar con nosotros...

—Mira... —Ella metió la mano en su bolso—. Tengo dinero. Diez mil dólares. Puedo dártelos, Billy Ray.

Le mostró un fajo de billetes.

—¿Ves? Son tuyos.

Él arrugó el ceño. Dinero. Un montón de dinero. El anillo de ella le hacía guiños.

—No comprendo.

—Ese dinero es para ti. Para que te vayas de Wholesome y empieces una nueva vida. Para obtener la ayuda que necesitas...

—Estás sudando, Billy Ray.

Él pestañeó para aclararse la vista. Stephanie. Seguía sosteniendo el anillo.

—Ella le tenía miedo, temía que la lastimara. Por eso me dio el dinero. Yo no lo quería. Sólo la quería a ella.

—¿Qué dinero?

—Los diez mil. —Él se restregó las palmas de las manos. Estaban húmedas, sudorosas. Como ese fatídico día—. Ella temía abandonarlo. Al igual que mi madre temía abandonar a mi padre.

Ella lo miró horrorizada. Él se enjugó la frente. El labio superior.

—Deja de mirarme de esa forma.

—Tú la mataste. —Stephanie retrocedió un paso—. Dios santo, tú la mataste.

—No —contestó él, negando con la cabeza—. Lo hizo él. Con sus celos. Con su... furia.

—Pero ella no lo veía así.

—Él está libre, lo han soltado —dijo Billy Ray—. Y Bailey está en peligro. ¿No lo entiendes?

El sudor empapaba su camisa.

—¿Qué ocurrió? —preguntó Stephanie—. Ella no te amaba y no quería abandonarlo, de modo que tú... ¿la estrangulaste? ¿Cómo estrangularon a Nicole Grace? Y quizá también a las otras. Y te quedaste con su anillo de boda. Como recuerdo.

¿Nicole Grace? ¿Las otras?

—Pero ¿qué dices?

—True ha muerto. Tú lo sabías porque la mataste.

—¡No la maté! Resbaló y se cayó.

—¿Y se golpeó en la cabeza? Vamos, Billy Ray.

—Yo trataba de convencerla. ¡Hacer que comprendiera! ¡Fue un accidente!

—*True, cariño...*

—*No me llames así.*

—*Por favor, cielo...* —*Él la aferró por los hombros*—. *Te quiero. Utilizaremos ese dinero para comenzar una nueva vida juntos.*

—*¡Suéltame!*

—*No hasta que digas que sí. Hasta que tú...*

—*¡Me haces daño!*

—*¡No te resistas y escucha!*

Ella se soltó y echó a correr hacia su coche. Él la alcanzó y la agarró del brazo. Ella se volvió y le golpeó en el cuello.

Él la soltó, sorprendido. Ella tropezó y cayó de bruces. Él la vio caer, como en cámara lenta, y golpearse la cabeza contra el suelo con un tremendo golpe seco.

Billy Ray se dio cuenta de que lloraba. Balbucía como un bebé.

—Yo la amaba. Jamás le habría hecho daño. ¡No le puse la mano encima!

—Pero le hiciste daño. La sujetaste.

—No quería hacerlo. No sabía qué hacer. ¡Tienes que entenderlo! Estaba trastornada. Era incapaz de razonar. Sólo quería que dejara de resistirse, que me escuchara. Que comprendiera.

—Este anillo es la prueba. Como los otros trofeos. Los que querías que hallaran los detectives del *sheriff*. Por eso estabas impaciente por obtener una orden de registro.

Quería que ella comprendiera. Tenía que comprenderlo.

—Por eso sabías que los cadáveres estaban enterrados en Abbott Farm. Porque tú mismo los enterraste allí.

Él pestañeó de nuevo. Las lágrimas se mezclaban con el sudor, haciendo que le escocieran los ojos. Se los enjugó. *Pero ¿de qué estaba hablando Stephanie? Había sido Abbott. Estaba claro que había sido Abbott.*

—Este anillo es prueba de lo que hiciste, Billy Ray. Lo conservaste como un trofeo, ¿no?

—¿Un trofeo? —Él meneó la cabeza—. Ella ya no le pertenecía. De modo que se lo quité del dedo y me lo puse yo.

Ella retrocedió un paso.

—Estás loco.

—Dame el anillo.

—No. —Stephanie retrocedió otro paso—. Lo llevaré a la oficina del *sheriff*. Y tú irás a la cárcel. Donde debes estar.

—No puedo consentir que hagas eso, Stephanie. —Él se levantó y se llevó la mano a la pistola.

Pero no la tenía.

Entonces recordó que se la había quitado. Al llegar a casa. La había dejado en el sofá, luego se había detenido, con la vista fija en la Glock, que estaba cargada, imaginando que la sacaba de su funda, que apoyaba el cañón en su sien y apretaba el gatillo.

Stephanie había visto la pistola cuando había entrado.

Él lo comprendió por la expresión de sus ojos.

En el preciso momento en que se abalanzó sobre ella, Stephanie se volvió y echó a correr. Él chocó con la mesa, derribando la botella de whisky, cuyo contenido se derramó en el suelo y salpicó la pared, que quedo manchada con unas lágrimas ambarinas.

Stephanie alcanzó la sala de estar antes que él. Tomó la pistola y le apuntó con ella.

—¡No me obligues a hacerlo, Billy Ray!

Él se precipitó hacia ella. El sonido del disparo resonó en su cabeza. La detonación reverberó a través de su cuerpo.

Billy Ray se detuvo, llevándose una mano al pecho.

—Dame... la... —Sus piernas se doblaron. Trató de agarrarse a la silla, pero esta cayó al suelo, arrastrándolo a él. Fijó la vista en el techo, sintiendo la sangre que pulsaba, que salía a borbotones de la herida que tenía en el pecho. La vista se le nubló.

True sonrió, llamándolo.

64

01:50

Stephanie estaba sentada frente a los dos detectives del *sheriff*. El anillo de True estaba en la mesa entre ellos. Ella había llamado al 911 y había explicado con calma a la telefonista que había disparado contra el jefe de policía de Wholesome, Billy Ray Williams, en defensa propia. Estaba vivo y necesitaba atención médica, y había pedido que acudieran los detectives Rumsfeld y Carlson.

La ambulancia no había tardado en llegar, al igual que los detectives. Se la habían llevado detenida. Y ahora estaba sentada ante ellos.

Stephanie enlazó las manos frente a ella, asombrada de que no le temblaran.

—Empiece por el principio, señorita Rodríguez.

—El principio —repitió ella.

—El motivo por el que esta noche estaba en casa del jefe Williams.

—Fui a preguntarle por el anillo.

—Nos ha dicho que pertenecía a True Abbott.

—Sí. Lo sé por la inscripción. ¿La han leído?

—«True, mi amor».

—Sí. —Ella fijó la vista en sus manos esposadas; luego la alzó y miró a Rumsfeld y a Carlson—. Él tenía el anillo. Por eso comprendí que la había matado.

—¿A True Abbott?

—Sí.

Rumsfeld miró sus notas y luego a Stephanie.

—Dice que él tenía el anillo. ¿Cómo lo sabe?

—Lo encontré en su dormitorio.

Los detectives intercambiaron una mirada.

—¿Mantenía usted una relación sentimental con él?

—Hace tiempo. Yo conservaba la llave de su casa. La utilicé esta tarde para entrar.

—¿Estaba sola?

—No. Me acompañó Bailey Abbott.

—¿Para ir en busca del anillo?

Ella negó de nuevo con la cabeza.

—La caja de trofeos.

El detective frunció el ceño.

—¿Qué tipo de trofeos, señorita Rodríguez?

—Ya sabe, los trofeos de un asesino.

La energía en la habitación cambió. Ella sintió la tensión. La intensa electricidad en la atmósfera.

—Retroceda un poco en su relato. Estoy confundido.

—Lo siento. —Ella tragó saliva—. ¿Cómo está Billy Ray? ¿Les han dicho algo en el hospital?

—Está en el quirófano. Es una excelente tiradora, señorita Rodríguez. El jefe Williams tiene suerte de estar vivo.

—No podía dejar que me arrebatara el anillo. Quería impedirme que les contara a ustedes lo que hizo.

—Creemos que Billy Ray vivirá, señorita Rodríguez.

—Me alegro —respondió ella, asintiendo con la cabeza para recalcar sus palabras—. Debe pagar por lo que hizo. Por las mujeres a las que mató.

—¿Las mujeres? ¿Otras mujeres, aparte de True?

—Por todas.

—Hablemos sobre la caja de trofeos que ha mencionado. ¿Por qué pensaba usted que Billy Ray tenía una caja de trofeos?

—Bailey Abbott me habló de ella. El día del accidente, mi tío se la mostró.

Los detectives cambiaron de nuevo una mirada.

—¿Bailey Abbott ha recobrado la memoria?

—Sí. Me pidió que la ayudara a entrar en casa de Billy Ray.

—¿Pensaba que la caja podía estar allí?

—No. Estaba segura de que Billy Ray la había ocultado en la finca, para incriminar a Logan.

—¿Por qué pensaba eso la señora Abbott? La caja estaba en poder de su tío. Lo cual, a mi entender, le hacía parecer culpable.

—Porque… —Stephanie se detuvo—. La caja había desaparecido. Bailey quería encontrarla.

—Cualquiera pudo habérsela llevado. Por ejemplo, Logan.

—Sorprendí a Billy Ray en casa de mi tío. Cuando llegué, estaba metiendo algo en el maletero de su coche. Me dijo que era la cinta de la policía. Dijo que ustedes le habían pedido que la retirara. O que él se había ofrecido a hacerlo. —Stephanie se llevó la mano a la cabeza; el cansancio empezaba a pasarle factura—. Pero ustedes me confirmaron que había mentido.

—¿Qué diría si yo le dijera que August Pérez mató a su tío?

—¿August? —Stephanie lo miró perpleja—. Es imposible.

—¿Por qué dice eso, señorita Rodríguez?

—No era cazador. Él mismo me lo dijo. Me dijo que detestaba la caza. —Stephanie se encogió de hombros—. No era de aquí.

—Quizá no fuera un accidente.

—¿Por qué querría el señor Pérez matar a mi tío?

—Hasta ahora todo son conjeturas, pero el rifle que encontramos en su casa coincide con las pruebas de balística del arma utilizada para matar a su tío.

Eso no tenía sentido.

—¿August tenía un rifle?

—Así es. Puede que el señor Pérez matara a su tío para recuperar esa caja de trofeos.

—No.

—¿Por qué está tan segura de ello?

Ella se frotó la sien, tratando de hacer memoria. Había algo… que no alcanzaba a recordar.

—Estoy cansada. No puedo pensar con claridad.

—¿Quiere que Carlson le traiga un café?

—Sí, por favor. Y un vaso de agua.

Carlson salió de la habitación y ella cruzó los brazos y apoyó la cabeza en ellos.

—¿Quiere un caramelo de menta?

Ella levantó la cabeza. Rumsfeld le ofreció un caramelo Starlight.

—Gracias. —Ella lo tomó—. A los caballos les encantan, ¿no lo sabía?

—Pues no.

Stephanie quitó el envoltorio del caramelo y se lo metió en la boca. El fuerte sabor a menta le escoció la lengua y le despejó la mente.

Entonces lo recordó.

—La caja no podía pertenecer a August.

—¿Por qué?

—Contenía un collar con una inicial. Una «N». Por Nicole. Nicole Grace.

Stephanie observó que el detective se esforzaba en recordar ese nombre, y comprendió que lo había pillado desprevenido.

—La chica de quince años de Wholesome —dijo ella— que murió estrangulada.

Él asintió con la cabeza.

—En 2005.

—Sí.

—¿Por qué elimina eso al señor Pérez?

—Porque en esa época él no vivía aquí. Se mudó a Luisiana en 2009.

65

06:35

—Hola, Williams.

Billy Ray alzó la cabeza y miró a Rumsfeld con ojos somnolientos. El detective se detuvo junto a la cama del hospital; Carlson estaba a su espalda. Durante sus veinte años de servicio, Billy Ray jamás había sido herido de un tiro. Hasta ahora.

Con su propia pistola. Por una mujer a la que él creía que podía controlar.

Pero había resultado ser más lista que él. Como todos los demás.

Billy Ray cerró los ojos. Le dolía respirar. Tragar saliva. Mover la cabeza.

Le dolía estar vivo.

—¿Te sientes con ánimos para charlar un momento?

El jefe Williams volvió a abrir los ojos y asintió, esbozando una mueca de dolor.

Rumsfeld acercó una silla y se sentó.

—Ya sabes por qué estamos aquí.

—Sí —respondió Billy Ray con voz ronca y pastosa—. Stephanie Rodríguez.

—Sí. Anoche disparó contra ti. Tenemos que tomarte declaración.

Lo habían descubierto. Todo había terminado. Billy Ray cerró de nuevo los ojos.

—Estoy cansado. Muy… cansado.

—Lo sé, hombre.

Billy Ray oyó rechinar la silla sobre el suelo de linóleo cuando Rumsfeld se acercó más a la cama.

—Un par de minutos. Lo suficiente para que podamos proseguir con la investigación. Luego te dejaremos tranquilo.

—No. —Billy Ray meneó la cabeza, mirándolo—. No me dejaréis tranquilo.

—Rodríguez dice que disparó contra ti en defensa propia.

—Sí.

—¿Sí, disparó en defensa propia?

—Sí.

—Nos ha contado una historia disparatada, Williams. Dice que tú mataste a True Abbott.

—No.

—¿No mataste a True Abbott?

Billy Ray observó que Carlson tomaba notas.

—No.

—Rodríguez tenía en su poder un anillo de boda. Que según ella pertenecía a la exseñora Abbott. Dice que lo encontró en tu dormitorio.

—Sí.

—¿Perdón?

—Es… verdad.

Rumsfeld se aclaró la garganta.

—¿Es verdad que True Abbott está muerta?

—Sí.

—¿Lo sabes con certeza?

—Sí.

Rumsfeld se acercó más.

—¿Por qué lo sabes con certeza?

—Porque… —Billy Ray se detuvo. Unas lágrimas se escaparon de las esquinas de sus ojos—. Yo la enterré junto al estanque en Abbott Farm.

Los dos detectives se quedaron estupefactos. Sus rostros asumieron una cómica expresión de incredulidad.

—Dame un papel… —Billy Ray se aclaró la garganta—. Redactaré mi… declaración.

Rumsfeld se volvió hacia Carlson.

—Papel y pluma, y algo para apoyar el papel. Ahora.

Rumsfeld se volvió de nuevo hacia Billy Ray.

—¿De modo que confiesas haber matado a True Abbott?

—No. Fue un… accidente. Se cayó. Yo perdí la cabeza… —Billy Ray reprimió un sollozo—. No debí ocultar lo sucedido.

—¿Qué me dices de Nicole Grace? ¿La estrangulaste de modo accidental?

—No. Abbott…

—¿Y Trista Hook? ¿Sabes dónde está enterrada?

Billy Ray negó con la cabeza.

—Abbott.

—¿Y Amada LaPier?

—Abbott. Logan Abbott.

Carlson regresó con el papel, un bolígrafo y una tablilla sujetapapeles. Rumsfeld hizo un ademán para que guardara silencio.

—¿Estás diciendo que confiesas ser responsable de la muerte de True Abbott, pero no de la muerte o la desaparición de las otras mujeres?

—No… fui yo. —Billy Ray indicó a Carlson que se acercara—. Abbott. Él es el culpable.

66

Bailey se despertó temprano. Logan, acostado a su lado, aún dormía. Habían hablado toda la noche a ratos. Habían dormido, luego se habían despertado al mismo tiempo, tan compenetrados como si fueran una misma persona. Curiosamente, no habían dicho una palabra sobre lo que podía ocurrir esta mañana, ni el siguiente paso que debían dar, sino que habían hablado del futuro. De su futuro juntos. De los hijos que tendrían y el cariño que les profesarían, de los lugares que visitarían. De vacaciones, aniversarios y bodas, y de los nietos que tendrían quizás algún día.

Como si hubieran aprovechado esas preciosas horas para recrear los momentos que compartirían el resto de sus vidas.

Bailey observó a Logan mientras dormía. Plácidamente. Relajado. No lo había visto así desde que se habían conocido en la isla. Tan bello, pensó. Alargó la mano y le acarició la mejilla.

Él abrió los ojos al instante, como un animal salvaje que se despierta en la selva, alerta y dispuesto a atacar.

Ella sofocó una exclamación de sorpresa y retiró la mano apresuradamente.

Logan la miró y sonrió con gesto somnoliento.

—Buenos días, amor.

—Te he despertado. Lo lamento.

—Yo no —respondió él, estrechándola contra sí—. Estás temblando, cielo. ¿Tienes frío?

Ella se esforzó en apartar las sombras.

—Ya no.

—¿Qué hora es?

—Pasadas las ocho.

Él torció el gesto.

—¿Muy pasadas?

—No. ¿Por qué?

—Tengo que hacer una cosa.

—¿Qué? Iré contigo.

—No, quédate aquí. Tengo que volver a hablar con Raine, luego quiero comentar una cosa con Paul.

—Vas a mantenerme otra vez al margen.

—Te aseguro que no. —Él la besó en la punta de la nariz—. No puedo hacer esto sin ti. En estos momentos, sólo nos tenemos el uno al otro.

—Vas a contarles todo a Raine y a Paul.

—Ese es el plan.

Logan lo dijo como si pudiera suceder algo que le hiciera cambiar de plan. ¿Por qué? Ella trató de preguntárselo, pero él se lo impidió con un beso profundo y prolongado. Al cabo de unos momentos, se levantó y se desperezó. Ella se levantó también y se dirigió al baño. *Tony* abrió un ojo, como preguntándose el motivo de que sus dueños se comportaran de forma tan rara; luego volvió a cerrarlo y se acurrucó en su cama cubierta de plumas.

Ella se puso la bata y se lavó los dientes mientras Logan se vestía. Ninguno de los dos dijo nada. Salieron del dormitorio y bajaron la escalera también en silencio.

—Te prepararé una taza de café —dijo ella cuando llegaron abajo.

—No te molestes. Me lo tomaré en casa de Raine. —Él la besó—. Volveré pronto.

Él echó a andar hacia la puerta principal, pero ella le sujetó del brazo, deteniéndolo.

—Recuerda, no más secretos.

—No más secretos. —Él la miró a los ojos—. Esto es algo que sólo puedo hacer yo. Te lo prometo.

Hizo la señal de la cruz sobre su pecho para reforzar su promesa y volvió a besarla. Ella lo vio partir, experimentando una sensación muy extraña. De conclusión. De adiós.

Las lágrimas afloraron a sus ojos y pestañeó para reprimirlas. Malditas hormonas, pensó, dirigiéndose hacia la cocina.

Se preparó un café con leche descafeinado, lo llevó a la mesa y se sentó. Pero antes de que pudiera beber un sorbo, *Tony* empezó a ladrar.

Bailey dejó la taza y fue a ver qué le ocurría. Cuando llegó al vestíbulo, sonó el timbre de la puerta. Miró a través de la ventana junto a la misma y sintió que se le encogía el corazón. Eran los detectives Rumsfeld y Carlson.

Se le ocurrió fingir que no estaba en casa, pero la habían visto.

—¡*Tony*! ¡Deja de ladrar!

Abrió la puerta. Cuando se disponía a saludarlos, *Tony* bajó la escalera como un rayo.

El detective se llevó la mano a la pistola.

—¡Controle a su perro, señora Abbott!

—¡No, *Tony*! —Ella lo agarró del collar y el animal casi la derribó al suelo.

El pelo del lomo se le erizó y emitió un gruñido.

—Lo siento —dijo ella—. No le he visto nunca comportarse así…

Rumsfeld la interrumpió.

—Por la seguridad del perro y la suya, le aconsejo que lo encierre. No quisiera verme obligado a dispararle.

—Por supuesto —respondió ella, tan sorprendida por la amenaza del detective como por el comportamiento de *Tony*—. Discúlpenme. —Arrastró al perro hacia el estudio y lo encerró allí. El animal empezó de inmediato a arañar la puerta.

—No sé qué le pasa —observó ella cuando regresó junto a los detectives—. ¿En qué puedo ayudarles?

—¿Está en casa su marido?

Ella sintió que se le secaba la boca.

—No, acaba de salir para ir a casa de su hermana. No tardará en regresar.

—¿Podemos pasar?

Ella dudó unos instantes.

—¿Por qué? Si han venido para hablar con Logan…

—Queremos hacerle a usted unas preguntas.

Esta mañana Rumsfeld no estaba para sonrisas tranquilizadoras, sino que iba directamente al grano

—De acuerdo. Pasen.

Los detectives entraron. *Tony*, que se había calmado, empezó a arañar de nuevo la puerta.

—¿Les apetece una taza de café?

—No, gracias. Siéntese, haga el favor.

Durante unos momentos Bailey tuvo la sensación de que no podía respirar, y menos hablar. Asintió con la cabeza y los condujo a la cocina. Su café con leche seguía en la mesa, enfriándose. Se sentó y colocó automáticamente las manos alrededor de la taza.

Aferrándose a ella como si fuera una tabla salvavidas.

Esperando.

Rumsfeld se sentó frente a ella; su compañero se quedó de pie detrás de él.

—Hemos averiguado que Henry Rodríguez tenía una caja que contenía unos objetos de mujer, una caja que le regaló a usted el día en que murió.

—Así es —respondió ella débilmente.

—¿Sabe lo que contenía esa caja?

—Creo que sí.

—¿Puede describir su contenido, señora Abbott?

Ella no podía articular palabra. Por fin había sucedido lo que Logan y ella se temían. Por eso le había invadido un sentimiento de tristeza cuando él se había marchado. Por eso habían vivido anoche sus vidas con los hijos que tendrían.

Era la última noche que estarían juntos.

El cuento de hadas que ella había vivido estaba a punto de concluir.

—Él no lo hizo —murmuró.

—Perdón, ¿qué ha dicho?

—Mi marido no ha cometido ningún delito. Es inocente.

—¿Qué contenía esa caja, señora Abbott?

Ella sacudió la cabeza.

El detective empezó a enumerar los objetos.

—Un collar con una inicial que pertenecía a Nicole Grace. Un pasador de pelo que pertenecía a Trista Hook. El anillo de graduación de Amanda LaPier. Y una pulsera, una barra de labios y un llavero que aún no hemos identificado. ¿Son los objetos que contenía la caja?

Al ver que ella no respondía, él repitió la pregunta.

—¿Son los objetos que contenía la caja, señora Abbott?

—Sí.

—¿La caja con las iniciales de su marido grabadas a fuego en la madera?

Las lágrimas rodaban por las mejillas de Bailey.

—Sí.

—¿Y usted nos ocultó esta información para proteger a su marido?

Ella sostuvo la mirada del detective.

—Lo hice porque él no ha hecho nada malo.

—¿Sí o no, señora Abbott?

—Sí.

—¿Sabe que entorpecer una investigación policial es un delito?

—Sí.

—Ocultar pruebas también es un delito, señora Abbott. ¿Es consciente de ello?

—¡No! ¡No lo hice! Acabo de recodar lo ocurrido.

—¿Cuándo?

—Ayer…, no, anteayer. El miércoles. Aún no lo recuerdo todo. No recuerdo haber encontrado a Henry, ni haber montado a *Tea Biscuit*. He recuperado la memoria de forma fragmentada.

—¿Qué ocurre aquí?

—¡Logan! —Ella se levantó de un salto y corrió a su encuentro—. ¡Saben lo de la caja! Creen que es tuya, que tú asesinaste a esas mujeres…

—Tranquilízate, cielo. No he cometido ningún delito.

—Tiene que acompañarnos, señor Abbott.

—¿Estoy arrestado?

—Aún no.

—¿Puedo llamar a mi abogado?

—Desde luego.

—¡No! —gritó ella—. ¡Mi marido no ha hecho nada! ¡Por favor, deben creerme!

—Tranquilízate —repitió él, obligándola a soltarlo. La besó—. Regresaré pronto.

Bailey los siguió hasta la puerta y salió de la casa, observando impotente cómo los detectives ayudaban a Logan a montarse en el coche patrulla y cerraban la puerta tras él.

El golpe seco la sobresaltó. Al cabo de unos instantes se produjo otro, cuando los detectives cerraron sus respectivas puertas al unísono. El sonido reverberó a través de su cuerpo. Como unos disparos.

Bailey sintió que las piernas le flaqueaban y se agarró al quicio de la puerta. Henry en su porche, esbozando su extraña sonrisa. Sosteniendo la caja en sus manos. Ella dirigiéndose apresuradamente hacia su vehículo y volviéndose antes de meterse en él.

«Volveré dentro de poco, Henry. Con *Tea Biscuit*».

Se montó en el coche y se despidió del anciano con la mano, procurando comportarse con normalidad, ocultando su terror.

Porque estaba tan aterrorizada que no podía pensar con claridad. *Contrólate, Bailey. Puedas hacerlo.*

A los pocos minutos alcanzó la carretera asfaltada y se dirigió hacia Abbott Farm. Estaba hecha un lío. El corazón le latía con furia. Sujetaba el volante con tal fuerza que tenía los nudillos blancos.

¿Hacía lo correcto? No podía ir aún a hablar con Billy Ray ni con los de la oficina del *sheriff*. Entonces, ¿cuándo? La caja. Las iniciales de Logan grabadas en ella, los objetos que contenía...

Unas pruebas que lo incriminaban.

No. Bailey flexionó los dedos sobre el volante. Debía de haber una explicación lógica, simple, para la presencia de esos objetos en la caja.

Y quizás ella la encontraría en el granero.

Se cruzó con un Mercedes todoterreno que circulaba a gran velocidad en sentido contrario. Al mirar por el retrovisor, Bailey vio que era Raine. ¿Iba a visitar a Henry? ¿O se dirigía a otro lugar?

En caso de que fuera a ver a Henry, ¿le enseñaría él la caja? ¿Los objetos que contenía? ¿Qué pensaría Raine al respecto?

Bailey llegó a Abbott Farm y pasó frente a la cuadra. Parecía desierta. Los empleados habían completado sus quehaceres matutinos y aún faltaban unas horas para que llevaran a cabo los vespertinos. Le chocó no ver el coche de August, porque a esas horas solía dar clase de equitación a sus alumnos.

Bailey llegó a la casa y entró apresuradamente. Se quitó el pantalón azul marino y la camisa blanca y se puso unos vaqueros azules y una camiseta. Después de recogerse el pelo en una coleta, salió de nuevo y se dirigió hacia el coche.

En pocos minutos llegó a la cuadra. Tal como esperaba, estaba desierta. Ni siquiera estaba la camioneta azul de Paul. Bailey se alegró, porque no tenía ganas de darle explicaciones sobre lo que iba a hacer.

Nunca había ensillado sola a *Tea Biscuit*, pero sabía que podía hacerlo. Se puso manos a la obra. El bocado. La brida. La manta. La almohadilla y por último la silla. Apretó la cincha. Ajustó los estribos. Comprobó que todo estaba en orden.

Bailey suspiró de alivio, consciente de que el tiempo apremiaba. La yegua relinchó, como si quisiera imitarla.

—Buena chica —dijo Bailey, conduciéndola hacia la plataforma para montarla—. Lo conseguiremos, ¿verdad? Lo haremos juntas.

Montó en la yegua y la condujo hacia el sendero. *Tea Biscuit* se movía inquieta y Bailey se preguntó si le había contagiado sus nervios o era porque no tenía ganas de caminar.

Tú controlas la situación, se dijo Bailey. No podía dar al animal la oportunidad de pensar que no era así.

Puedes hacerlo, Bailey. No lo dudes.

Condujo a la yegua al paso, aunque su instinto le instaba a espolear a *Tea Biscuit* para lanzarla al galope. Nunca había recorrido el sendero entre la cuadra y la casa de Henry a caballo y si tardaba unos minutos más no tenía importancia. A fin de cuentas, estaba embarazada. Henry no se movería de allí, y el granero tampoco.

Cuando doblaron el último recodo antes de llegar a la cabaña de Henry, un ruido seco quebró el silencio. Bailey no tuvo tiempo de adivinar qué era antes de que otro ruido seco reverberara a través del bosque.

Tea Biscuit relinchó y se encabritó. Durante una fracción de segundo, Bailey tenía de nuevo quince años, estaba sujeta a la crin del caballo, gritando aterrorizada mientras su novio y los amigos de este se reían de ella.

Pero ya no era una adolescente, se dijo. Se esforzó en dominar su pánico, concentrándose en todas las instrucciones que August le había gritado.

Al cabo de unos momentos, Bailey logró calmar a la yegua y controlar la situación. Aunque las manos le temblaban, experimentó una sensación de poder. Se rió, olvidándose momentáneamente de Henry, de la caja con las iniciales de Logan grabadas en ella, de los objetos que contenía, del granero y de lo que podía descubrir en él. Se había enfrentado al temor que le habían inspirado los caballos durante muchos años y lo había vencido.

—Buena chica —dijo, espoleando a la yegua para ponerla al trote.

Al cabo de unos minutos divisó la parte posterior de la cabaña de Henry. Su potrero. Su viejo caballo capón, ensillado y preparado.

Bailey condujo a *Tea Biscuit* al trote hacia el otro caballo. Al llegar allí, se volvió sobre la silla y escudriñó la zona.

—¡Henry! —gritó.

De pronto oyó un movimiento en el bosque, más allá de los límites de la propiedad.

—¿Estás ahí, Henry?

El anciano no respondió y ella desmontó de *Tea Biscuit* y entró con ella en el potrero.

—¡Henry! ¿Dónde te has metido?

Bailey se detuvo y aguzó el oído. En lugar de la respuesta del anciano, oyó el ruido de un motor, el sonido de neumáticos en el sendero, levantando una nube de grava.

El temor hizo presa en ella y echó a correr hacia los matorrales gritando el nombre de Henry. Lo encontró postrado en el suelo, boca arriba, con una herida en el pecho, cubierto de sangre. Tenía los ojos abiertos. Sin pestañear.

—¡No! —La palabra brotó de sus labios con un sonido desgarrador, y Bailey echó a correr hacia él ciegamente. Tropezó con unas raíces y cayó de rodillas, arrastrándose a cuatro patas hasta alcanzar el cuerpo del anciano. Le palpó el cuello y al no sentir el pulso se inclinó sobre su boca. No respiraba.

RCP. Bailey había estudiado un cursillo de reanimación cardiopulmonar. Cuando apoyó las manos en el pecho de Henry para estimular su corazón, estas se hundieron en la herida.

Las retiró apresuradamente. Bajó la vista y las fijó en ellas. Sangre. En todas partes. En sus manos. En su camisa. Sollozando, se limpió sus manos ensangrentadas en sus vaqueros.

Bailey gimió. Tenía que conseguir ayuda… Logan. Paul. Alguien. Se levantó tambaleándose y regresó corriendo al potrero. Montó en la yegua. Al cabo de unos momentos tomó de nuevo el sendero, el temor pulsando en sus venas, espoleando al animal para que corriera más.

Las lágrimas rodaban por sus mejillas. Comprendió que los sonidos que había oído hacía un rato eran disparos. Uno. Seguido de otro. El sonido de un vehículo en el camino de acceso. Levantando una nube de grava.

¿Quién…, por qué…? El bueno de Henry, incapaz de matar a una mosca…

La caja. Los trofeos de un asesino.

No había sido un accidente.

De pronto lo comprendió. Bailey se volvió para mirar la cabaña. ¿Y si…?

Un intenso dolor reverberó a través de su cráneo. Sintió que volaba por el aire. Al cabo de unos instantes, no sintió nada.

67

Un zumbido la sobresaltó, haciendo que regresara al momento presente. Su teléfono móvil vibraba. Bailey miró la pantalla.

Raine.

Cuando iba a responder, se detuvo. Miró de nuevo la pantalla, el nombre, sintiendo que el corazón le latía con furia. Recordando. Raine se había cruzado con ella en la carretera, de camino a casa de Henry.

«Debería matarte... Soy una excelente tiradora.»

Raine había crecido en la finca. Cazaba con sus hermanos. Ella misma se lo había dicho.

Bailey se llevó una mano a la boca. Henry había encontrado la caja de trofeos de Raine. Ella había ido a visitarlo; el anciano se la había enseñado. Le había contado la conversación que había mantenido con ella. Le había dicho que Bailey y él irían al granero.

Sus ojos se inundaron de lágrimas. Por Henry. El dulce e ingenuo Henry, que sentía gran cariño por Raine, la hija que nunca había podido reclamar. Quizá ella no había querido matarlo, pero pensó que no tenía otro remedio.

Bailey pensó en ese momento. Raine iba en coche, por lo que había tenido tiempo de ir en busca de su rifle, regresar, matar a Henry y tomar la caja.

Llamó a Logan, pero este no respondió y colgó. Era lógico que no respondiera, pensó. Además, ¿qué iba a decirle? ¿«Tu hermana es una asesina en serie»?

Las manos le temblaban. Estaba mareada. Se sentó en los escalones de la entrada y sepultó la cabeza en las manos.

Respira, Bailey. Respira. Profunda y lentamente.

Al cabo de unos instantes su respiración se normalizó, pero los pensamientos seguían agitándose en su mente. Raine había matado a Henry porque había encontrado sus trofeos y tenía que silenciarlo. Probablemente había colocado el rifle en casa de August, y de paso le había ayudado a inyectarse una sobredosis.

Pero ¿y True? ¿La había matado Raine? ¿Por celos? ¿En un ataque de ira? ¿Todo lo que había contado a Bailey sobre un embarazo y una madre loca eran mentira?

No. Raine quería a True. Quería a Logan. Jamás habría hecho eso, era incapaz.

—¡Bailey! ¿Estás bien?

Ella levantó la cabeza. Paul se apresuró hacia ella, mirándola con preocupación.

—He visto a los detectives irse, llevándose a Logan. ¿Qué ha sucedido?

Ella se levantó de un salto y corrió hacia él. Le echó los brazos al cuello y él la estrechó contra sí.

—Cielo santo, estás temblando como una hoja.

—¡He recordado lo que ocurrió ese día! ¡Sé quién mató a Henry, quién mató a esas otras mujeres! ¡Lo sé!

—De acuerdo, cálmate. Casi no comprendo lo que…

—¡Ella nos matará también si se siente acorralada!

—¿Ella? ¿Quién…?

—Raine. Me crucé con ella en la carretera, de camino a casa de Henry… La oí marcharse de allí. Y la caja había desaparecido.

—¿La caja? ¿Qué caja?

—Los recuerdos que ella coleccionaba de todas las mujeres. Después de matarlas. Henry la encontró en el granero…

—¿Te das cuenta de lo que dices, Bailey? Es una locura. ¿Cómo iba Raine a hacer eso?

—No sé cómo lo hizo…, cómo convencía a las mujeres para que se fueran con ella o cómo las mataba, pero…

—¡Tranquilízate! —Paul la tomó por los hombros y la zarandeó—. Raine es incapaz de lastimar a nadie, y menos a Henry.

—Pero lo hizo. Debes creerme. —Ella lo miró a los ojos—. Lo hizo para proteger su secreto. ¿Por qué crees que estaba acurrucada en la cama de Henry, sollozando? No conseguí que se calmara hasta al cabo de varias horas, después de darle un sedante. Su desesperación no era por el dolor de haberlo perdido. ¡Eran los remordimientos por haberlo matado!

—¿Adónde se han llevado los policías a Logan? ¿Han vuelto a arrestarlo?

—No. Todavía no. Se lo llevaron a la comisaría para seguir interrogándole. Debemos ir allí.

Él asintió con la cabeza.

—De acuerdo. Aunque estoy convencido de que todo lo que me has contado es un disparate, siento debilidad por ti. Pero ve a cambiarte. No quieres tener aspecto de loca.

Ella bajó la vista. Iba vestida con el pantalón del pijama, una camiseta y la bata, pero no se rió del comentario jocoso de Paul. Quizá no volvería a reírse nunca.

—¿Dónde está *Tony*? —preguntó él.

—Encerrado. En el estudio. Los detectives amenazaron con pegarle un tiro.

—¿Pegarle un tiro a *Tony*? —Paul sacudió la cabeza—. Iré a buscarlo.

Una vez arriba, Bailey se lavó la cara y se acercó al armario ropero. Tomó el primer pantalón que vio. Lo quitó del colgador y se lo enfundó. No podía subirse la cremallera.

Se detuvo, sorprendida. Miró el botón y el ojal. Había un par de centímetros entre ambos.

El bebé. Crecía rápidamente. Se desarrollaba con normalidad pese al caos que se había producido en su vida. Hacía poco se había puesto este pantalón…

Recordó el día en que había estado en casa de Billy Ray, examinando sus «pruebas».

Las tres mujeres de fuera de Wholesome.

Ella había anotado sus nombres en un papel. Que había guardado en el bolsillo del pantalón.

Metió la mano en el bolsillo derecho del pantalón. Un papel. El de aquel día, en casa de Billy Ray.

Lo sacó del bolsillo.

Tres nombres. El primero de la lista, Margaret Cassandra Martin.

Bailey dirigió la vista hacia su mesita de noche; su iPad estaba en ella. Se acercó apresuradamente y lo tomó. Escribió en Google el nombre de Margaret Cassandra Martin. Al cabo de un instante apareció su fotografía. La misma que había visto en la pizarra blanca de Billy Ray. Junto con un artículo sobre su desaparición. Bailey leyó apresuradamente el artículo y encontró lo que buscaba.

Todo el mundo la llamaba Cassie.

—*¿Cómo se llamaba la chica con la que había salido Paul?*

Creo que Cassie.

El temor hizo presa en ella, provocándole una opresión en el pecho que casi no la dejaba respirar. Paul. No Raine. Paul, que había vivido en Wholesome toda su vida, que formaba parte del tejido de esta familia y la vida en al finca. A nadie le chocaría verlo entrar y salir con su camioneta, o el hecho de que estuviera en el granero o en el bosque a altas horas de la noche.

¿Qué podía hacer ella?

Su teléfono móvil. ¿Dónde lo había…? En la mesa del vestíbulo. Lo había dejado allí después de intentar llamar a Logan.

Bailey miró a su alrededor en busca de una escapatoria. Si saltaba del balcón se lesionaría gravemente; si gritaba pidiendo auxilio no la oiría nadie, excepto Paul.

Paul. Subiría al instante, preguntándose por qué tardaba ella tanto en bajar. Tiró la tableta sobre la cama, pero se detuvo y la miró.

Su iPad. Un correo electrónico. Logan se lo había instalado, aunque ella no lo había utilizado todavía. Lo tomó de nuevo, con manos temblorosas, pulsando las teclas equivocadas mientras trataba de acceder al programa.

—¿Bailey? —gritó Paul desde abajo—. ¿Estás lista?

—¡Casi! —contestó ella—. ¡Un minuto!

Encontró la dirección del correo electrónico de Logan e hizo clic sobre él. No recibiría el mail a tiempo para salvarla a ella o al bebé. Bailey reprimió un sollozo. Pero Paul no se iría de rositas. Nunca más.

Tecleó rápidamente: «Paul es el…»

—¿Qué haces?

«… asesino».

Antes de que ella pudiera enviar el mail, Paul cruzó la habitación y le arrebató la tableta de las manos.

—¡No! —gritó ella, tratando de recuperarlo.

Él la apartó de un manotazo sin mayores problemas, como si fuera un insecto. Bailey cayó contra el tocador, derribando las fotos de su madre y ella.

Paul se volvió hacia ella.

—¡Cretina! ¿Por qué has tenido que inmiscuirte en mis asuntos? ¿Por qué no podías dejar las cosas como estaban? ¿Qué voy a hacer ahora contigo?

—Márchate. Vete de aquí. No se lo contaré a nadie.

Él meneó la cabeza, esbozando una mueca de contrariedad.

—No te creo, bonita. Además, esta es mi casa.

Ella sintió que las lágrimas le nublaban la vista. Retrocedió un paso.

—No le hagas daño a mi bebé. Por favor. Por Logan.

—No menciones su nombre. Tú tienes la culpa de esto —le espetó él. Toda semejanza con el hombre encantador y campechano que ella conocía había desaparecido—. ¡Tú te lo has buscado!

—Lo siento. No volverá a ocurrir —dijo Bailey con los ojos anegados en lágrimas.

—Puedes estar segura de ello.

Bailey se volvió rápidamente y echó a correr hacia la puerta.

—¡*Tony*! —gritó—. ¡Ven, guapo! ¡Ven!

Paul la agarró y la arrastró hasta el centro de la habitación, sosteniéndola con un brazo por la cintura y con el otro por el cuello. Ella le arañó el brazo con el que la asfixiaba.

—En estos momentos *Tony* está echando un sueñecito —le susurró Paul al oído—. Pero no te preocupes, no le pasará nada.

Ella rompió a llorar mientras trataba de soltarse. Había pensado que *Tony* era su única oportunidad de salvarse. Ahora no tenía nada.

Paul la llevó hacia el ropero empotrado, medio a rastras y medio en brazos.

—Esta es mi familia, Bailey. Mi familia. Debo protegerlos.

De repente la soltó y ella cayó, tambaleándose, dentro del armario ropero, tratando de sujetarse a algo, boqueando.

Apenas había conseguido recobrar el resuello, cuando él la obligó a arrodillarse y le sujetó los brazos a la espalda. Le ató las muñecas con una corbata de Logan. Azul, lisa, que Logan no echaría en falta. Máxime cuando lo único que le preocuparía sería dar con el paradero de ella. Bailey pestañeó para reprimir las lágrimas que empañaban sus ojos.

No. Tenía que centrarse en el momento presente y buscar la forma de huir.

Paul le ató los tobillos con otra corbata, apretando tanto el nudo que ella sintió de inmediato un hormigueo en los pies.

—¿Cómo ayudas a esta familia asesinando a mujeres inocentes? —preguntó con voz trémula.

—Yo soy así. No tienen nada que ver con esta familia. —Paul rió, un sonido que a ella le chirrió, como clavos arañando una pizarra—. Además, eso de que eran inocentes lo dices tú. Te aseguro que no lo eran.

—¿No tienen nada que ver con esta familia? Entonces, ¿por qué interroga en estos momentos la policía a Logan en relación con esos asesinatos?

—No tienen ninguna prueba.

—Tu caja de trofeos.

—Me pregunté si Henry te la habría enseñado. —Paul se enderezó y se puso en jarras—. La policía no la tiene. La tengo yo.

Ella lo miró estupefacta.

—Pero ¿cómo? Henry...

—Ese idiota me dijo que había estado allí, en el granero. Fui enseguida para comprobar si los objetos seguían allí y vi que habían desaparecido. Eran míos, Bailey. Él no tenía derecho a quedárselos.

—Era un anciano sencillo y encantador. ¿Por qué lo mataste? Él no sabía qué eran esos objetos.

—No podía arriesgarme a que se lo contara a alguien. Pero al parecer, el daño ya estaba hecho. —Paul consultó su reloj y luego la miró a ella.

—La policía sabe que existe esa caja. Seguirán buscándola...

Él la interrumpió.

—En efecto, lo saben. Stephanie les habló de ella. —Al observar la expresión de Bailey, Paul soltó una carcajada—. Tengo una amiga en la oficina del *sheriff*. Me cuenta todo lo que esté remotamente relacionado con Abbott Farm.

»Debí colocar esos objetos en casa de August cuando lo maté, pero no quería desprenderme de ellos. Me los he ganado.

Bailey trató de reprimir las náuseas que la invadían.

—Mataste también a August. ¿Por qué?

—Vio el rifle en la parte posterior de mi camioneta y cometió la torpeza de preguntarme por qué lo tenía. Me inventé una historia, pero no podía arriesgarme a que él se lo dijera a alguien y despertara sospechas.

—Pero ahora que los agentes del *sheriff* saben que existe esa caja la buscarán. Ellos…

—Ellos nada. Stephanie les dijo lo que tú le constaste. Y tú habrás desaparecido. No ocurrirá nada. Mentiste. Las mujeres siempre mentís.

Lo dijo con profundo desdén, como si las mujeres fueran las criaturas más despreciables de la tierra.

Paul frunció los labios y prosiguió:

—La cuestión es: ¿qué voy a hacer contigo? —Miró a su alrededor al tiempo que emitía una exclamación de contrariedad—. No imaginé que ocurriría esto hoy. Pero cuando me dijiste que habías recobrado la memoria y esas tonterías de que Raine era una asesina, comprendí que tenía que hacer algo al respecto.

La miró con una expresión de puro odio.

—¿Por qué me odias, Paul?

—No te odio. Me caías bien, Bailey. Hasta que empezaste a hurgar en el tema. Aquel día, en el garaje, lo vi.

—¿Qué viste?

—El zapato rojo. Trataste de ocultármelo, pero te comportabas con un disimulo sospechoso. —Mientras hablaba, Paul miró alrededor de la habitación, como tratando de hallar una respuesta a lo que debía hacer con ella—. Eres la peor embustera que he conocido.

—Y tú el mejor.

—Gracias.

—No lo he dicho como un cumplido.

—Otro error. Uno de tantos que has cometido.

Mientras Paul seguía hablando, Bailey trató de liberarse de la ligadura que sujetaba sus muñecas. Unos movimientos sutiles, girando las manos a un lado y al otro, restregándolas contra el tejido de seda de la corbata. Notó que empezaba a sudar. Tenía las manos y las muñecas húmedas y resbaladizas.

—Yo sabía lo que pensabas, que el zapato podía haber pertenecido a True. Te preguntabas si Logan la había matado. —Paul soltó una exclamación de repugnancia—. Otra mujer infiel. No sé por qué me sorprende siempre. Todas son iguales, tanto si se trata de tu madre como de tu amante…

—O de la esposa de tu mejor amigo.

—Cállate. Tengo que pensar.

Lo cual significaba que era lo último que tenía que hacer Bailey.

Él no la mataría dentro de la casa.
Pero no sabía adónde llevarla. O cómo hacerlo.

—¿De quién era ese zapato?

—De Trista. Se vestía como una furcia. Esa noche hacía una noche preciosa. El estanque era el lugar ideal.

La naturalidad con la que Paul relataba los hechos, como quien rememora un acontecimiento especialmente grato, le produjo un escalofrío que le recorrió la espalda.

—Deja que me vaya, Paul. Desapareceré, no volverás a saber de mí.

Él se rió.

—Seguro. En cuanto te suelte, irás a contárselo a todo el mundo.

—Sólo me importa el bebé —le imploró ella—. El bebé y yo desapareceremos de aquí. Nos iremos…

—Olvídalo. No dejaré que hagas daño a Logan.

—¡Pero esto le hará un daño irreparable! —protestó Bailey; las muñecas le dolían con cada movimiento que hacía—. Tú le estimas, Paul, debes entregarte…

—¿Para que me juzguen por asesinato en primer grado? ¿Para que me condenen a muerte? Estás loca.

—Confiesa lo que has hecho, cuéntalo todo, da a las familias de esas jóvenes la oportunidad de cerrar este capítulo en sus vidas a cambio de…

—¿Pasar el resto de mi vida en prisión? No, gracias.

—Todo ha terminado. Debes comprenderlo.

—¿Dónde están tus maletas?

Paul chasqueó los dedos ante el rostro de Bailey.

—Tus maletas.

—En el desván.

—¿Cuáles son las tuyas? ¿De qué color y de qué marca son? Y no trates de engañarme.

—¿Por qué quieres saberlo? Por favor —le rogó ella—, al menos dime eso.

—Vas a desaparecer, Bailey. Tal como querías.

Pero no en el sentido que ella lo había dicho. No volvería a ver a nadie.

—Pero yo lo haré como es debido. No como Billy Ray. El muy idiota.

—¿A qué te refieres al decir que no lo harás como Billy Ray?

—Él mató a True. —Al ver la cara de sorpresa de Bailey, Paul se rió—. Ha terminado confesando. Mi amiga en la oficina del *sheriff* me lo ha contado también. Billy Ray ha confesado esta mañana.

Paul sacudió la cabeza con gesto de disgusto.

—Como es lógico, jura que fue un accidente. Seguro que lo fue, pero él estaba enamorado de ella. Era patético.

—Trató de colgarme su muerte copiando mi concienzudo trabajo. Todo fue un montaje, el coche, el teléfono móvil de True… —Paul sacudió de nuevo la cabeza—. Pero Billy Ray no sabía lo de la habitación del hotel y el dinero.

Bailey trató de asimilar lo que Paul le estaba revelando. Él no había matado a True. Su desaparición estaba relacionada con las otras, pero no como cabía suponer.

—¿Creíste realmente que ella había abandonado a Logan? —Él asintió con la cabeza—. Yo estaba furioso con ella. Ahora me arrepiento de ello. En cualquier caso, lo haré como es debido. Nadie sospechará. Abandonaste a Logan. Te llevaste todas tus cosas. Sospechabas que él había asesinado a esas chicas. Su familia está loca. Al margen de que él fuera culpable o inocente, estabas harta y te largaste.

—Nadie lo creerá.

Él se rió.

—Todos lo creerán. ¿De qué color son tus maletas?

—No te lo diré.

—Da lo mismo.

Paul hizo ademán de salir del ropero, pero ella lo detuvo.

—¡Espera! ¿Cómo lo hiciste? ¿Las mujeres que desaparecieron?

—Muy sencillo. Les proponía ir de fiesta.

Y ellas aceptaban.

—Luego las dejaba inconscientes con mi cóctel especial de tranquilizantes para caballos. Como ves, mis estudios no fueron en balde.

—Pero los dejaste. Porque eras un inútil.

Paul se puso rojo de ira y Bailey comprendió que había pulsado un resorte peligroso.

—¿Quién te lo ha dicho? ¿Raine? ¿Stephanie? Cassie me dijo lo mismo. Antes de romper conmigo. Pero pagó por ello. Todas pagaron por ello.

Mujeres. Las odiaba. Empezando por su madre. Bailey decidió intentarlo.

—Incluso la madre de Logan. ¿De qué forma te traicionó, Paul?

Él la miró sorprendido.

—¿Cómo lo sabes?

—Esa noche estabas en el barco. Tú la tiraste por la borda, ¿no?

—Quería consolarla, eso es todo. Yo la quería, pero ella… —Su voz se endureció—. Me rechazó. Me dijo que me fuera. Que la dejara tranquila. Como hacía siempre la mía. Otra puta.

La corbata empezaba a aflojarse. Un poco más y quizá lograría sacar una mano, pensó Bailey.

—Te has pasado de rosca —dijo, procurando controlar el temblor de su voz—. ¿Por qué era una puta, porque quería estar a solas después de pelearse con su marido?

—¡Estaba liada con otro! Traicionaba al padre de Logan con Henry. ¡Un mozo de cuadra! Yo les oí. En la cuadra. Murmurando. Haciendo… cosas. Era repugnante.

Henry y Elizabeth.

—Vi mi oportunidad y la aproveché.

—¿Esa noche en el barco?

—No, ese día en la cuadra. El caballo estaba muy nervioso. Yo estaba furioso con ella, bastó con que arrojara un guijarro contra el animal…

Él había forzado el accidente que había desfigurado a Henry.

—¡Eres un hijo de perra!

Los dos se volvieron al mismo tiempo, Raine estaba en la puerta, el rostro crispado de ira.

Empuñaba un rifle, apuntándolo a la cabeza de Paul.

—Tú mataste a mi madre.

Él palideció.

—¿De dónde has salido?

—Todo lo que ha sucedido desde que ella murió… Papá, Roane, todo… es culpa tuya. Has destruido a mi familia.

—Me necesitas, Raine. Logan también. Soy el pegamento que nos mantiene unidos.

—Voy a matarte por lo que has hecho, Paul.

—Vamos, Raine. Sabes que no puedes hacerlo. No eres lo bastante fuerte.

Bailey pensaba lo contrario. Las manos de Raine sujetaban el rifle con toda firmeza.

—Logan sospechaba de ti —dijo Raine—. Después de hablar anoche con Bailey, llegó a la conclusión de que esos trofeos habían pertenecido a alguien que conocía bien Abbott Farm. Alguien que tenía acceso las veinticuatro horas del día a las instalaciones de la finca. Alguien que había vivido siempre aquí. Eso reducía la lista a dos personas. A ti y a mí.

—Mientes.

—Logan me dijo que iba a hablar con Rumsfeld esta mañana y me pidió que cuidara de Bailey. Al ver que ella no respondía al teléfono, vine a ver qué ocurría. Preparada. Cosa que tú no has hecho.

Paul se abalanzó hacia ella con un grito de furia. Raine apretó el gatillo. El disparo reverberó a través de la habitación.

Paul se detuvo, confundido.

—Este es por mi madre —dijo ella. Oprimió de nuevo el gatillo—. Y este por mi padre. Por los dos.

Paul seguía de pie. Raine avanzó un paso hacia él y disparó de nuevo.

—Y este, cabrón, es por Roane,

Paul cayó al suelo. Bailey oyó el sonido de sirenas. Raine también debió de oírlo, pero se acercó a él. Paul tenía los ojos abiertos y al respirar emitía un sonido gutural.

—Basta, Raine —dijo Bailey—. Ya no puede hacernos daño. Deja el rifle. Por favor.

Raine meneó la cabeza y apuntó de nuevo.

—Es un monstruo. Merece morir.

—Raine...

—Este es por August —dijo ésta, apretando el gatillo— Y estos... por mí.

Disparó una y otra vez, hasta vaciar el cargador. Luego soltó el rifle, que cayó al suelo con un golpe seco en el preciso momento en que Rumsfeld, Carlson y media docena de agentes del *sheriff* irrumpían en la habitación.

Epílogo

Jueves, 25 de diciembre

11:59

Bailey se despertó al oír unos débiles, pero insistentes gemidos. Abrió los ojos. La intensa luz la deslumbró y pestañeó, mirando a su alrededor. Tomó nota de la cama con barandillas de acero inoxidable y de las ásperas sábanas. El hospital, recordó. Había ingresado anoche.

—Feliz Navidad, cariño.

Logan estaba sentado en la butaca junto a la cama. Sosteniendo en brazos a una criatura con la carita sonrosada.

—Feliz Navidad —respondió Bailey, sonriendo—. ¿Cómo está la niña?

—Acaban de traerla. Creo que tiene hambre. Intenta agarrarse a algo que yo no puedo darle.

Bailey se incorporó y extendió los brazos. Al cabo de unos momentos Logan depositó con cuidado a Lizzie en sus brazos. Luego se inclinó y la besó.

—El mejor regalo de Navidad.

Sí, una niña sonrosada y perfecta. Le habían puesto Elizabeth por la madre de Logan. De haber sido un varón, le habrían puesto el nombre de su padre.

Bailey la observó mientras le daba de mamar, apartando la vista sólo para mirar a su marido. Para contemplar la felicidad que le embargaba.

Durante los meses siguientes a la muerte de Paul, había habido días aciagos. Tan negros y duros que Bailey había temido que Logan no lograra superar su dolor.

Cuando la policía había desenterrado los cadáveres. Cuando habían comprendido que gran parte de las preguntas que se hacían no obtendrían respuesta. ¿Por qué esas jóvenes? ¿Cómo las había matado Paul? ¿Las había estrangulado, como había hecho con Nicole Grace? ¿Habían luchado por sus vidas, o se lo había impedido los tranquilizantes que él les había administrado? ¿Había sido Abbott Farm el escenario de los crímenes o simplemente el lugar donde Paul había enterrado a sus víctimas?

Los agentes de la oficina del *sheriff* habían hallado rastros de sangre, que el luminol había revelado, en la bañera y el secador en la cuadra; y en el botiquín todos los sedantes equinos que existían en el mercado. Además de ketamina. Bailey se preguntó si la noche en que ella había ido a la cuadra en busca de Logan y Paul había impedido que entrara en ese cuarto, lo había hecho porque estaba deshaciéndose de pruebas incriminatorias.

Otra cosa que jamás averiguarían.

El día más duro había sido cuando Logan había tenido que identificar los restos de True. Luego su funeral, al que había asistido todo Wholesome. Cuando Billy Ray había declarado ante el tribunal, sin pedir perdón en ningún momento, insistiendo en culpar a Logan en su mente retorcida y enfermiza.

No dejaba de ser irónico que Billy Ray hubiera estado en lo cierto en muchas cosas. En todo, excepto en la identidad del culpable. Las víctimas, la muerte de la madre de Logan, la ubicación de los cadáveres... Todo, excepto la identidad del culpable. Su odio por Logan —y el atormentado pasado que arrastraba— le había cegado impidiéndole ver al auténtico asesino.

Más tarde, Logan se había apoyado en Bailey, descubriéndole su corazón, rogándole que le mostrara la forma de perdonar, de seguir adelante y comenzar de nuevo. La respuesta de ella había sido bien simple: paso a paso, con paciencia.

Y en eso se habían centrado todos. No en Paul, que había sido una fuerza siniestra que había destruido sus vidas desde dentro, sino en el momento presente. El canto de los pájaros y el susurro de las hojas, las pataditas que daba el bebé que crecía en el vientre de ella y el aroma a galletas en el horno. Las travesuras del perro y los besos largos y apasionados. De vez en cuando la oscuridad descendía de nuevo sobre ellos, pero esos episodios eran cada vez menos frecuentes.

Al oír una llamada en la puerta ambos alzaron la cabeza. Raine, con un gigantesco oso de peluche, y Stephanie, con un ramo de flores. Ambas sonreían de gozo.

—¿Podemos pasar?

Al cabo de un minuto, la habitación se llenó de exclamaciones de alegría. Mientras las dos mujeres se inclinaban sobre Lizzie, Bailey cruzó la mirada con Logan. En sus ojos ya no veía las sombras del pasado, sino el futuro. El futuro que les aguardaba, espléndido y maravilloso.